Александр Архангельский

БЮРО ПРОВЕРКИ

Роман

РЕДАКЦИЯ
ЕЛЕНЫ ШУБИНОЙ

Издательство
АСТ
Москва

УДК 821.161.1-31
ББК 84(2Рос=Рус)6-44
А87

Художник
Владимир Мачинский

Фото автора на переплете
Анна Данилова

Архангельский, Александр Николаевич.

А87   Бюро проверки : роман / Александр Архангельский. — Москва : Издательство АСТ : Редакция Елены
Шубиной, 2018. — 413, [3] с. — (Классное чтение).

ISBN 978-5-17-108974-0

Александр Архангельский — прозаик, телеведущий, публи-
цист. Автор книг «Музей революции», «Цена отсечения», «1962.
Послание к Тимофею» и других. В его прозе история отдельных
героев всегда разворачивается на фоне знакомых примет времени.

Новый роман «Бюро проверки» — это и детектив, и история взросления, и портрет эпохи, и завязка сегодняшних про-
тиворечий. 1980 год. Загадочная телеграмма заставляет аспиранта Алексея Ноговицына вернуться из стройотряда. Дей-
ствие романа занимает всего девять дней, и в этот короткий
промежуток умещается всё: история любви, религиозные мета-
ния, просмотры запрещенных фильмов и допросы в КГБ. Всё,
что происходит с героем, — не случайно. Кто-то проверяет его
на прочность…

УДК 821.161.1-31
ББК 84(2Рос=Рус)6-44

ISBN 978-5-17-108974-0

Мы живём или перед войной, или после войны.

Инна Лиснянская

Часть первая

ВОЗВРАЩЕНИЕ

День первый

19. 07. 1980

1.

Поезд ехал три дня и две ночи. Вагон был набит под завязку, пахло подгнивающими помидорами, мужички дымили горькой «Примой» и по коридору расползалось марево. В соседнем купе днём и ночью звенели стаканы: там смеялись, плакали, ругались и мирились, чокались и пели вразнобой. То «поутру они проснулись», то «мимо пролетают поезда», то «не жалею, не зову, не плачу». Кто-то резко ударял по струнам и, заглушая пьяную компанию, рычал: «Но что-то кони мне достались при-ве-ред-ливыя…» Купе благоговейно умолкало.

В Рязани объявили долгую стоянку. Через весь состав проследовал наряд милиции: милиционеры были в синих форменных рубашках с коротким рукавом; за ними, безвольно свесив язык и тяжело дыша, плелась овчарка. Сухощавый капитан пролистывал паспорта, смотрел прописку, иногородним приказывал выйти. Ну да, гражданочка, билеты продали. А не имели права продавать: в столице нашей Родины — Олимпиада. И, приподняв фуражку, промокал платочком лысину, продолговатую, как самаркандская дыня.

Я помнил, что сегодня олимпийское открытие: газеты привозили в стройотряд еженедельно, радиоточка гремела от гимна до гимна, с шести до двенадцати ночи, союз нерушимый республик свободных сплотила навеки велиииикааааая Русь, а в сасыкольском штабе был почти исправный телевизор. По вечерам я удлинял антенну на транзисторном приёмнике, приворачивал к ней тонкий медный провод, закидывал его на крышу и слушал короткие волны — то религиозные беседы Гаккеля на Би-Би-Си, то проповеди Шмемана на радио «Свобода», то набредал на радио Израиля и не мог удержаться от смеха: «Отряд получил боевое крещение». Заодно проглатывал и вражеские новости. Слышно было несравненно лучше, чем в столице: в степи глушилки ставить бесполезно.

Если бы тогда, на факультетском комитете комсомола, я получил желанную рекомендацию, не пришлось бы ехать в этот чёртов стройотряд, а значит, не пришлось бы возвращаться прежде срока. Выучил бы польский или чешский (а может быть, чем чёрт не шутит, и мадьярский, с его зубодробительной фонетикой, дьодьзертар, сепьек ланьок, мене бекерюль), встречал бы туристические группы в Шереметьеве, по вечерам писал секретные отчёты для пожилых кураторов из Комитета, а часов с семи утра стоял бы, сонный, у входа в гостиницу «Спутник» и торопил похмельных чехов, венгров, югославов и поляков: Товарищи, автобус ждёт… Товаришче, аутобус чека… Молим те иди у аутобусу… улызы у кабину… Но мне рекомендацию не дали: комсомольский секретарь пропихивал своих девчонок. Пришлось отправляться в дальний стройотряд, где всё, что творилось в Москве, казалось чужим и далёким. Кто бы ни рассказывал. Советский ведущий торжественным голосом или западный диктор — глухим. Дорогому Леониду Ильичу вручали орден золотой звезды вьетнамского героя, июньский пленум выражал поддержку братскому афганскому народу, академик Сахаров, ещё зимой отправленный в закрытый город Горький, заявлял решительный протест, хорошела олимпийская столица, наши давили душманов, моджахеды бились за свободу, несколько спортивных федераций подключились к бойкоту Москвы. И тут же — музыкальное сопровождение:

> *Не страшны дурные вести,*
> *Начинаем бег на месте,*
> *В выигрыше даже начина-ю-щий.*
> *Кррррасота! среди бегущих*
> *Первых нет — и отстающих,*
> *Бег на месте обще-прими-ря-ю-щий.*

На вокзале пахло горячим асфальтом, свежие лужи сияли. Торговцы шумно выгружали помидоры, проводницы протирали поручни, дамы, подобрав края цветастых юбок, царственно спускались по ступенькам, вдоль вагонов пробегали торговки и умоляюще взывали к пассажирам:

— Ка-а-артошечка! С у-у-укропчиком!

— Беру! — прокричал я, высунувшись из окна.

— А вот кому солёные огурчики? — немедля подскочила торговка.

— И огурцы.

— Пиво! Кура! С вас три рубля!

— А почему так дорого?

— Уступим! Два пи-исят!

Я вернулся в пустое купе (моим попутчикам пришлось сойти в Рязани), снял тяжёлые и неудобные очки, протёр холщовой тряпочкой царапанные линзы: стёкла дорогие, цейссовские, папа где-то раздобыл по блату, их пора бы поменять, только где сейчас достанешь новые? Откупорил прохладное пиво; этикетка на бутылке отпотела и сползла, как переводная картинка. Выложил картошку на промокшую газету, а курицу на жирный целлофан, серой горкой насыпал кристаллическую соль. Посмотрел с вожделением; вспомнил, что перед едой не помолился. Вздохнул, пробормотал скороговоркой: «...ястие и питие рабом Твоим...» Вот теперь совсем другое дело. Благодать. Правда, жарко и душно, как в бане, зато перекреститься можно, не скрываясь. Всю дорогу приходилось складывать пальцы щепотью и солить еду крест-накрест, чтобы никто не заметил. И крестик я на всякий случай подколол с изнанки, под кармашек. Мало ли какой попутчик попадётся; донесёт — проверят документы, сообщат в Московский императорский университет (в восьмидесятом стало модно так его именовать), и доказывай потом, что ты не верблюд. Нет; бережёного Бог бережёт.

Только что прошла обвальная гроза, и за окнами сверкала зелень, а там, в степи, всё было плоское и жёлтое, от деревьев тянулись облезлые тени. Бараки из серого шифера были сколочены наспех, стёкла в окнах заменял полиэтилен, и всё время уныло зудела мошка́. Мы ходили в марлевых накидках, защищая от гнуса не только лицо, но и уши, и шею; откинуть марлю было невозможно, у курильщиков на месте рта образовались никотиновые пятна. В воздухе висели чёрные гудящие шары, вдоль бараков шастали фигуры в белом, то ли бедуины, то ли му-мии; Сальвадор Дали калмыцкого разлива.

Зато теперь с изнанки стройотрядовского курте-ца был пришит самодельный кармашек, а в кармаш-ке — пачка новых серых сторублёвок. Всю дорогу приходилось корчить из себя мерзляку; я накидывал куртку, полуспал, маринуясь в солёном поту; про-снувшись от резкого лунного света, в ужасе ощупы-вал подкладку. Уф. Порядок. Всё на месте. И зарабо-танные деньги, и та довоенная запонка из тёмного безжизненного янтаря, пробитого медной заклёп-кой. Вместо стерженька — короткая латунная це-почка с овальной пластиной-креплением. Священ-ная реликвия *оттуда*.

Вообще-то я планировал вернуться к сентябрю, незадолго до защиты кандидатской, и заработал бы намного больше, как минимум тысячи две, а может, и две с половиной, но четыре дня назад я получил письмо. Прочёл его раз, прочёл два; смысл доходил до меня неохотно — как всегда бывает с неприятны-ми вестями. Однако вариантов не было; что называ-ется, приказ не обсуждают. Я отвёл в сторонку бри-гадира и промямлил что-то про невесту, попросив-шую вернуться. «Что, залетела? — ухмыльнулся бри-гадир. — Нет? Лёх, да будет врать-то. Ладно, чё тут, поезжай, тудем-сюдем, а то ещё пропустишь сроки, окольцуют. Но за это вычту треть, мне работягам на-до компенсировать. Сам понимаешь, договор есть договор».

Бригадир на то и бригадир, чтоб не оставлять себя в обиде.

…«И вновь продолжается бой» — пело дорожное радио, поезд плотоядно перестукивал колёсами.

Вдруг песня всхрипнула и захлебнулась, начальник поезда шершаво дунул в микрофон: прибываем на конечный пункт, станция Москва-Казанская, десятая платформа.

Я вышел на перрон, встал под опасное жёлтое солнце. Пахло асфальтом, мазутом, грузчики орали вечное *пыстыранись*, хотя пыстыраниться было некому: из вагонов вышло несколько случайных пассажиров, остальных поснимали в Рязани.

2.

Москву я узнавал с трудом. Площадь трёх вокзалов освежили поливалкой, на дороге заменили рваный слой асфальта, наспех покрасили рыхлые стены домов, оставляя густые затёки пузырчатой краски. В продуктовом заменили вывеску: красное Р выпирало горбом, Ы алкоголически заваливалось набок. А в середину закруглённой площади, как белый стержень в солнечных часах, был воткнут накрахмаленный милиционер.

Сияющая чистая рубашка, рафинадная фуражка с золотой кокардой, полосатый игрушечный жезл.

Но площадь при этом — безлюдна. И машины проезжают редко-редко, как в кино про сталинские годы.

А где роящаяся масса пассажиров, где их коричневые чемоданы с металлическими уголками, где разлапистые серые баулы и зелёные брезентовые рюкзаки? Где каучуковые дети, скачущие по мостовым, — стой, куда тебя несёт, взял бабу за руку, баба рассердится, ну же?

Асфальт сияет лужами, бликуют солнечные зайчики, шелестят разношенные шины. И вокруг — зияющая пустота.

3.

Я зашёл в телефонную будку, вставил в прорезь двухкопеечную медную монетку. Серебристо-серый автомат сглотнул. Гудки тянулись бесконечно долго, и я уже стал задыхаться: будку снаружи покрасили масляной краской. Хорошеет олимпийская столица. Москва готовится к спортивным состязаниям.

И вот заколотилось сердце — я услышал:

— Алло-о-о...

Как же я скучал по этому родному голосу. Вполне обычному, не слишком низкому, не чересчур высокому, не певучему и не глухому, одному из миллионов. Но всё-таки единственному. *Своему.*

— Муся, ты?

— Я-а-а. Ой, это кто?

Когда Муся удивлялась, лицо у неё делалось детское. Вы меня решили обмануть? Точно нет? Точно-точно? Я верю.

— Алё-о-оша? Постой-постой, это как? Милый, ты откуда? Так хорошо слышно...

— Отсюда. С площади Казанского вокзала.

Раздалось тревожное молчание. В чём дело, что стряслось. Брови подняты, на круглом телёночьем лбу образовались тонкие морщинки. Но растерянность — не Мусина черта; вот она уже определилась с чувствами, сосредоточилась, интонация стала учительской.

— Ноговицын, я не поняла. Ты, что ли, в Москве?

— Ну конечно, Мусик, я в Москве. И бью копытом. Когда мне подъехать? Или встретимся в центре?

— А уж как я хочу тебя обнять, — почему-то без особого порыва отвечала Муся. И опять перешла в наступление: — Но ты же собирался в августе вернуться? Котик, что случилось? Ты здоров?

— Всё отлично, я при встрече объясню.

Хотя я ничего ей объяснить не мог, поскольку не сумел придумать убедительную версию. Все три дня лежал на верхней полке, тупо смотрел в потолок и прокручивал варианты один другого фантастичней и глупее. В соседнем лагере случилась эпидемия холеры, я сбежал, пока не заперли на карантин. В ВАКе поменялись правила защиты и бумаги нужно оформлять по новой. Или телеграммой вызвали в военкомат, чтобы подтвердить мою отсрочку? Всё никуда не годилось, было шито белыми нитками, а правду сказать невозможно.

Я затараторил, обгоняя встречные вопросы:

— Когда мы увидимся? Я приеду на «Сокол»? Или пойдём погуляем? Через час? Успеваешь? У какого метро?

— М-м-м… Давай на «Таганке», но позже… у меня тут срочные дела… ты извини… я же не знала… и родители через три дня вернутся, у них какой-то пересменок, я тут прибираюсь… может, в пять?

Самоуверенная Муся вдруг смутилась. Я не сразу врубился, в чём дело, подумал, причина в родителях: на моей памяти они прилетали в Москву из Алжира два раза и оба раза тут же отправлялись в Крым — я пока что не был им представлен.

И продолжил в бодрячковом наигранном тоне:

— Ты, Муся, опытный бездельник! Какие у тебя дела? Ты что, устроилась работать?

— Работать. Летом. Здрасьте вам пожалуйста! Только что окончила — и сразу? Ну уж нет уж, не дождётесь! Просто я тут познакомилась с такими интересными людьми… потом расскажу… так мы договорились в пять, напротив театра?

— Как скажешь, Муся.

— Котик, не сердись. Я очень, очень хочу тебя видеть. Тем более узнать, что там у тебя случилось. Но потерпи ещё чуть-чуть, так надо. Ну, до встречи?

— До встречи.

— Ура-ура. А мне как раз вчера дошили сарафан, голубой, в горошек и с та-а-акой оборочкой! Как будто знала. Всё, целую тебя, мой родной.

4.

Я решил домой не заезжать. Потому что сегодня суббота, дома встретит растревоженная мама и ей не объяснишь, с чего я вдруг вернулся. Мама в ужасе отступит и всплеснёт руками, глаза у неё округлятся. Так она и знала, так и знала! Алёшу выгнали из стройотряда! выслали в Москву! завтра! нет, уже сегодня! исключат из института! сыночка, да как же ж! я! совсем! одна! И, не слушая дальнейших возражений, ринется накручивать пластмассовый прозрачный диск на алом чешском телефоне: «Арнольд! Арнольд! Вот я же говорила… ты послушай… тоже называется отец!»

Затюканной она была всегда, но после папиного бегства в новую семью впала в ежедневную истерику, чуть что — начинала рыдать, и слёзы у неё в буквальном смысле слова брызгали, как в цирке у ковёрных клоунов. Только у них — глицерин, а у мамы слёзы настоящие, солёные. И на всё одна реакция: кошмар. Начиная со вступительных экзаменов и кончая соблюдением постов.

Года три назад я объявил ей о своём решении. Сел за кухонный стол, положил на него кулачки, как физиолог Павлов на картине Михаила Нестерова, и, по маминому выражению, *набычился*.

— Мама! — начал я, сверля глазами стол. — Послушай. Я должен тебе что-то сообщить. — И зачем-то резко вскинул голову; получилось как-то театрально.

Мама развернулась ко мне и обречённо вытерла мыльные руки о фартук.

— Лёша, что с тобой стряслось? Я так и знала.

— Мама, я принял святое крещение.

И снова опустил глаза, с неудовольствием отметив, что опять повторяю отца: бесполезно препираясь с мамой, он неизменно упирался взглядом в пол, скулы его розовели, папа слегка подавался вперёд. Наверное, не надо было так официально. Сказал бы по-простому: мамочка, так вышло, я крестился. Но что сделано, то сделано; назад я сдавать не умел.

— Ай-й-й-й-й, — тоненько, по-детски заплакала мама и завела свою любимую пластинку: — Ой-й-й, тебя же исключат из комсомола, выгонят из аспирантов и забреют, я же знала!

— И буду соблюдать посты, — продолжал я гнуть своё.

— Да какие посты, посмотри на себя! Кожа да кости. Здоровье надорвёшь, зрение скакнёт. Ай-й-й...

— Во-первых, не кожа и кости. Во-вторых, надорву — тебе же легче: в армию не загремлю.

— Да что же ты такое говоришь...

Мама тут же позвонила папе; тот приехал, суровый и важный, в чёрном костюме и густо-синем ленинском галстуке в белый горошек, усадил меня в кресло напротив и затеял обходительный, но строгий разговор.

— Алексей! Ну, я всё понимаю. Да, наверное, *там* что-то есть. В это верили великие. Философы Серебряного века... Но ведь не боженька! Не бабки! Не попы́!

— Нет, папа, — твёрдо возразил я, потому что с отцом говорить по-другому было бесполезно. — Именно что боженька и бабки! — Подумал и назло ему добавил: — И попы́.

Отец скривился и махнул рукой, а мама отступать не собиралась. Она вообще отступать не умела. В этом я пошёл в неё, а не в отца. Тот выпячивал нижнюю губу, делал козью морду, собирал в кучку глаза — но переупрямить его ничего не стоило. Посопротивлявшись, он сдавал назад. А мама сначала рыдала, затем притворялась, что всё хорошо, а потом начинала давить. Медленно, упорно, неуклонно.

Для начала она притащила с работы газету под названием «За рубежом». Лёша, ты просто обязан прочесть. Что там вытворяют эти янки, это же уму непостижимо. Я ответил *угу* и засунул газету подальше, но мама вечером напомнила, и утром повторила, и в обед. Пришлось мне развернуть еженедельник (жирная свинцовая печать, следы остаются на пальцах) и пробежать глазами длинный очерк о том, как преподобный Джонс построил вместе с сектой город в джунглях. Члены братства распахали пустошь, запустили лесопильню. Устроили детские сады и ясли. Молились, плодились, трудились. Один сенатор прилетел с проверкой, его убили, а члены секты — все — покончили с собой. Матери перерезали горло детям. Отцы стреляли в жён и принимали яд. Когда в Джонстаун прибыли войска, спасать уже было некого. Беспощадное солнце. Царство смерти. Тысяча смердящих трупов. Автор выразительно живописал кошмары заграничной жизни и делал строгие гуманистические выводы.

— Ну? — спросила мама, когда я дочитал.

— Что «ну»?

— Ты хоть понимаешь, что это такое? Куда ты полез? Матери — режут — горло — детям.

— Ма-а-ам.

— Ты мне не мамкай. Ты прямо скажи: это ужас?

— Разумеется, ужас. Но я-то тут при чём? И это происходит не у нас. У нас такого быть не может, ты же сама ругаешься на Америку!

Мама не обиделась, но с этого момента по средам и пятницам, а затяжными православными постами ежедневно готовила скоромное. В другие дни могла запечь капустные биточки или пожарить кабачки, с полупрозрачными большими семечками, или нарубить сырой баклажанной икры с душной кинзой, краснодарским сладким помидором и пахучим андижанским чесноком. Но мясопусту был противопоставлен мясоед, и точка!

Закупаться мама стала на Черёмушкинском рынке, самом дорогом и самом сытном; денег до зарплаты не хватало, мама постоянно перехватывала у сослуживиц и без конца брала надомную работу. Но зато теперь на завтрак были блинчики, политые сметаной, а на ужин — толстые котлеты, неприлично истекающие жиром, или вермишель по-флотски, с крупным рассыпчатым фаршем, или тушёная телятина, или баранья корейка плюс густое соте из баклажанов. Мы как будто переехали в страну, где нет очередей и дефицита, а есть ожившие картинки из книги о вкусной и здоровой пище. Заходя в соседний гастроном, в котором тошнотворно пахло тухлым хеком, а на бакалее высился прозрачный конус с подкисающим томатным соком, я чувствовал себя как иностранец, приходящий в ужас от советского народного хозяйства.

Мама молча ставила на стол тарелку, садилась напротив и обиженно смотрела, как сыночек раскурочивает блин, кучкой сгребает мясную начинку, вилкой очищает тесто от сметаны и сердито жуёт. Или сдвигает котлету на край и питается одной картошкой. Вермишель не поддавалась дрессировке и не желала отлипать от фарша, но я уныло ковырял в тарелке, пока не справлялся с задачей.

А в воскресенье поднимался по будильнику — старому, пузатому, с большими металлическими ушками, в которых бодро колотились молоточки. Не зажигая света, пробирался в ванную, подносил ко рту зубную щётку и в ужасе отдёргивал: нельзя. Почему нельзя? А потому что запретили.

Обычно исповедовал отец Георгий. Жизнерадостный и не любивший тратить время понапрасну. Посверкивая золотом коронок, он вопрошал: «Ну шо? и словом, так сказать, и делом, так сказать, и помышлением?», и, не слушая ответа, радостно вздымал епитрахиль, как женщины вздымают простыню, стеля постели. Но однажды я попался в лапы настоятелю, отцу Мафусаилу. Тот слушал тяжело, давяще, встречными вопросами не помогал. И вдруг, не дав договорить про осуждение и блудный помысел, шумно, с охотничьей страстью принюхался и перебил: «Так, а почему ты пахнешь мятой? ты что ли ел перед причастием?» «Не ел, — растерянно ответил я, — это у меня зубная паста». Настоятель рассердился (вообще он был гневлив не в меру; как выйдет на амвон, как гаркнет: «Кто не исповедался — да не приступит к чаше!», лицо становится апоплексически бордовым, и бабки приседают от восторга). «Это что ж такое, это ж как!» — он грозно свёл густые брови. И сверлящим шёпотом устроил выволочку: «Ты же ж ротом принимаешь таинство, какая паста?»

В общем, зубы до причастия не чистить и даже рот водой не полоскать, не соблазняться.

Это меня удивило, но если решил *соблюдать* — соблюдай. Ибо — как же мы тогда любили это пафосное слово «ибо»! — главное было в другом. Не в казарменных привычках настоятеля, не в чужих и непонятных прихожанах, не в суетливых бабульках — «Мань, ты на причастие благословилась? у кого?» — и не в милом равнодушии отца Георгия, а в напряжённом ожидании итога. Стоишь на долгой ранней службе. Сердце тает, слёзы душат. Священник закрывает царские врата, как закрывают свежевымытые окна, отец диакон ставит перед ними золотой подсвечник, похожий на рыцарский меч; все отрешённо молчат, только мечется под куполом суровый голос горбуна, читающего нараспев молитвы ко святому причащению. И кажется, не доживёшь до той минуты, когда распахнутся врата и священник вознесёт над головами чашу:

Со страхом Божиим и верой приступите!

Смерть опять не состоялась! Вечность рядом! В полушаге от тебя. Сложи крестообразно руки и полузакрой глаза. Нырни в людской поток. И медленно, как в тонком сне, плыви навстречу... Тому, кто никогда не причащался, не понять. С чем это можно сравнить? Взмах качелей, уносящих к небу? Судорожный вздох, когда выныриваешь с глубины? Первое утро после тяжёлой болезни — температура спала, солнце светит, и от этого щенячье счастье? Всё не то и даже отдалённо не подходит.

5.

А ведь это всё Сумалей М.М. Его работа. Хотя я так и не успел узнать, был ли Михаил Мироныч «практикующим» — то есть ходил ли на службы, исповедовался и причащался. С ним было бесполезно говорить на эти темы.

Прибился я к нему почти случайно. Аспирантам-первогодкам полагались краткосрочные бессмысленные семинары. Выбор был столовский, небогатый: на первое — глухой как пень, и страшно глупый Константин Трофимович Минаев, невнятно излагавший ленинскую теорию отражения. На второе — молодой Андрей Касимов; он вёл неформальную логику, в которой я мало что смыслил. Зато на сладкое достался многолюдный семинар у Сумалея, «Философские аспекты урбанизма», общий для всех гуманитарных факультетов.

В аудитории припахивало плёнкой, от проектора тянулась дымная полоска, на экране вспыхивали слайды. Плёнка гэдээровская, «Орвохром», цвета размытые, поблёкшие. Михаил Миронович, сухой и тёмный, словно прокалённый на огне, пояснял картинки резким голосом. Вот, коллеги, петушился он, храм святителя Николы в Кузнецах. Здесь, коллеги, царские врата, а тут, извольте видеть, поздний, хорошо сохранившийся иконостас, а этот приподнятый пол — солея. Литургия начинается со слов «Благословенно царство», в сердцевине дьякон произносит «оглашенные, изыдите», и это значит то-то, то-то, то-то. Затем зачитывал обширные цитаты из философа-священника Флоренского про храмовое действо и закон обратной перспективы; а сейчас эстетику огня попробуем соединить с искусством литургического дыма.

После всех полковничьих ужимок диамата, пропылённых историков партии, дуболомных атеистов («у хрыстианстве бог членится на три части… а что ж вы смеётесь…») и великой дисциплины под названием «тыр-пыр» (теория и практика партийного строительства) — занятия у Сумалея возбуждали, как впервые выкуренная сигарета или как «Советское шампанское» в десятом классе, выпитое исподтишка на пятерых. Подволакивая ногу, Михаил Миронович ходил вдоль рядов; голос его звучал то острее, то глуше, то накатывал справа, то слева, словно бы лектор — везде и нигде, как эта самая завеса фимиама, создающая эффекты перспективы.

Он мог уклониться от темы и заговорить о чём угодно — о европейской философии истории или о модном хронотопе Бахтина. А мог прочесть своим взвивающимся голосом стихи кого-нибудь из наших современников. Причём всегда подпольное, неподцензурное, как минимум — по многу лет лежащее в издательстве. Особо нравился ему один стишок Глазкова, он читал его неоднократно и жмурился от удовольствия:

В стихах я Пушкина пониже.
И, вероятно, потому
Я не люблю, а ненавижу
Простую русскую зиму́.

Однажды Сумалей прочёл (на память!) непечатную поэму молодого автора Чухонцева, особо выделяя философские фрагменты:

Была компания пьяна.
И всё ж, друг дружку ухайдакав,
Как чушки, рвали имена:
Бердяев, Розанов, Булгаков.

А на другом занятии достал машинописный сборник Александра Межирова и, растягивая гласные, продекламировал:

И я
не то чтобы
слишком болею,
Не то чтоб усталость
доканывает меня,
А всё юбилеи стоят,
юбилеи,
Юбилейные какие-то времена.

После чего прищурился, причмокнул, стал похож на плотника, который ловко засадил одним ударом гвоздь: «Как стал писать Александр Петрович, как стал писать». И ушёл в петляющие рассуждения о том, что время резко изменилось. Не физическое время, а *метафизическое*! Дьявольская разница! Мы считаем время по-другому. Не так, как считывали пять или десять лет назад. Дни мелькают один за другим, а при этом ничего не происходит, хронотоп стремительно вращается вокруг своей оси и не может вырваться из собственного круга. Заметьте, аккуратно кашлянув, продолжил Михаил Миронович; заметьте, как меняется природа памяти: то, что было с нами год назад, может помниться гораздо ярче и отчётливей вчерашнего, при этом мы всё время что-то вспоминаем («тавтология, прошу пардону!»), любимый зачин разговора — «а помнишь?».

И если бы только у нас, где стоят юбилеи! В Соединённых Северо-Американских Штатах даже термин завели такой, «флэшбэк», не знаю, как перевести на русский. Когда герой все время вспоминает: что с ним было год назад, два года, три, что было в детстве… Термин, кстати говоря, был позаимствован у психиатров, так что пользуйтесь им осторожно. Флэшбэком называют острое воспоминание, которое вспыхивает в нас, тыкскыть, как молния. И больной теряет волю с представлением…

Но как бы далеко ни уносились мысли Сумалея, он неизменно возвращался к храму как семиотической модели мира. И без конца наращивал детали. Это конха, а это апсида. Деисусный чин. Иконостас. Престол. Я так увлёкся новым знанием о храмовом пространстве, что очень скоро смог водить библиотечных девушек в московские церквушки. Стоя сзади, снисходительно шептал на ухо: это называют ектенья… когда кадят (видишь, дымок выпускают), надо голову слегка склонить… да что же ты, Псалтыри не читала?! Девушки охотно впечатлялись и становились гораздо податливей.

Однажды я пошёл с очередной знакомой на вечерню. Служили размеренно, важно; затворились царские врата, настоятель театрально поклонился трём старушкам, и воцарилась гулкая пустая тишина. Девушка поглядывала на меня со смесью изумления, недоумения и страха. Я резко усилил эффект: сгорбился, ссутулил плечи, сделал просветлённое лицо и встал перед иконой Всех Скорбящих, закупоренной в серебряном киоте. Изображая сокрушённую молитву, с интересом разглядывал крестики, кольца и серьги на толстых цепочках, которыми, как бусами, была обвешана икона. Было в этом нечто дикое, туземное.

Вдруг на солею воробышком вспорхнул священник, старый, почти безбородый; пахло от него душистым мылом, сквозь которое невнятно проступал коньячный дух. Он опёрся подбородком на огромный серебряный крест и заговорил громовым голосом. Слушать его было некому — кроме старушек, меня и забытой подруги, *имя же ея ты, Боже, веси*. Но священник этого не замечал. Он говорил про то, про что обычно говорят на проповеди. Апостол Пётр доверился Христу, пошёл по морю. Вдруг испугался и отвёл глаза. Немедленно начал тонуть. Вот и мы, дорогие братья и сестры... Но так он это говорил, с такой последней силой, что по спине пробегали мурашки.

Закончив проповедь для нас двоих, священник замер, встал на цыпочки и троекратно осенил крестом, энергично, чуть ли не со свистом рассекая воздух.

Я пытался выбросить из головы коньячного священника, но почему-то ничего не получалось. Лодка, море, Христос — и апостол. Нужно быть там, где они. Почему? Я не знаю. Так надо, так правильно, точка.

Через месяц с небольшим (как сейчас помню, завершалась холодная осень семьдесят седьмого, всюду висели плакаты и флаги, в честь 60-летия Великого

Октября; революция доблестно вступила в пенсионный возраст) я заявился к громогласному отцу Илье. Отстоял, как положено, службу, дождался окончания молебна, отпевания и завтрака священников. Отловил на выходе из храма и попросил крестить меня — без восприемников и записи в церковной книге, чтобы в универ не сообщили. Отец Илья стал смешно озираться, не подслушал ли кто; убедившись, что нет соглядатаев, он согласился. И ещё через неделю я стоял в натопленной крестильне (со священника катился градом пот, даже мне в льняной рубашке было жарко) и повторял, дрожа от восхищения, как повторяют рубленые современные стихи:

> *отрицаюся,*
>> *отрицаюся,*
>>> *отрекохся.*

В церкви, где меня крестил отец Илья, было очень хорошо. Все друг друга знали, были дружелюбны. Но служил отец Илья непредсказуемо — то на ранней, то на поздней, то по будням, а то вообще не являлся на службу; пришлось искать себе приход поближе и попроще. Со слишком жизнерадостным отцом Георгием и слишком мрачным настоятелем отцом Мафусаилом. Впрочем, к отцу Илье я тоже заезжал. Но гораздо реже, чем хотелось бы.

6.

Тот аспирантский семинар у Сумалея был рассчитан на один семестр и завершился накануне католического Рождества. Впрочем, в семьдесят седьмом про католическое Рождество никто особенно не вспоминал, во всяком случае, в моём семействе; Новый год был единственной точкой отсчёта. Уже открылись новогодние базары, мужчины в заячьих шапках-ушанках тащили запелёнатые ели, женщины с полными сумками неуклюже скользили по накатанному льду, на снегу валялись мандариновые корки, из авосек торчали бутылки с «Советским шампанским», посверкивал лёгкий оскольчатый снег.

Михаил Миронович собрал самодельные слайды в коробку, завернул в бумажку жёлтый заграничный мел, похожий на тюбик с помадой, торжественно и суховато всех поздравил — с окончанием курса *и ещё одним важным событием*. (Всем полагалось догадаться, что он имеет в виду.) Помолчал, подумал и добавил: «Этсамое, зачёт по расписанию не предусмотрен, но будет *доверительное собеседование*. Обязать я не имею права, но если не придёте — будет, этсамое, нечестно. Жду вас после новогодних праздников... на какое же число назначить... пусть будет, для симметрии, седьмого января. Так сказать, от Рождества до Рождества. Красиво». Подошёл к холодным окнам и раздёрнул затемняющие шторы. При этом слишком резко поднял руки, повернулся — я увидел в вороте рубахи золотой нательный крест. Старинный, на тонком плетёном шнурочке. И это было как масонский знак, как тайное послание: тебе доверено, тебя *включили*!

Седьмого января он появился ровно в десять. Всех запустил в поточную аудиторию, поздравил с новым, одна, тыкскыть, тысяча девятьсот семьдесят восьмым годом *от Рождества Христова*, раздал машинописные вопросы, перед собой поставил термос, развернул газетку с бутербродами. В аудитории запахло колбасой, отвратительным зелёным сыром и лимоном. Сумалей подливал себе чаю, недовольно жевал бутерброд — и капризно мучал аспирантов. Дайте полифункциональное определение средневекового города. Что значит «вы не говорили»? Был список обязательной литературы. Был? Ну вот. Какие работы Аделаиды Сванидзе о городе и бюргерстве вы знаете? То есть не читали ничего. Понятно… Да, это не по курсу философии. И что же?

Над крышкой термоса клубился пар. От гигантского окна тянуло холодом, стекло изнутри обрастало мохнатым узором; город был подсвечен розовым, морозным светом. Сумалей демонстративно не спешил; моя очередь подошла к полудню.

— Ноговицын, — Сумалей посмотрел на меня затяжным недоверчивым взглядом. — Очень хорошо. Фамилия какая интересная. А имя-отчество? Алексей Арнольдович. Ещё интересней. А что вы, Ноговицын Алексей, э-э-э, Арнольдович, смогли вынести из моего курса? Поделитесь.

Отвечать Сумалею — всё равно что бить мячом в глухую стену: чем сильнее удар, тем быстрей возвращается мячик. В чём заключался смысл знаменитой надписи над конхой центральной апсиды в киевской Софии? Понятно. Что по этому поводу сказано в статье Аверинцева? Хорошо. Где статья Аверинцева опубликована? Неплохо. Кто ему возражал? Почему? Ладно, это вы знаете. Попробую спросить иначе…

Погоняв меня по всем вопросам и вымотав до основания, как зайца на псовой охоте, Михаил Миронович кивнул: неплохо. Опять воткнул в меня свой долгий непонятный взгляд. И вдруг добавил полушёпотом, чтобы не привлечь стороннего внимания:

мне кажется, мы сможем с вами пообщаться. Дождитесь окончания зачёта.

Я наскоро сбегал в буфет, выхлебал тарелку «ленинградского рассольника», из огромного стального жбана налил себе бледного чаю, слакал в три глотка и вернулся на место. В коридоре присесть было негде — на время новогодних праздников уборщицы зачем-то попрятали стулья в кладовку; я стоял у грязного окна и тихо волновался.

За окном постепенно темнело, снег завихрялся, плотную завесу раздвигали фонари; редкие прохожие, нагнув заснеженные головы, упрямо пробивались сквозь метель, как восточный караван сквозь песчаную бурю. К шести аудитория освободилась лишь наполовину; метель утихла, образовались лёгкие сугробы; в десять вечера из аудитории вышел бледный Сумалей, с чёрным портфелем под мышкой, и торопливо направился к лифту.

— Михаил Миронович!

— А? что? — удивился он.

— Вы сказали, чтобы я вас подождал.

— Да? Кажется, действительно сказал. Но я уже ничего не соображаю, день выдался долгий, сами видите. Знаете что? Завтра кафедра, подтягивайтесь к двум, и поболтаем.

Мне показалось, что М. М. едва заметно усмехнулся. Двери лифта сомкнулись, как смыкаются на службе царские врата; лифт почему-то отправился вверх, огонёчки на панели замигали — девятый, десятый, одиннадцатый: прежде чем спуститься, Михаил Миронович вознёсся.

Назавтра в душный кафедральный кабинет входили сгорбленные профессора со свекольными гладкими щёчками, в полосатых старомодных тройках.

Они усаживались в первый ряд и с важным видом говорили о лекарствах. Я ждал Сумалея, но тщетно. Дверь закрыли, завкафедрой начал зачитывать речь, товарищи, как пишет товарищ Толстых в январском номере журнала «Коммунист», социалистический образ жизни предполагает культурный рост личности, а социалистический реализм не исключает условности, и я оказался в ловушке: глупо остаться, уйти невозможно.

Заседание закончилось к шести. Я спросил весёлую упитанную лаборантку, похожую на молодую попадью с картины передвижника: что с Михаил Миронычем? Почему его нет? Та ответила невозмутимо:

— Михаил Миронович свалился с гриппом.

— А когда он будет?

— Без понятия. А вы поезжайте к нему, все так делают. Вот адресок, сможет — примет, нет — не повезло.

— Я лучше позвоню.

— А вот это вот зря, — развеселилась лаборантка. — Михал Миронычу не принято звонить.

Отыскав сумалеевский дом, я бессмысленно и долго жал на кнопку. На всякий случай дёрнул ручку; сезам отворился. На кухне приятно гремели посудой и негромко мурлыкало радио.

— Тук-тук, — сказал я осторожно. — Я могу войти?

Не получив ответа, громко хлопнул дверью. На меня внимания не обратили.

— Извиняюсь! — крикнул я.

И лишь тогда услышал возмущённый голос Сумалея:

— «Извиняюсь» говорят извозчики и дворники! Правильно будет — «извините»! Повесьте пальто,

Ноговицын, все тапочки у нас на нижней полке, выбирайте.

Михаил Миронович сидел на кухне, довольный жизнью и почти весёлый; никаких следов обещанной болезни. Огромное старинное окно выходило на церковь, нечётко высвеченную фонарями; самоварным боком выпирал центральный купол, остальные купола, поменьше, окружали его, как голубые чашки. Крохотная, похожая на канарейку жена суетилась у плиты. В центре круглого стола стояла красная эмалированная кастрюля, в старинном соуснике со сколотым краем густела сметана. Пахло плотно промешанным фаршем и варёной капустой.

— Простите, — промямлил я. — На кафедре сказали, вы больны и надо ехать…

— Всё отлично, — возразил Михаил Миронович, — у меня сегодня приступ хитрости. Заодно и вас проверил. Есть, тыкскыть, званые, а есть призванные. Милости прошу, помойте руки, оба заведения направо, встык, а потом присаживайтесь с нами вечерять, Анна Ивановна соорудила славные голубцы.

Анна Ивановна пошла за тарелкой; кажется, она привыкла к необъявленным визитам.

Я смущённо подсел; мне положили на тарелку толстый голубец, выдали вилку и нож и продолжили семейную беседу. Не подстраиваясь под меня. Беседа заключалась в том, что Сумалей без остановки говорил, а жена его безмолвно слушала. Он рассуждал о каких-то старинных знакомых, которые решили эмигрировать в Израиль. Я так и не понял, осуждает их М. М. или поддерживает.

Голубец был сочным и мягким, сметана свежая, наверное, с базара; ел я с удовольствием и от этого стеснялся ещё сильнее.

— ...Такие, в общем, дела, — подытожил Михаил Миронович; жена кивнула. — Насытились?

— Спасибо большое, очень вкусно.

— Да, Анна Ивановна большая затейница по этой части. Ну что же, если все сыты-довольны, пойдём в кабинет, на два слова.

В кабинете я был подвергнут допросу. Кто ваши родители. Почему расстались. Что привело на философский. Кого читали. Что думаете о спорах Сахарова с Солженицыным. Как случилось, что не знаете Кьеркегора. Я отвечал как солдат на плацу — чётко, не пытаясь уклониться. Закончив испытательный допрос, Сумалей умолк. Через пять минут очнулся, словно вынырнул из летаргического сна.

— Что я хочу сказать, Лексей Арнольдыч. Думается мне, как нынче говорят советские начальники, что мы и вправду с вами можем посотрудничать. И вот вам первое задание... рискованное, прямо скажем. Вы статейку в аспирантский сборник сдали?

— Сдаю на днях. Но я уже её перепечатал! — стал я оправдываться.

— Отлично, отлично. Это очень хорошо, что задержались. Потому что мне нужна одна цитата. До зарезу. Вот так, — он чиркнул ладонью по горлу. — Из любого, этсамое, марксиста. Но не сегодняшнего и даже не вчерашнего. Я предпочёл бы позднего Плеханова или, там, какого-нибудь Германа Лопатина. Примерно вот такая, понимаете?

Он протянул листок, на котором стремительным бисером было написано: «Марксисты не боятся изучать религию как конгломерат конкретных знаний; эстетика свободна от дурмана». Польщённый сумалеевским доверием, я решил слегка поумничать и произнёс:

— Михаил Миронович, по стилю это не Плеханов. Может, поискать у Дьёрдя Лукача?

— Нет, у Лукача не надо. Лукач слишком долго жил. Он помер лет десять назад, если не позже. — Сумалей заиграл желваками.

— Простите, Михаил Миронович, — я не угадал причину раздражения. — А какая разница, когда он помер? Главное же найти?

— Да что ж тут сложного? Если вы припи́шете цитату Лукачу, вас архивисты зажопят. — Михаил Миронович по-ленински прищурился, на лице образовалась странная улыбка: то ли ироничная, то ли презрительная, то ли просто злая.

— Припи́шете? — Я всё ещё тупил.

— Ну конечно, припи́шете. Что тут непонятного? Вот вам слова. Подредактируйте и приведите их в статье. Закавычьте. Повесьте ссылку на какой-нибудь архив: марксизма-ленинизма, там, или ЦГАЛИ. Главное, чтоб фонд такой существовал. Опись, номер папки, лист.

— А зачем?

— А затем, Лексей Арнольдыч, — осердился Михаил Миронович, — что мне не пропускают монографию. Нужно прикрыться, хоть Карлом, хоть Фридрихом, хоть банным листом. А ничегошеньки нет. Вообще ничего, ни одной завалящей цитатки. А выйдет ваш ротапринтный сборник, радость складских помещений, и я смогу на вас сослаться: «Как сказано в статье такого-то, недавно обнаруженной в архиве», — и всё будет тип-топ.

— Но ведь это подлог?..

— Как хотите.

Сумалей изменился в лице. Словно запер его изнутри. Складки разгладились, губы слегка растянулись, проявилась отстранённая улыбка. Он встал и в полупоклоне указал на дверь.

— Простите, уважаемый товарищ Ноговицын, был непозволительно доверчив. Надеюсь, разговор останется между нами, но как вам будет угодно.

— Михаил Миронович, постойте, вы что, я же просто, — забормотал я. — Сделаю, конечно, как вы скажете.

Так я заслужил доверие Учителя. И сложную, изменчивую дружбу.

7.

Жил Сумалей на Гончарной, в двух шагах от станции метро «Таганская», где мы условились о встрече с Мусей. Времени было навалом, риск не застать его дома активно стремился к нулю. Гулять он не любил и раньше, мол, в квартире воздух тот же самый, только с подогревом; а после кончины любимой жены (в августе семьдесят девятого; как сейчас помню тот ужас) Михаил Миронович ушёл в полузатвор. Добровольно перевёлся в консультанты, отказался от единственного семинара, в МГУ появлялся нечасто — на кафедре, в парткоме, на защитах диссертаций и на редких заседаниях учёного совета. В магазин за едой посылал аспирантов; восторженные аспирантки в очередь готовили.

Уточнив, где на Казанском камера хранения, я спустился в цокольный этаж. Строгие вокзальные уборщицы швабрами гоняли воду по коричневому кафелю. Вёдра были расставлены в шахматном порядке, чтобы тряпки было легче отжимать. В полуподвальном помещении с приземистыми потолками воздух разогрелся до предела и всосал водяные пары; было жарко и влажно. Везде висели одинаковые олимпийские плакаты на дорогой мелованной бумаге: жизнерадостный медведь с чёрно-жёлтым поясом атлета и огромной пряжкой из пяти колец. Вопреки напрасным опасениям, возле камеры не гужевалась тёмная толпа; здесь не было ни худощавых азиатов, ни обильных телом молдаван, ни щеголеватых грузин в широких клёшах, ни зачумлённых рязанских дедков. Старый кладовщик подхватил рюкзак и легко закинул на пустую полку.

— Расчётный час — ноль-ноль часов, молодой человек. С семнадцати тридцати до восемнадцати перерыв, молодой человек. Не опаздывайте, молодой человек, чтобы не пришлось доплачивать, молодой человек.

Избавившись от багажа, я налегке отправился пешком. Петляющим маршрутом. Через пыльные Басманные и вялую Покровку, заставленную старыми домами, как тесный антикварный магазин — комодами эпохи Александра III, в длиннохвостый Лялин переулок, а оттуда — до Николоямской, и вверх. Вдоль тротуаров подсыхали тополя, на скамейках восседали злобные сторожевые бабки. Спокойная жара перерастала в пекло; на всех углах стояли белые нарядные милиционеры, похожие на сахарные головы; поражала феерическая пустота...

Как же я любил тогда Москву... Страдающий архитектурным сколиозом, простроченный трамвайными путями, этот город корчился, гремел, чадил, но стоило свернуть в очередной кривоколенный переулок, и ты погружался в последний покой, где безраздельно царили старухи. В длинных авоськах телепались продукты: белый батон, нарезно́й, за тринадцать копеек, четвертинка «Орловского» чёрного, баночка килек в кислом томате, треугольный пакет молока. Доминошники в майках сидели за дворóвыми столами и с размаху били по неструганым сосновым доскам: р-р-рыба! Костяшки домино взлетали в воздух и, приземляясь, жадно клацали. Мамочки, спрятавшись в чахлом теньке, злобно качали коляски — да уснёшь ты наконец? Из колясок раздавались сладкие сирены: уа-а-а-а-а, уа-а-а-а!

А надоела деревенская идиллия — вынырнул из подворотни, и вот уже троллейбусы втыкаются рогульками в растянутые провода, трамваи высекают электрические искры. Заранее ищешь навес, прячешься под ним и смотришь, как низкое небо густеет, готовясь изойти тяжёлым ливнем. Грозная, изменчивая красота.

От Яузы дорога круто забирала вверх. Я знал, что старое название холма, Болвановка, было связано с татарским идолом, но Учитель резко возражал: что за ерундистика, какой там идол, слово происходит от болванок, на которых шляпники сучили колпаки. Вы поняли, Лексей Арнольдыч? Колпа-ки. Поневоле приходилось соглашаться. *И чтобы никакого на Таганке! Только в! Запомните раз навсегда! В Таганке! В Таганке! В Таганке!* Ладно, Михаил Миронович, договорились, вы таганский с детства, вам виднее.

Я тормознул у киоска с мороженым.

— Мне сливочного, за девятнадцать.

У стаканчика рифлёные бока. Жирный вкус. Небесное блаженство. А вокруг оплывала Москва. Над раскалённой мостовой змеился воздух, сквозь него сомнамбулами двигались прохожие, весело бибикали машины, сворачивая к Котельнической набережной, от столбов тянулись дистрофические тени, солнце растекалось по фасаду низкорослого здания напротив. Сбоку от входа висела большая афиша, на которой пылали плакатные буквы:

ГАМЛЕТ!

Я бывал в театре на Таганке, но попасть на «Гамлета» не смог; даже Мусины знакомства не сработали. Спекулы просили четвертной, что ни в какие ворота не лезло. Но об этом спектакле ходили легенды; о том, как Высоцкий выходит на сцену матросской походкой, бьёт по струнам и вырыкивает строки Пастернака.

Гул затих. Я вышел на подмостки. Прислонясь — к дверному — косяку. Я. Ловлю. В далёком отголоске. Что. Случится. На. Моём. Веку.

У меня промелькнула счастливая мысль. Деньги я привёз. Может быть, не жадничать сегодня? Ну, четвертной, на двоих — пятьдесят. Наплевав на жёваные брюки и куртец, заявиться к самому началу, вычислить в толпе барыгу — расхлябанного, как на шарнирах, с уверенным и наглым взглядом. Войти по третьему звонку, пробуриться на свои места, смущая напомаженных интеллигенток и расплывшихся райкомовских мужчин; выдохнуть и затаиться в ожидании начала. Мусе эта затея понравится; она к театру прикипела, полюбила.

Когда я первый раз повёл её во МХАТ, она почти обидно усмехнулась: нашёл кого билетами заманивать! Нам, торгпредовским, как мясникам, несут билетики и книжки, а мы носы воротим, парикмахершам билеты раздаём… Но сидела в зале тихо, отрешённо. И вскоре сама предложила: а не хочешь пойти в «Современник»? Там Гафт играет в главной роли, а пьесу некий Рощин написал. Потом позвала на Таганку, где давали брехтовский «Конгресс обелителей». Призналась честно — ничего не поняла, но впечатлилась. После чего напросилась на выставку — и честно стояла на Малой Грузинской у картин недоступных художников. Даже выписала толстые литературные журналы, хоть потом ворчала, что читать в них совершенно нечего, разучились современные писать, не то что были Толстой и Тургенев. Популярный роман об «Альтисте Данилове» она осудила — «пижонство». Зато «Под сенью грецкого ореха» Искандера и в «Поисках жанра» Аксёнова прочла взахлёб. И долго пытала меня: что я думаю о странном трифоновском «Старике», почему там время словно скачет в каждой фразе, так что не всегда понятно, где ты — в двадцатых, тридцатых годах или сейчас?

Мороженое было съедено, оставалось выпить газировки. Упитанная продавщица выжала рычаг сифона; стакан был горячий, вода ледяная, мелкие пузырики шибали в нос...

Я перешёл дорогу. Нужно было что-нибудь купить М. М. — нельзя же являться с пустыми руками.

В продуктовом было хуже, чем в гладильной, тётки прели в накрахмаленных халатах и высоких белых колпаках. На сияющих стеклянных полках вместо бледно-жёлтых ёжиков из комбижира, утыканных коричневыми спичками, красовалась тонкая нарезка сервелата, непривычным образом запаянная в плёнку. Да ещё какого сервелата! Финского, пурпурно-розового, с рябью! И прямоугольные коробочки с приклеенной прозрачной трубкой сбоку; я пригляделся внимательно — сок! Ничего себе, куда шагнул технический прогресс. И рядом железные жёлтые банки — это что ж, теперь такое пиво, без бутылок? И яйца были в изобилии, и шестипроцентное густое молоко, и гранитное мороженое мясо, и дряблая, но изобильная треска — которая давно исчезла из продажи, уступив вонючей мойве, которую отказывались есть коты.

— Сегодня завезли! Олимпиада! — гордо объяснила продавщица и поправила колпак, напоминающий армейскую папаху.

8.

Учитель вышел мне навстречу, в коридор (чего не делал никогда), но особой радости не выказал. Губы быстро растянулись, сжались: здрасьте-здрасьте.

— Алексей Арнольдович? Прошу, прошу, что называется, давненько не видались, совсем забыли старика. А? что? приехали из стройотряда? По комсомольской, так сказать, путёвке? Даже не зашли, не попрощались. И чего вас туда понесло? Вам же защищаться в октябре. Ах, деньги. Да-да. В наш век железный без денег и свободы нет. Понимаю, наука не кормит.

Иронизирует, ревниво осуждает, но при этом заботливо смотрит в глаза: всё хорошо у вас? в порядке? А вслух произносит почти равнодушно:

— Я, этсамое, сейчас вьетнамку-докторантку отпущу, и поболтаем. Это что такое? колбаса? Лишнее. Колбаса привязывает к дольнему. Впрочем, принимаю — и бла-го-да-рю. Какая неожиданная колбаса, в прозрачной блямбе. Кофе будем? Ну конечно! У меня — да и без кофе. Невозможно. Ерундистика какая-то получается.

Готовили ему всегда другие, но кофе он варил единолично. Тощий, лысый, как Махатма Ганди, таинственно склонялся над плитой, до предела откручивал вентиль, чтобы пламя над конфоркой полыхнуло и образовалось жёлто-синее сипящее кольцо. Ставил старую чугунную сковороду, неторопливо высыпал зелёные зерна и медленно помешивал; кофейные окатыши язычески темнели, покрывались матовым блеском, распускались вязкие запахи. Он жужжал болгарской кофемолкой, перетирая зёрна в пудру: дунешь — и взметнётся облачко. В замызганной латунной джезве поднималась тонкая пузырчатая пенка. Гранёные стаканчики с ледяной водой запотевали. Учитель разливал свежесваренный кофе по мелким фарфоровым чашкам, осторожно пробовал губами: горячо! И тут же маленький глоток воды: прекрасно! Теперь, пожалуй, можно закурить: он выбивал жёлтым ногтем папиросу, мял её, она приятно пахла сеном. Дул в гильзу, заминал зубами кончик, злобно сдавливал середину, запаливал шведской спичкой и ноздрями выпускал синий дым.

«Асмодей!» — восхищались аспирантки, влюблённые в него, как маленькие девочки, хотя ему было сильно за семьдесят, он от рождения хромал, из ворота рубашки выпирали стариковские ключицы, тяжело перемещался острый кадык, кожа на шее обвисла и собралась в неприятные складки, а зубы были мелкие и жёлтые, с густым коричневым налётом. Но зато над светлыми, почти прозрачными глазами разлетались кустистые брови, скулы были очерчены резко, губы сдавлены в холодную улыбку. И куда до него молодым, белозубым; с ними было скучно, а с Сумалеем — интересно! Уверенно отыгрывая внешность, демонстрируя повадки римского патриция, Михаил Миронович радушно принимал — и был непроницаемо далёк; «культура начинается с дистанции», — повторял он с незаслуженным укором, словно кто-то смел на эту дистанцию покуситься.

Телефоны он не уважал; если по ошибке или странной прихоти снимал телефонную трубку, то говорил отрывисто и резко, как бывший заика: «Ало. Да. Не знаю. Лучше будет, если вы приедете. Когда? Этсамое, когда сочтёте нужным». И нажимал рычажки. Чего звонить? Знаете же правила, они простые. Если двери приткнуты на мятую газетку, значит, хозяин доступен. Нет — звиняйте, батьку, вам не повезло. На естественный вопрос, который задавали свежие ученики: «А если вор?» — Учитель однотипно усмехался, кольцами пускал дым и быстрой струйкой протыкал их насквозь. «Я же всё равно открою, если позвонят, какая мне разница».

На кухне сидела седая вьетнамка с младенческим гладким лицом; коричневую щёку рассекал белёсый шрам. Солнце било вьетнамке в глаза, она всё время мелко смаргивала, как будто страдала от тика. Однако не решалась поплотней задёрнуть занавеску или отодвинуть стул и с выражением стоической покорности ждала, когда возобновится разговор. Учитель, впрочем, никуда не торопился; он медленно, по линии запайки, разрезал ножницами вакуумную упаковку, разложил сервелат на тарелке, накромсал бородинского хлеба, крошки широким движением смахнул на пол, стал благородно жевать бутерброд.

— Очень вкусно, очень. Редкостная колбаса! Давненько такой не едали! Фрау-мадам, угощайтесь.

Вьетнамка посмотрела на предложенную колбасу и почему-то не решилась взять. Робко отщипнула хлеб и осторожно его проглотила. Учитель, впрочем, не особенно настаивал. Сопя, дожевал бутерброд, глазами поискал салфетку, не обнаружив её на столе, провёл по губам указательным пальцем, как если бы подкручивал усы.

— Итак, на чём же мы остановились?

— Я давыно инетересуюся брабломей бсигологизма...

— Похвальный интерес. Но при чём тут философский факультет?

— Я гачу изучать бсигологизма высытория. Это философыская браблема.

Учитель поднял бровь. Размеренно, с достоинством ответил:

— Психологизм в истории? Позвольте! Это, матушка моя, писатели насочиняли. А? что? В истории бывают интересы, идеалы и случайность. Всё. Больше ничего в истории нет, не было и, этсамое, не будет. Да и мы-то с вами тут не при делах. Мы же не филолухи, помилуй господи, и не историки, мы истматчики, пардон, и диаматчики, элита!

Подумал и добавил:

— Что ж вы не едите? Ешьте, ешьте!

Докторантка стушевалась и мучительно стала прощаться. Я выясеню вы деканате сыпрашу парафессора петырова. Учитель её не удерживал. Спросите-спросите. Они вам ответят. Строго проводил, сердито стукнул дверью на прощанье, а вернувшись, произнёс размеренно и громко, словно в школе:

— А ведь она, Лексей Арнольдович, из амазонок. Видели шрам на щеке? Героиня была, ё-моё. А теперь бсигологизма подавай. Едрёна кочерыжка.

Побарабанил пальцами по столу, осуждающе покачал головой.

— Знает ведь, зараза, что деваться некуда, кому-нибудь выкрутят руки и заставят за неё работать.

Вызовут в партком, и — разнарядкой! Скажем, вот меня. Я же отказаться не смогу… Ну, пока они не вызвали — вихляем. Ох, грехи наши тяжкие, что ж ты с этим будешь делать. Ладно, пошли в кабинет. Там и курить, и разговаривать сподручней. Кофе только прихватим, вот так-то.

В кабинете, квадратном, просторном, обставленном тяжёлой мебелью эпохи Александра III, царствовала вакуумная тишина. Середину занимали три массивных стола, поставленные буквой П: в центре — длинный, по бокам — квадратные, как тумбы. Один из боковых столов был полностью завален свежекупленными книгами. На другом начальственной стопой лежали белоснежные листы (и где он только достаёт!?) и пачка роскошной бумаги верже, сливочного цвета, с водяными знаками. На белой бумаге Учитель писал и печатал, а верже предназначалась исключительно для писем. Это было очень приятно — получать от Сумалея письма. Из стандартного советского конверта выскальзывал «листок благоуханный», исписанный мелко, стремительно, чётко, как в начале XX века. Ты чувствовал себя героем давнего романа. Как там у Булата Шалвовича? «И поручиком в отставке сам себя воображал».

А ещё здесь имелись перьевые ручки с инкрустированными колпачками, малахитовое пресс-папье и тяжёлая хрустальная чернильница с крышкой в виде пушкинской курчавой головы. (Учитель прокуренным пальцем толкал Пушкина в висок, голова откидывалась набок, и весёлый классик превращался в грустного Пьеро. Сумалея это забавляло, аспирантки смущённо хихикали.) Третий, центральный, стол занимала механическая пишущая машинка с маленькими круглыми клавишами, которые росли на длинных ножках, как поздние опята. Рядом с машинкой лежала коробка лиловой копирки и стоял пузырёк с дефицитной замазкой, «дабы исправлять допущенные опечатки». В тогдашних издательствах были суровые нормы: на страницу — пять поправок от руки, и ни единой больше. (Как далеко шагнул с тех пор технический прогресс!)

Напротив главного стола висел огромный образ нового письма, с иконы недобро смотрел Вседержитель. Перед его обличающим ликом боязливо мерцала лампадка. Сбоку от лампадки, как бы ненароком попадая в этот зыбкий отсвет, стоял фотографический портрет, пожелтевший, в самодельной деревянной рамке. Старый человек в фуражке и мундире с генеральскими погонами. Светлые, почти прозрачные глаза, густые нависающие брови, лицо неласковое, даже злобное, но в каждой складке и в каждой морщине — отпечаток беспощадного ума. Таков был батюшка Учителя, Мирон Михайлович; он руководил серьёзным институтом, Учитель никогда не уточнял — каким именно, но можно было догадаться, что секретным.

Все стены в кабинете занимали стеллажи, тоже старые, глубокие, из чёрного проморённого дерева: Учитель называл свою библиотеку шедевральной, с апломбом нажимая на раскатистое «р». Всемирная литература, расставленная по эпохам, странам и годам рождения писателей, начиная с крохотной синенькой книжечки шумерских мифов и кончая толстым томом Евтушенко. Всеобщая история, подчинённая другому принципу: от многотомных сочинений Гиббона в дорогих сафьянных переплётах до картонного зачитанного Тойнби в тяжеловесном оксфордском издании. Ну, и, конечно, философия.

Матушка-кормилица, как выражался Сумалей. А на приземлённых нижних полках, всяк сверчок знай свой шесток, толпились новомодные романы, начиная с итальянского издания «Il nome della rosa» филолога-медиевиста Эко («и как ему только не стыдно, казалось, серьёзный учёный») и кончая самиздатскими романами Войновича, Аксёнова, покойного Домбровского. Всё, что удалось купить и обменять, ксерокопировать, перепечатать и переплести, получить от западных друзей и выклянчить у верных аспиранток.

В самой сердцевине философского раздела, как мишень на стрельбище, висело объявление: «Не шарь по полкам жадным взглядом — здесь книги не даются на дом!»

Обычно Михаил Миронович усаживал гостей в продавленные кресла, а сам располагался за столом, то и дело взглядывая на икону. Мог внезапно прервать разговор: «А? что? Ко мне тут мысль зашла, сейчас её за хвост поймаю, погодите». Быстро шорхая пером, исписывал страницу за страницей; пепел с папиросы опадал, он прикуривал от шведской спички, снова шо́рхал; чернила были фиолетовые, росчерк тонкий, буковки сплетались в паутину. Иногда, как бы в прострации, Сумалей вытаскивал из книги жёлтую потёртую закладку, разрывал её на тонкие полоски и начинал задумчиво жевать. Дописав, самодовольно крякал и с глубоким сожалением произносил: «Так. На чём мы там остановились?»

Но сегодня он работать не планировал и про науку говорить не собирался. Ковыляя, направился в спальню, где в огромном шкафу затаились костюмы, рубашки («штанов становится всё больше, а смысла всё меньше»), а в нижнем отделении постельное белье; притащил подушку с крупными затёками, плотно накрыл телефон, сдвинул-раздвинул бескровные губы, барственно прилёг на оттоманку.

— Такие пирожки с котятами, Лексей Арнольдыч. Они, понимаешь, с Америкой бьются, а мы тут в Москве отвечай. Не Московский государственный, имени Михайлы Ломоносова, университет, а третий, прости господи, Интернационал. Хотел бы вставить матерное слово, но не буду. А у нас-то с вами что творится? Что интересного в стране и мире, тыкскыть?

Вопрос был простодушно-хитрый, с подкавыкой: все знали, что М. М. не выносил интеллигентского нытья, всех этих бесконечных плачей Ярославны, ах, как ужасна советская власть, совсем не стало жизни русскому учёному, но и равнодушия к политике не уважал. Как-то я приехал на Гончарную, прямиком из церкви, после службы. И обрушился на Сумалея: я такое пережил, такое... Учитель посмотрел холодным взглядом, словно в перевёрнутый бинокль: «Пережили. Хорошо. Но этладно. А вот скажите лучше, многоуважаемый, что вы думаете о Сомали?» О Сомали я ровным счётом ничего не знал, тем более не думал, поэтому с трудом отбормотался — и пошёл домой, читать газеты, слушать радио, набираться актуальных знаний и обдумывать произошедшее. После чего готовился к визитам на Гончарную, как студент к переводным экзаменам.

В день возвращения из стройотряда, по пути от вокзала, я в лицах разыгрывал встречу. Когда он спросит про события энд происшествия, чем я смогу отдуплиться? Устарелой новостью про Ту-154, на днях разбившийся в Алма-Ате? Столкнусь с равнодушным сочувствием. Сказать про смену несменяемого президента Ботсваны? Заслужу холодную ухмылку. И тогда я решил, что подставлюсь, как бы затею игру в поддавки, а потом перейду в наступление. Дескать, сами видите, бойкот Олимпиады. Михаил Миронович взорлит: и вы туда же! По лбу пойдут морщины, как трещины по пересохшей краске. И тут я как бы вскользь проброшу: так в истории случается, вспомним про Берлин тридцать шестого. М. М. затянется, прищурит крокодилий глаз, но промолчит. Я мягко разверну сопоставление. Все Олимпиады говорят про мир, но войны следуют за ними по пятам. Быть может, это не случайно? Тут я приплету войну в Афганистане, которая недавно началась и непонятно, скоро ли закончится. И особо изощрённым образом (я не придумал каким, но рассчитывал на ловкую импровизацию) свяжу с недавним отречением священника Димитрия Дудко, не так давно показанным по телевизору. Борьба с инакомыслием ужесточилась после ввода войск в Афганистан. Бла-бла-бла и всякое такое.

Не скажу, чтобы судьба Дудко меня особо волновала (не больше, чем московская Олимпиада, и гораздо меньше, чем афганская война), но обсудить её с Учителем хотелось. Когда отца Димитрия арестовали, на излёте семьдесят девятого или в январе восьмидесятого, нас что-то отвлекло от этого сюжета; может, слухи о резне в Кабуле и убийстве Амина, может, спор из-за фильма Данелии «Осенний марафон», который я ругал за конъюнктурность, а Михаил Миронович хвалил за глубину. Ну, а потом пошла писать губерния, Сахаров был сослан в Горький, все шептались о писателе Войновиче, мол, ему предложено уехать; на фоне этого трагедия отца Дудко померкла. Книги его я листал: вялая машинопись, размазанные ксерокопии, слова искрили, как синтетическое одеяло, — в общем, это было не моё.

Но недели три назад я съездил в Сасыколи, переделал штабные дела и зашёл на открытую кухню. Вокруг уже было темно, над самодельным столом болталась стоваттная лампа, в волосах зудели комары. Я отхлёбывал зелёный чай из синей пиалы, отщипывал подсохшую лепёшку и мельком взглядывал на телевизор. Шла вечерняя программа «Время»; по экрану пробегала рябь, звук то врубался на полную мощность, то пропадал. Внезапно на экране появился человек — немытый, патлатый, с дурацкой бородкой, в костюме с чужого плеча и неловко завязанном галстуке. Я с трудом узнал священника Дудко. Он зачитывал мёртворожденный текст, тоже явно с чужого плеча. «Я арестован не за веру в Бога, а за преступления… Я отказываюсь от того, что я делал, расцениваю свою так называемую борьбу с безбожием как борьбу с советской властью».

Это было жалкое, бессмысленное зрелище. Стоило лезть на рожон, отступать от максимы «несть власти не от Бога», чтобы кончить ничем. И позором. Что думают об этом *там*, я знал заранее («начальство выполняет волю Божью, даже если не догадывается об этом»), но что об этом скажет Сумалей?

…Михаил Миронович задумчиво дослушал про Берлин, закинул голову и сильно затянулся. Выпустил дым, проткнул колечки быстрой струйкой и неожиданно спросил:

— А признайтесь, уважаемый Лексей Арнольдович, вы же не смотрели старую киношку под названием «Олимпия»?

— Нет, Михаил Миронович, не видел.

— Но хотя бы читали о ней? — М. М. испытал раздражённую радость.

— И не читал. — Поняв, что меня подловили, я сник.

— Вы?! Не знаете? Про Лени Рифеншталь?! А рассуждаете о той Олимпиаде? Которую она прославила в веках? Наотрез отказываюсь понимать.

Настроение совсем упало.

— В общем, этсамое, увидьте. Только помните: кино фашистское, зажопят, этсамое, не поздоровится. Предупреждаю с большевицкой прямотой.

Как я могу увидеть *этсамое кино*, Сумалей не уточнил; это было вполне в его духе: пойди туда, не знаю куда. Но на всякий случай я кивнул: увижу.

9.

Вдруг тонкий дым, зависший в неподвижном воздухе, покрылся неопрятной рябью. Дверь в кабинет отворилась, и заявились двое. Один высокий, тощий, длинноволосый, с преувеличенно роскошной бородой; он был в чёрной стилизованной косоворотке и мурмолке. Другой — обритый налысо и крепко сбитый, в пёстрой кацавейке. Я подумал с неприязнью: «Щелкопёры».

— Михаил Мироныч, здрасьте! — свойски обратился к Сумалею бородатый.

— У вас не заперто, — добавил лысый.

— Приветствую, коллеги! — неулыбчивые губы растянулись, быстро сжались. — Приветствую. Знакомьтесь. Ноговицын, аспирант. Который бородатый, этсамое, Никита. Бритого зовут Максуд. А? что? коллеги, сварим кофейку?

Бодро вскочил с оттоманки, подмигнул и, шаркая, отправился на кухню.

Воцарилась тоскливая пауза. Лохматый фазаньей походкой прохаживался вдоль тяжёлых полок и делал вид, что изучает книги. Лысый устроился в кресле и внимательно разглядывал свои замысловатые ботинки — на стильной широкой шнуровке, рант окантован металлом. Таких ботинок в магазине было не купить, даже если имелись валютные чеки; такие можно было привезти из-за бугра или, на худой конец, добыть в комиссионке. Из-под полы. За невменяемые деньги. И потом носить в июльскую жару, прея и гордясь своим нездешним видом.

Не зная, что сейчас сказать, и не умея выдержать молчание, я для чего-то спросил:

— Вы не курите?

Тощий вынул пачку «Беломорканала».

— Угощайтесь.

Я смутился:

— Да я просто так спросил. Я некурящий.

Максуд отвлёкся от своих драгоценных ботинок и улыбнулся — широко, вольготно, как улыбается восточный человек из богатой и знатной семьи.

— И я сижу и думаю: что бы такое сказать? Вас, кажись, Алексеем зовут?

Несмотря на восточное имя, говорил он чисто, без акцента, только чуть растягивал слова.

Я подтвердил:

— Алексеем.

Бородатый чиркнул спичкой, затянулся, и я с неприязнью отметил, что и он, подобно Сумалею, проминает шуршащий табак, дует в гильзу и небрежным жестом сплющивает посередине. Он отступил от книжных полок, огляделся и с ответной ревностью спросил:

— Вы что, с Сумалеем вась-вась?

Вопрос мне показался наглым; я вспыхнул:

— А что вы называете «вась-вась»?

Никита аккуратно сдал назад и сказал примирительным тоном:

— Я что, я ничего. Просто вижу, телефон накрыт подушкой. Значит, вы с ним *говорили*.

Я ответил вежливо, хотя и с некоторым вызовом:

— Он мой профессор.

— О! — с театральной эмфазой воскликнул Никита. — Ништяк! Ты что же, прямо вот так, с философского? Ну, ты Спиноза! А мы, извини, технари.

Слово за слово; оказалось, что Максуд и Никита — сокурсники, учились когда-то в МИФИ, а сейчас работают в мюонной лаборатории на Кировской, для души лабают рок и переводят книги эзотериков. Каких? Ну какие бывают эзотерики? Немецких, разумеется. Каких ещё? Для чего переводят? Странный какой-то вопрос. Для себя, для друзей. Машинка Эрика берёт четыре копии — и этого достаточно... Когда переводили Эволу... ты, может, и Рене Генона не читал?! ну даёшь! — упёрлись в непонятные места. Стали искать консультанта. Нашли. Михаил Миронович сечёт и в этом.

Я снова был сражён всеядностью Учителя; не было гуманитарной области, в которой он не разбирался досконально.

10.

Сумалей вернулся в кабинет с огромной медно-красной джезвой в тёмных картинных потёках.

— Что, друзья? Перезнакомились? И славно. Прошу! Вы, Максуд, располагайтесь в кресле, Алексей, вам доверяю сесть за мой рабочий стол, — я покраснел от удовольствия, — вы, Никита, сядете на место Ноговицына, а я, как древний пластический грек, возлежу.

Завязался бессюжетный разговор — сразу обо всём и ни о чём конкретно. О фильме «Апокалипсис», который показали на Московском кинофестивале («вот ведь, а я пропустил»), о внезапной смерти югославского вождя, о мистической эстетике нацизма и о новой моде на индусов и астралы, о парапсихологии и тайных дарованиях целительницы Джуны, об известных лекциях учёного-уфолога Владимира Ажа́жи (или Ажажи́, никто не знал, как ставить правильное ударение). Я им рассказал смешную байку — про ночных калмыцких пастухов, которые сидят в палатках, пьют чифир и бесконечно напевают: сымбыртыр пилять корабыр иоп твою мать; разгорелся смутный спор о неизбежном возвращении язычества… Сумалей следил за разговором, бегая глазами влево-вправо, как кот на старых деревенских ходиках. Вдруг словно что-то вспомнил, хлопнул по лбу и воскликнул, не дослушав тощего Никиту:

— Ах, я старый обезьян! Никита! Я сообразил! Вы же, этсамое, кинолюбитель! Давайте колитесь: Лени в вашей фильмотеке есть?

— Ленин? Какой Ленин? — ушёл в несознанку Никита.

— Не прикидывайтесь, вам не идёт, — заиграл желваками Учитель.

Молчание. Скрипят вращающиеся жернова. Никита осторожно, отсчитывая каждое слово, как продавец отсчитывает сдачу, произнёс:

— Михаил Миронович, но за неё…

— Спокойствие, Никита Вельевич! Только спокойствие. Я про вполне невинную «Олимпию», я же не прошу вас о «Триумфе воли»! Я из ума пока не выжил. Понимаю, на каком мы свете.

— Ну, можно поискать, — скривился Никита.

— Ноговицыну дадите посмотреть? Имеются причины. Я ручаюсь.

Слово «ручаюсь» он выделил голосом.

— А какая у тебя система? — спросил у меня бородатый, чем поверг в замешательство.

— То есть? Что значит система? Извините, но я в технике не копенгаген.

— Видёшник у тебя какой?

— Никакого. У меня нет видёшника.

— Как же ты, прости меня, живёшь? — изумился Никита.

— Уж такой я отсталый, — огрызнулся я.

— Ладно, что-нибудь придумаем, диктуй свой телефон, — ответил Никита смиренно; в присутствии Учителя творится благорастворение воздухов, волки сретаются с овцами, а грозно рыкнуть может Михаил Мироныч, но только не его ученики.

Мы возобновили клочковатый разговор.

11.

Без четверти пять я откланялся. Я хотел прийти заранее, купить цветы и спрятаться за безразмерной сталинской колонной. Муся с одинаковым презрением относилась к опозданиям — и к спешке; она всегда являлась вовремя, секунда в секунду, и по ней можно было сверять часы. Никаких вращающихся хронотопов, ускорившегося времени и прочей философской зауми; любимым Мусиным присловьем была ирландская пословица — «Бог создал время, и создал его достаточно». В шестнадцать часов пятьдесят девять минут она бойцовским толчком распахнёт бронебойную дверь, оглянется по сторонам. Я зайду со спины, обниму, выставлю букет с подмосковными розами, похожими на мелкие кудряшки, Муся вздрогнет, развернётся и влажно поцелует в губы. «Мой, мой, мой, задушу, никому не отдам!» Слишком бурно, слишком киношно, слишком мещански; это мне как раз и нравилось — что слишком. Без гуманитарного отставленного пальчика, что вы, что вы, как можно, а как же священное чувство дистанции?

Но ещё на дальних подступах к метро я заметил возбуждённую компанию спортивных *юношей*. От слова веяло тридцатыми годами, сатиновыми чёрными трусами, физкультурным пóтом, героическим парадом. Нейлоновые майки сеточкой, без рукавов; выпирают перекачанные мускулы, мышцы опутаны толстыми венами. Пустые светлые глаза. Яркое солнце, серые стены, белые майки, сахарные милиционеры на каждом углу… А между *юношами* — кокетливая *девушка*. Болтает с развязным блондином актёрского вида. И блондин ей отвечает молодым, незагустевшим басом. Бу-бу-бу, бу-бу-бу.

Я оторопел. Почему она сказала мне прийти попозже? Почему не захотела познакомить? Это что ещё за фокусы такие? Я змейкой скользнул за колонну; было слишком далеко, доносились лишь отдельные слова: Самаранч… китайцы… Лужники… Битца… лошадки… ватерполо… Я начал себя успокаивать: всё в порядке, она же пловчиха, не с тобой же ей о спорте разговаривать. Стал осторожно приближаться, тенью скользя от колонны к колонне. Подобрался вплотную, сделал охотничью стойку, прислушался — и настроение совсем упало.

— Народ, — приказала Муся чужим притворным голосом, — ну давайте, валите отсюда.

Белобрысый пробурчал невнятно: фр-фр-гр-гр.

— Федюшка, ну я же говорю — пока. Возвращайтесь без меня, потом расскажете.

Этот чёртов Федюшка слюняво чмокнул Мусю и нагло пожамкал плечо. Юноши направились ко входу на новооткрытую станцию метро «Марксистская».

Муся огляделась, как воровка, утащившая с прилавка кошелёк; мельком посмотрела на свои серебряные часики, достала круглую коралловую пудреницу, поправила глаза (она их подводила чуть заметным голубым карандашом) и приготовилась принять восторги.

Придавив проснувшуюся ревность, я выступил из-за колонны. Муся просияла, бросилась на шею. Словно не было спортивных юношей, Федюшки, лошадок, Самаранча:

— Котичка!

— Муська, погоди секунду, я не успел купить цветы, — попытался я освободиться; слишком близко была её грудь, слишком явственным — низ живота.

— Да что ты, какие цветы. Но вообще, если хочешь, давай. Мне будет приятно. Видишь, чайные, мои любимые? — Муся указала пальцем на цветочный павильон, слева от киоска «Спортлото».

Она в одно касание сняла с букета упаковку (как целлофан с сосиски счистила; я сразу устыдился подлой мысли), бросила обёртку на асфальт, взяла цветы обеими руками, как берут за морду любимого пса, погрузила в бутоны лицо. Зажмурилась, вдохнула и произнесла с преувеличенным восторгом:

— Как я обожаю этот запах! Жизнью пахнет!

Хорошо, что этого никто не слышал; весь мой круг отреагировал на Мусины манеры однозначно. Я привёл её однажды в общежитие и сразу же почувствовал неладное. Девочки замкнулись, мальчики сделали стойку; за прекрасных дам, которые столь пышным цветом, троекратное, с оттяжкой, пьём до дна. Но на следующий день один из них, завистливый и горделивый Козин, спросил: «Ну и как там наша продавщица?» Козин схлопотал, конечно, но я перестал ходить на эти сборища. О чём никогда не жалел. Одиночество лучше притворства; самое противное на свете — изображать приязненного собеседника.

Муся вдохнула ещё раз, после чего приняла воспитательный вид и уверенно распорядилась:

— А теперь давай рассказывай.

— Что именно рассказывай?

— Что у тебя стряслось? Ты почему сорвался с места? Почему не позвонил и телеграмму не прислал? Это что ещё за бегство с места преступления?

— Папина жена, — неубедительно промямлил я, — кровотечение… реанимация…

— Она жива?

— Слава Богу, уже всё в порядке.

— Стоп-стоп-стоп. Котик, папина жена, больница, тётю жалко, но ты-то тут при чём?!

— Папа думал, что всё. Не маме же ему звонить?

— Хорошо, это ваши семейные дела, я в них не лезу. — Муся махнула рукой, улыбнулась и тут же вновь насторожилась. — Но всё-таки, котик, скажи.

Ты же с поезда хотел ко мне? Ты как вообще-то, в больницу сегодня успел?

— Успел. Там уже всё улеглось, — неумело отоврался я.

— Ну, как скажешь. Улеглось так улеглось. — В голосе послышалось обиженное недоверие, но Муся никогда не требует прямого ответа, если ты не хочешь говорить — не говори.

Мы не спеша спустились к набережной, долго стояли над серой рекой, ели жирный ледяной пломбир с густым земляничным сиропом и пили полусладкое шампанское (другого Муся, к сожалению, не признавала, вкус у неё, несмотря на торговых родителей, был вполне себе сельскохозяйственный). Шампанское шипело и взрывалось пузырьками. Я рассказывал о чём попало — о субботниках в совхозном поле, позволявших натаскать провизии на всю неделю — недоспелых крупных помидоров, чеснока, колючих огурцов и кабачков; о том, как тяжёлая рыба сверкает боками, а крючок впивается в её костистую губу; о калмыцких недокормленных коняшках, которые дрожат под седоком. Начал было про ночные разговоры пастухов, но почему-то вспомнил, как подслушал «строгих юношей», и сбился.

Муся вопросительно взглянула на меня.

— Котик, ты чего какой-то стал недобрый. Не такой, как всегда. Что-то случилось?

— Нет-нет, ничего, просто одичал в степи! — я вяло попытался уклониться.

— Точно ничего? Хорошо, попытаюсь поверить.

На пути к театру пьяненькая Муся напевала Пугачёву и Валерия Леонтьева, миллион, миллион, миллион алых роз, та-та, та-та повторю, какое-то сердце, любовь подарю; хохотала без причины, громко, так что оглядывались прохожие, говорила:

— А куда ты меня ведёшь? А что мы будем делать?

— Сюрприз, — буркал я.

— Котинька, скажи мне, а какой сюрприз? Я люблю сюрпризы! Ну скажи, какой?

— Не скажу.

Я отвык от вечернего летнего света. В степи всё было просто, по-армейски, в семь пятнадцать пополудни солнце выключали из розетки и врубали снова вместе с гимном, в шесть утра: союз нерушимый республик свободных сплотила навеки великая Русь. А тут светились контуры домов, вдоль них прогуливались контурные люди; вестибюль метро, подсвеченный оранжевым вечерним светом, напоминал античную ротонду на закате. Муся продолжала лепетать; мне это было не слишком приятно. Я не мог понять, что происходит, кто эти юноши в майках, почему она о них не говорит, и чувствовал себя полнейшим идиотом. Скорей бы в темень зрительного зала, там не нужно работать лицом. А потом, уже дома, обдумать.

Вот мы замерли на остановке. Вот переключился светофор. Посмотрели налево, направо, соблюдаем правила дорожного движения. Подошли к облезлому театру. Почему-то возле входа не было толпы надеющихся дам и молодящихся интеллигентных ухажёров, пожилой номенклатурной профессуры и узнаваемых директоров продмагов, исполненных наивного высокомерия. Только странный дядечка в дурацкой полотняной кепке, который притулился возле кассы, старательно сливаясь с общим фоном, словно ящерка, прилипшая к стене.

Я изучил июльскую афишу и понял, что непоправимым образом ошибся. «Гамлета» давали вчера, а сегодня никакой Высоцкий нам не светит, как не светит всю ближайшую неделю; Шекспира в следующий раз покажут в олимпийский День театра.

Остаётся слишком долгих девять дней.

— Муська, я лопухнулся, прости. Хотел повести на Высоцкого, а вон как вышло.

— Ничего, — ответила она. — Отложим, целая жизнь впереди. Ты же не отменишь приглашение?

— Если достану билеты.

Дядечка, стоявший возле кассы, сделал странное движение и, не отлипая от стены, резко наклонился.

— Вам на Владимира Семёновича?

— Вы про двадцать седьмое? На «Гамлета»?

— Ну да.

— Два билета в партер.

— В парте-е-ер? — присвистнул дядечка. — В партер найдётся. Но вам дороговато станет.

— Сколько?

— Тридцатка за один. Красненькая за два.

— Пятьдесят рублей?!! — Я сделал вид, что изумлён; вдруг у спекуля проснётся совесть.

— А вы чего хотели? Там официально семь с полтиной, а ещё пойди достань.

Я отвернулся, достал из подкладки две фиолетовых гладких бумажки, протянул. Муся восхищённо засмеялась:

— Ноговицын, вы мой герой! Я тащусь. Я была в тебе уверена! А сейчас пойдём к тебе, успеем на повтор.

— Повтор чего?

— Повтор открытия.

— Какое открытие?

— Ну ты даёшь. Открытие какое. Спроси ещё, как меня зовут. Олимпиады открытие, вот какое. — Глаза у Муси сделались большие и сердитые.

— А, теперь понятно, что пошли досматривать твои дружки, — не выдержал я.

Муся сразу перестала притворяться пьяной. Она отстранилась, чуть растерянно и вместе с тем прохладно посмотрела на меня.

— А, так вот в чём дело. Я-то думала... Ты что, следил за мной?

— Случайно подсмотрел. Как в анекдоте: приезжает муж из командировки...

— А ты мне никакой не муж. — Муся вдруг заговорила твёрдо, непреклонно; она умела быстро переключать регистры. — Лёша, мы должны с тобой условиться: если я захочу с кем-то другим встречаться, ты узнаешь об этом первый. А если не захочу — значит, не захочу. Я же твою православную дикость терплю? Нет, ты скажи, терплю? Я живая, я в твою церковь не верю. Но я от тебя не ушла? Отвечай: не ушла? Нет-нет, не опускай мне тут глаза, говори!

— Не ушла, — недовольно ответил я.

— Ты думаешь, мне это легко?

— Не думаю, — разозлившись, я как будто каменел.

— А ты подумай.

— На досуге подумаю.

— Вот такой ты мне нравишься. Такой — ты хороший.

Муся снова обвила меня кольцом, сцепила в замочек сильные пальцы.

— Стоп! Попался! Не рыпаться. Котик, ну хватит. Ладно, я дура. Нужно было тебе написать. Или всё как есть сказать по телефону. Эти ребята — пловцы. Ты же в Лужники со мной не ездишь плавать, правда? А они ездят, и мы с ними можем поговорить о спорте. Понимаешь? Спорт — это не так плохо, как ты думаешь.

— Муся, неудобно, люди смотрят.

— Пусть смотрят. Я своё держу, не чужое.

— А Федя твой — это кто?

— А Федя — это просто Федя. Ничего. Хороший парень. Мальчишек тренирует забесплатно, по субботам, в школе юного спортсмена при «Динамо».

— А в остальное время где учится-работает?

— Не знаю. Какая мне разница?

— А почему он Федюшка?

— Нипочему. Я тебе всё уже сказала. Что не познакомила — прости. А больше мне каяться не в чем. Всё, мир? Поехали к тебе, смотреть открытие? А может, всё-таки ко мне? Ну что мне сделать, чтобы ты передумал? — Муся ослабила жим.

Она спрашивала это всякий раз, при каждой встрече — с тем же влюблённым упрямством, с каким мама готовила блинчики в пост. И с тем же ответным упорством, доброжелательно-железным тоном я в очередной раз ей отвечал:

— Муся. Мы. С тобой. Договорились.

— Всё, всё. Поняла. Как прикажете, ваше величество. Едем к тебе. То-то Наталья Андреевна будет рада!

— Язва ты, Муся. Только заклинаю всем святым, ты про папину жену молчи. Ну, ты сама понимаешь.

— Да-а-а, тяжёлый, запущенный случай. Я иду, пока вру. Ты идёшь, пока врёшь. Вы идёте, пока врёте… Для меня придумал папину жену. А что для мамы сочинишь?

Я съёжился, неловко хохотнул:

— Что-нибудь попроще, без затей. Например, в аспирантуру вызвали, нагрянула комиссия, срочно требуют последнюю главу. Годится?

— Я бы не поверила, но я не мама.

— Вон автомат, я пойду позвоню. Двушка есть? А то я на тебя последнюю потратил. Шучу-шучу. И ещё я заскочу на телеграф, это прямо на одну секунду, правда.

— Зачем на телеграф?

— Нужно отбить телеграмму.

— Куда?

— На кудыкину гору. Ну послушай, не дуйся, мне действительно надо.

— Кому?

— Какая тебе разница, ты же всё равно не знаешь. Нет, не девушке. Нет, мужчине. Если бы девушке, я бы говорить не стал. Нет, я не хочу букетом в морду. А после поймаем машину и заедем на вокзал за рюкзаком.

1.

Накануне мы сидели допоздна. Сначала мутно объяснялись с мамой — что, да как, да почему; Мусино присутствие слегка сглаживало панику, но до конца её не погасило. Мама пусть не сразу, но поверила, что я здоров и никто меня не обидел, а тупые ВАКовские правила переменились, и нужно было срочно возвращаться. Поверив, стала мелко суетиться; а что я могу приготовить, холодильник-то пустой, сама я вечером не ем... Мы говорили, что сыты, даже шампанское пили; мама принюхалась: правда. Муся предложила:

— Может быть, посмотрим телевизор?

Я расположился на диване, она уселась на диванный валик, а мама устроилась в кресле-качалке, под оранжевым польским торшером, и чересчур сосредоточенно вязала.

Вид у мамы был комичный. Сморщив лоб и шевеля губами, мама ученически считала петли. Довязав очередную полосу пуловера, она плотоядно загоняла спицы в дымчатый клубок и поднимала глаза на экран.

Вообще, она любила телевизор, знала всех телеведущих, разговаривала с ними. Сияющему диктору Кириллову мама отвечала со смешком: спасибо, Игорь Леонидович, порадовал; если на экране появлялся журналист-международник Каверзнев, шепелявый, сдобный и печальный, мама замирала от восторга: «А-а-а-а, так во-о-от в чём дело, Александр Александрович, поня-ятно». Обозревателю Бовину, похожему на переевшего бульдога, она всегда внимала молча, потрясённая его нечеловеческим умом.

Тем более ей нравилось открытие Олимпиады. Спортсмены со знамёнами, солидное начальство в пиджаках с большими металлическими пуговицами. Шамкающий Брежнев, старенький уже, смешной, ему бы на пенсию, внуков тетёшкать, только кто его, несчастного, отпустит... Но стоило маме подумать о Мусе, как правая бровь непроизвольно поднималась и словно переламывалась пополам; мама поджимала губы и раздувала второй подбородок. Какой незастенчивый голос, какие некультурные слова. «Родной мой человек», «всё путём», «маслице», «яишенка», «ей-право». Даже сыночка не выдержал однажды, сделал этой фифе замечание, мол, не надо говорить «говна пирога», а она ему — при посторонних, не смущаясь! — «будешь слушать всю жизнь и умиляться, ясно?». Ну что за отвратная девка? Нагло отказалась от предложенного стула и жирной задницей прижалась к Алёше. Пальцы запустила в шевелюру и почёсывала, как дрессированного бобика... Бедный Лёха. И зачем он с ней связался. Дунька дунькой, нос курносый, серые глазища отливают сталью. Смотрит нагло, на губах играет подлая улыбка.

Стараясь не смотреть на это безобразие (тоже мне, наездница с картинки), мама медленно вытягивала спицы из клубка, как вытягивают боевую шпагу, и приступала к следующему ряду... Петелька, петелька — накид. Петелька, петелька — накид.

Мохеровая нить скользила змейкой. Спицы щёлкали. Губы шевелились.

«Слава Олимпи-и-ийскому движе-е-е-е-е-е-е-ению!»

Досмотрев, мы отправились на кухню. Мама, внутренне гордясь собою, подала на стол берлинское печенье, жёлто-белое, слоистое. Это папа вчера заезжал, починить журчащий унитаз; они вдвоём не доели, осталось четыре колечка. (Услышав про папин визит, Муся криво усмехнулась.) Полупрозрачной струйкой мама разлила по чашкам старую заварку. Самоотверженная Муся промолчала — хотя предпочитала чай густой, свежезаваренный, исключительно индийский со слоном. И чтобы обжигающе-горячий! Не иначе! В ответ и мама проявила благородство, когда Муся по-хозяйски цапнула лимон, разрезала его пополам, неэкономно выдавила сок в тонкостенную фарфоровую чашку, расписанную сине-золотым узором, и самодовольно облизала пальцы. (Прям как барыня какая, не стесняясь!) Мама одёргивать Мусю не стала; вместо этого сказала ей доброжелательно-беспечно:

— Вам он тоже ничего не написал? Не позвонил? Свалился как снег на голову? Вот сахар, вот варенье, абрикосовое, из жердели, её присылают с Кубани, там живёт моя станичная родня. Прошлогоднее, зато сама варила. Меня он не слушает, вы бы ему объяснили...

— Спасибо, Наталья Андревна, очень вкусно. Вы такая мастерица. Нет, ничего не сказал, он такой, — хлопала Муся ресницами, дескать, я ни сном ни духом.

— Вы своих растите по-другому, не повторяйте моих ошибок, не спускайте с самого начала.

Муся покраснела, мама словно не заметила:

— Главное — не пропустить момент. Их воспитывать надо, пока лежат поперёк лавки, когда вдоль — уже поздно… Когда я забирала Алёшеньку из больницы, у него был рахит…

Я взорвался:

— Мама! Может, хватит?

— А что я такого сказала? Мариночке важно знать про тебя. И про плохое тоже. Хорошее она и так увидит.

Мама знала, что Муся — Мария, но в этой постоянной ласковой ошибке заключалось сразу всё: и тёмная бабская ревность, и показная готовность смириться — сы́ночка, всё ради тебя, мой родной.

Муся, подавляя неприязнь, тоже стала сахарно-медовой:

— Конечно, Наталья Андревна, учту.

Я разозлился окончательно и, добавив голосу металла, ответил им обеим сразу:

— Поздно. Уже. Я. Мусю. Домой. Провожу.

— А Марина не останется у нас?

Эх, мама, знаешь ведь, что не останется. И почему.

Пытаясь смягчить обстановку, Муся предложила: давайте посмотрим ещё репортаж и поедем. Наши сегодня играли с индусами, чем там завершился баскетбол?

2.

Мы познакомились с Мусей случайно, в марте семьдесят восьмого года. В знаменитом пивбаре на «Киевской», где днём студенты пересиживают пары, а по вечерам гужуется ликующая гопота.

Я сидел в своём любимом углу, возле огромного полуподвального окна. Были видны чёрный слежавшийся снег и унылые ноги прохожих — в растоптанных зимних ботинках, стариковских суконных «прощайках» и женских гладких утеплённых сапогах. Снаружи было холодно — пришёл, что называется, марток, из окна поддувало. Я терпеливо вылущивал скользкие тельца креветок; мясо прикипело к панцирям, разлетались розовые брызги. Зверски хотелось пива (в кружке оседала пена), но сначала нужно было справиться с поставленной задачей.

Вдруг на стол опустилась пузатая кружка и кто-то сверху властным голосом спросил: молодой человек, я к вам присяду? Вы не против?

Я поднял голову. Передо мной стояла крупная деваха. Как ей полагается, блондинка. Светлая короткая дублёнка с оторочкой, синий мохеровый свитер с широкой горловиной. Ничего особенного. Даже более чем ничего. Прежде чем уйти в издательство «Наука» и возглавить там бюро проверки (как сегодня сказали бы, отдел фактчекинга), мама долгие годы работала в «Прогрессе» корректором — и вычитывала вёрстки многочисленных переводных романов. В основном из стран народной демократии. Каждый вечер после ужина она раскладывала рукопись на тесном кухонном столе и, орудуя карандашом и ластиком, вносила правку. И ругалась. Ну сколько можно. Что за стыдоба. Опять эти полные груди. Опять это крепкое тело. Штампы! Переводчики халтурят! А редакторы куда смотрели?

Деваха была воплощением этого штампа. Она улыбалась победительной улыбкой, не допуская мысли, что ей могут в чём-то отказать.

— Прошу, — пожал плечами я.

Девушка уселась поудобней и демонстративно растянула горловину. Кстати, все эти «мягкие шеи» мама ненавидела ещё сильнее.

Я стал с удвоенной энергией счищать с креветок неподатливую шкуру, стараясь удерживать брызги.

— А что это у вас такое? — спросила девушка. — Креветки? А можно я одну возьму?

— Возьмите, — я почти огрызнулся, не зная, как мне от неё избавиться и при этом не выглядеть глупо.

— Очень вкусно! Спасибо большое. Может быть, мы всё же познакомимся? И вы мне позволите ещё одну креветочку? Ой, у вас пена на пиве осела, надо скорее пить, а то пузырьки все уйдут!

— Меня зовут Алексей, — я отвечал церемонно. — Пожалуйста, возьмите.

Но про себя подумал: «Ничего себе нахалка».

— А меня зовут Муся. Что, за знакомство? Чок-чок. А почему вы такой хмурый? У вас неприятности? Вы где учитесь? На филосо-о-офском? Ничего себе. Ах, уже в аспирантуре? Какой вы, наверное, умный. А я в Плехановском, ну, Плешка, слышали?

— Слышал. Товароведом будете?

— Хи-хи. Смешно. В следующий раз, пожалуйста, шутите не так остроумно. Так я ещё одну креветочку возьму? Вы для меня ещё почистите? Вот спасибо.

Деваха откровенно и привычно флиртовала, ожидая встречного заигрывания; что уж там она во мне нашла, не знаю, но вела она себя с напором. Штампы штампами, но в ней была народная прилипчивая красота, которую не встретишь у субтильных девочек с филфака; не смотреть на Мусю было трудно. Само собою вспомнилось из Пушкина (он пересекался с кругом любомудров, о которых я писал диссертацию, так что в некотором смысле был моим героем) — Денис Давыдов отвечал ревнивой даме, отчего же он решительно предпочитает камеристок: «Что делать, мадам, они свежее». Случись эта встреча на несколько месяцев раньше, я бы охотно повёлся. Конечно, Мусю было бесполезно впечатлять вечерней службой, но если пригласить на иностранный фильм (как раз неподалёку, на Кутузовском, был старый, неухоженный кинотеатр «Пионер»), она наверняка бы согласилась. То да сё, пятое-десятое, чаёк-кофеёк, руки-то не распускай, ко мне пойдём или к тебе?

Но не будет больше никакого липкого соблазна; я хочу ходить на исповедь и причащаться.

Поэтому я чинно продолжал беседу. Муся, поначалу иронично, а потом всерьёз и почти увлечённо выясняла у меня, чего сейчас читают умные воспитанные люди, какие театры в почёте, какие в загоне, а правда ли, что в работах Гегеля двенадцать методологических ошибок (так им объясняли на научном коммунизме, на зачёте полагалось отвечать как отче наш, в чём Гегель ошибался в-пятых, в чём в-восьмых, а в чём в-двенадцатых). Я отвечал подробно-сдержанно, вежливо чистил креветки, по просьбе Муси сбегал к автомату и, кинув в прорезь тяжёлый двадцарик, наполнил кружку мутноватым пивом. Но никаких попыток завязать серьёзное знакомство не предпринял.

Муся была то ли обижена, то ли заинтригована; она внимательно смотрела на меня и ждала, когда же я решусь начать сближение. Не дождавшись, недовольно повела плечами, облизала кончики пальцев, порылась в большой переполненной сумке и сказала, перейдя на «ты»:

— Что-то сегодня у нас не заладилось. Вот тебе мой телефон, позвони. И знаешь, как мы поступим?

— Как?

— Ты мне свой тоже напишешь. Сюда. Только на стол не клади, он грязный, пиши на весу, — протянула она записнушку.

Тем же вечером телефон заверещал.

— Слушаю.

— Алексей? Это я, Муся. Мне показалось, я тебе понравилась. Я ошибаюсь?

Как я мог ей объяснить, что происходит? Какое происходит внутреннее противоборство, когда ты хочешь одного, думаешь другое, а следуешь третьему. Поэтому, краснея от неловкости, промямлил:

— Я рад, что ты мне позвонила.

— Значит, я была права, понравилась. Ты учти, я редко ошибаюсь. Знаешь что, поедем в воскресенье за город? На станцию Электроугли? Там в ДК концерт «Машины времени». Ну как это кто это? Макаревич, Кутиков… Ой, ты, что ли, правда их не знаешь? Ты просто ископаемое! Экземпляр!

Я презирал всю эту *ерундистику* и ни на какие модные концерты не ходил, но Мусино *мягкое горло* было сильней убеждений.

Мы договорились встретиться у дальних поездов: на пригородной платформе будет дикая толпа, можно легко разминуться. В полчетвёртого я был на Курском, под тяжёлым стеклянным шатром, заросшим щетиной из грязи. Сквозь грязь с трудом просверливалось солнце, вокзальный воздух был замызганным и серым. Но уже нагрянула скоропостижная весна, на улице было тринадцать градусов; день обещал быть роскошным — пока не стемнеет. А как только стемнеет, распустится холод.

Вскоре появилась Муся — в голубом джинсовом пальто, с широким поясом на белой пряжке и в очередном горластом свитере.

— А цветы где, кавалер? — засмеялась она без обиды и сама взяла меня под руку. — Ладно, всё равно помёрзнут, за городом пока ещё зима. Но попрошу учесть — на будущее — я девушка балованная, хоть самый дешёвый букетик, да мой. Ну, Бобик Жучку взял под ручку! Крепко держимся друг за друга, а то разнесут по разным вагонам! Ты билеты уже купил? Молодцом.

Бок у Муси был плотный и тёплый, и почему-то я вспомнил, как в школе обожал прогуливаться со старшеклассницами-вожатыми, обнимая их за убедительные талии.

Платформа кишела подростками. Типичные окраинные десятиклассники, покупавшие одежду в «Польской моде», в линялых джинсах и синтетических сопливых куртках. Их половозрелые девицы, настежь распахнувшие плащи, чтобы видно было прозрачные блузки; все возбуждённо толкались. В эту подростковую толпу как-то затесалось несколько студентов в настоящих джинсах Lee и Super Rifle, в куртках-космонавтах и таких же дутых сапогах; студенты не кричали, не толкались, не погнабливали школьников, просто добродушно перешучивались — видимо, уже привыкли к неизбежной суете перед концертом.

Электричка раздвинула двери, в нос шибануло невысохшим мебельным лаком. Все стали задорно вбиваться в вагоны, девочки восторженно визжали.

Мы остались в тамбуре — здесь ветер дул в разбитое окно, разбавляя ядовитый запах. Ехать пришлось по стойке смирно, невольно вжимаясь друг в друга; я чувствовал, что покрываюсь пóтом. Шум стоял такой, что нам приходилось кричать прямо в ухо и как можно громче.

— И что же? Каждый раз вот так?

— Что? А, да! Ничего, не страшно, ехать близко!

Вдруг электричка заходила ходуном и толпа понеслась по вагонам, затягивая нас в водоворот:

— Атас, братва! Кондуктора́!

Через полчаса нас выплеснуло на платформу; мы прибились к ограждению, дали толпе унестись. Здесь и вправду было холодней, чем в городе; лёгкие сумерки вот-вот обещали сгуститься; сквозь гриппозное солнце уже подул ледяной ветерок.

Я отлепился от её карамельных губ.

Муся посмотрела туманными глазами:

— Это мы что? Это мы как? — И добавила: — Очки сними…

И снова приоткрыла губы.

Ветер перешёл в атаку. Небо затянулось серой плёнкой, с неба посыпался мартовский снег, колючий и мелкий, как стиральный порошок; вот тебе и ранняя весна. Мы наконец-то оторвались друг от друга и вприпрыжку побежали в клуб; чудом успели к началу. Взяли самые паршивые билеты — откидные стулья на галёрке, со скандалом шуганули безбилетников, уже успевших занять наши места. Свет через минуту вырубили, и на сцену бодрыми кузнечиками выскочили музыканты. Один, курчавый, с мушкетёрскими усами, слегка напоминавший Джо Дассена, гордо шагнул к микрофону и оскалил огромные зубы. Остальные покорно подвинулись в тень. Публика взревела от восторга: «Макар! Давай, Макар!» Курчавый парень с удовольствием поглядывал на публику, пробовал звук. Ударник рассыпчато прошёлся по тарелкам, и тот, кого звали Макаром, запел: «Но верю я, не всё ещё пропа-ало… пока не меркнет свет, пока горит свеча-а-а».

Мне редко нравилось тогдашнее гитарное нытьё; в любой компании, что на дне рождения отца, что в аспирантской общаге, на четвёртой рюмке все впадали в сладкую задумчивость и кто-нибудь несмело трогал струны. Обычно для разгона брали туристическую пошлость: «А я еду, а я еду за туманом, за туманом и за запахом тайги». После этого зудели Окуджаву: «Подумайте, простому муравью вдруг захотелось в ноженьки валиться, поверить в очарованность свою». Откупоривали свежую бутылку, наскоро её опорожняли и опять хватались за гитару. Наступало время настоящей страсти: в очередь рычали гордого Высоцкого, речитативом повторяли затяжного Галича. А заканчивали тем, что принимали позу коллективной кающейся Магдалины и мурлыкали приятные слова: «Под небом голубым есть город золотой с прозрачными воротами и яркою звездой…»

На фанерных стульях приходилось постоянно ёрзать, чтобы задница не затекала; передо мной сидел лохматый здоровяк, голова которого перекрывала сцену; было неуютно, неудобно. А всё равно я чувствовал, что поддаюсь. Ещё немного — стану умиляться. И, чем чёрт не шутит, подвывать. *Я забыл о буре и о громе, мне теперь дороже — тишина-а-а...* Школьная толпа пришла в экстаз и начала раскачиваться, как киношные немцы в пивнушке. И Муся раскачивалась вместе с залом, подпевая и пощёлкивая пальцами. Свет метался по залу и внезапно высвечивал Мусю. Над ней загорался прожекторный нимб, и Муся делалась похожей на дешёвую бумажную икону. Иногда она поглядывала на меня, то ли с гордостью, то ли с тревогой. Видишь, куда я тебя привела? Мне тут по кайфу. А тебе взаправду нравится?

Возвращались мы в суровой темноте: в электричке вырубило свет. Подростки громогласно распевали: «Кто? Кто? Кто тебя таким создал! — Кто ты? Скажи сам себе хотя бы в этот раз!» — а я сунул руку в Мусин карман и незаметно гладил бедро с упоительно выступающей косточкой, не решаясь спуститься чуть ниже, хотя и чувствовал весёлое согласие, и с ужасом думал, как буду объясняться с Мусей, когда она предложит к ней зайти.

— Ну, молодой человек, как говорится, приглашаю вас на чашку кофе. Или что вы пьёте на ночь? Чай?

— Исключительно воду.

— Что, боишься не уснуть? Я тебе и так уснуть не дам, не бойся. Дома никого, родители мои в Алжире, там мой папочка работает торгпредом, выполняет задание родины. Я сама себе в Москве хозяйка.

— Слушай, Муся, — промямлил я, сгорая от неловкости. — Надо поговорить.

— Хорошо, давай уже поднимемся и поговорим. — Муся слегка напряглась.

— Я так не могу. И подниматься не стану. И хочу прямо сейчас объяснить почему.

— Так. Это моя привилегия — включать динамо. Мне нельзя, начались дела, голова болит, завтра-послезавтра-никогда. Ты-то чего? — рассердилась она.

— Ты неверующая?

— Что? Не поняла.

— Ну, ты в Бога ведь не веришь? В церковь не ходишь? Я правильно понял?

— Ещё чего? Конечно, не хожу.

— А я хожу.

— В какую именно? В ту, где кресты? Или в ту, где звезда, на Архипова? А может, дико извиняюсь, в ту, где полумесяц? — Муся смотрела упорно, холодно, не отводя взгляда.

— В ту, где кресты.

— Значит необрезанный? Сейчас проверим... Эй, не обижайся, ну ты чего? Ходи себе на здоровье, мне-то что?

— Муся. Мне вера запрещает... это самое...

— Милый, ты чего — дурак? Всю, прости господи, дорогу меня лапал, а теперь — какая-то религия? В общем, выбирай: идём ко мне, или больше никогда мне не звони.

Она опять позвонила сама. То ли в последних числах марта, то ли в первых числах апреля; в тот день (я это хорошо запомнил) грянула внезапная жара, восемнадцать градусов по Цельсию; из почек проклюнулись тонкие листья, похожие на свёрнутые язычки; между пыльными рамами пыталась ожить прошлогодняя муха, она взлетала вертикально вверх, ненадолго зависала на уровне глаз, ударялась в стекло и валилась обратно.

Странная была в тот год весна, неуравновешенная, её бросало то в холод, то в жар.

— Слушай, котик, — начала Муся без предисловий, — до меня тут, кажется, дошло. Ты и взаправду дурак. Я не ошиблась?

— Конечно, Муся, я дурак. Но очень рад тебя слышать. Значит, всё-таки немного умный.

— Был бы умный — сам бы позвонил.

— Но ты же запретила?

— Я и говорю: дурак. Но ты знаешь, я хочу разобраться. Возьми меня в свою церковь. Возьмёшь?

— Возьму. — Такого разворота я предположить не мог, поэтому ужасно удивился. — Пойдём в субботу на вечерню?

— Нет, я в субботу не могу. В субботу я, пардон муа, собираюсь с подружками в баню. У нас зарезервированы Сандуны. Тебя, извини, не возьму, да ты бы и сам не пошёл. Ты же скромный, пока свет не выключили. А мне говорили, что службы у вас воскресные, так? Вот в воскресенье я готова. Что нужно взять с собой?

— Купальник, тапочки и полотенце.

— А если без этих глупостей? Так сказать, считаясь с уровнем народонаселения.

— Без глупостей — нужен платочек.

— Чтобы я была как бабка? Ага, прям щас. Обойдётесь импортной береткой. — Муся произнесла это слово смешно, с протяжным «э»: берэткой.

Она и впрямь пришла в кокетливой рижской беретке, с торчащей пимпочкой, похожей на твёрдый сосок. И в хорошо протёртых синих джинсах с диковинным лейблом на попе. Такие было не достать у спекулянтов и даже в валютной «Берёзке»; это ей *оттуда* привезли. Щёку не подставила, даже руку не протянула. В церкви быстро огляделась, выбрала местечко у стены, откуда лучше видно, хотя и хуже слышно, и по стойке смирно простояла от *благословенно царство* до прощального *с миром изыдем*. Не крестилась и не кланялась, а когда протягивали свечку — передайте, — брезгливо брала её двумя пальцами, как некурящий берёт сигарету. На змеиный шип благочестивых тёток: почему в штанах пришла, руки сложи ладошкой, чего крест не кладёшь — не реагировала.

После выноса креста и начала суетливого молебна строго повернулась ко мне.

— Изыдем — значит, уходим? Это значит, всё — финита ля комедия, пошли финальные титры?

— Практически.

— А там чего такое, — она кивнула в сторону детсадовской толпы бабулек, окруживших важного отца Георгия и дробно крестившихся на всякий возглас.

— Это послеслужбие, стоять необязательно.

— Необязательно? Тогда пошли на воздух.

Улица была кривая, вела то вверх, то вниз, беззаконно петляла, и мы петляли вместе с этой улицей. Оба молчали. Я пинал небольшую ледышку (сегодня вдруг опять похолодало, и последние ошмётки стаявшего снега смёрзлись). Вдруг Муся резко тормознула, я в неё едва не врезался, посмотрела мне в глаза.

— Ты же хочешь знать, что я об этом думаю?

— Скорей всего, я это знаю и так.

— И?

— Ты думаешь: вот из-за этой скисшей скуки он игнорирует меня, такую прекрасную и удивительную? Не может быть. Тут что-то не так. Угадал?

— Не угадал. Мне понравилось. Я ничего не поняла, но красиво и что-то такое в этом, наверное, есть.

Я почти обрадовался.

— Значит, ты меня поняла?

— Нет, не значит.

— Девушка, вы как-нибудь определитесь.

— А я не хочу определяться. Понимаешь ты? Не-хо-чу.

— А чего же ты хочешь?

— Я? Хочу попробовать с тобой. Не знаю, что получится, но хочу.

— Почему со мной?

Вопрос был, прямо скажем, идиотский. Но Муся почему-то отнеслась к нему серьёзно. Она нахмурилась, сосредоточилась и начала перечислять, загибая пальцы:

— Во-первых, ты симпатичный. Несмотря на толстые очки. Во-вторых, не ботаник, при этом не торгаш. Наши, плешкинские, они же из другого теста. Продай, купи, достань, ты мне — я тебе. А мне этого ничего не надо, у меня и так всё есть, без них, спасибо папе. В-третьих, я хочу туда, где ты.

— Куда же?

— Слушай, ты со мной разговариваешь, как журналист с директором универмага. Вопрос на уточнение — ответ, вопрос на уточнение — ответ. Куда, куда. Как будто непонятно. Туда, где книжки, выставки, спектакли, музыка. И даже философия. Я про неё почти не понимаю, но лампочке неважно, как действует электричество, ей просто нужен ток, а для тока необходима розетка. Ты понял? Поэтому, в-четвёртых, в-пятых и в-шестых — она помахала кулаком перед моим носом, — я хочу, чтобы ты оставался у меня! И не хочу тобой делиться. Ни с кем. Даже с ней.

— С ней — с кем?

— С этой твоей церковью.

— Ты же говоришь, что тебе понравилось.

— Понравилось, и что с того? Меня туда никто не звал.

В эту самую минуту из соседней арки вышел очень странный человек; таких когда-то называли дурачками. В неопрятной брезентовой куртке, толстенький и скособоченный, с непомерно большой головой.

Заранее распространив улыбку по неуклюжему лицу, человечек направился к нам. Он шагал вразвалочку, словно бы переминался с ноги на ногу. Чем-то он мне напомнил плюшевого детского медведя, засаленного от частого употребления.

— Здравствуйте! — слюняво пришепётывая, сказал он и просиял.

— Здрасьте, — растерянно ответила Муся и отодвинулась на полшага: от человека пахло тяжёлым, лежалым.

— А что же вы к нам не приезжаете?

Казалось, шире улыбаться некуда, но странный человек ухитрился ещё сильнее растянуть губы. Обнажились неровные жёлтые зубы и бледные дёсны.

— А к вам — это куда? — спросил я и подумал, что Муся права, у меня дурацкая привычка задавать вопрос на уточнение.

— Как куда? К нам, к преподобному! У нас, у преподобного, так хорошо! Вы даже не думайте, ехайте! Мы будем вас ждать!

Сам себе покивал головой, охотно согласился со своей нехитрой мыслью, ещё немного постоял, подумал — и добавил:

— А рублика у вас не будет?

Я порылся в карманах, протянул ему горстку монеток. В основном пятаки и копейки, но было там и несколько пятнашек; до рубля, я думаю, не дотянул, но копеек восемьдесят набралось. Тот, не ослабляя яростной улыбки, деловито всё пересчитал. И, утратив всякий интерес к нам с Мусей, удалился.

А Мусе почему-то захотелось страстно целоваться, именно здесь и сейчас, на виду у прохожих; только что она была холодная и неприступная и начинала злиться, и вот уже глаза играют, губы тают воском, по языку скользит язык, всё забыто, мы вместе.

И удержаться было невозможно.

Под конец она посмотрела на меня растаявшим, чуть пьяным взглядом и спросила:

— И что, вот так и будем без конца мусолить губы?

— Так и будем. Пока не поженимся.

— Это ты мне сделал предложение?

— Считай, что да.

— Хорошо, я подумаю. А вообще нет, не буду думать. Я согласна. Не получится — пойдём в ближайший загс и разведёмся. А получится — будем жить долго и счастливо и умрём в один день. Ты хочешь умереть со мной в один день? Нет? А что же так? Шучу, шучу, это от хорошего настроения. Но ведь не завтра же поженимся?

— Не завтра.

— А когда?

— Сразу после защиты. Я устроюсь работать, будет на что жить. И с мамой надо поговорить.

— Ах, да, у нас же мама. Мы хорошие мальчики. А если мама заругает? Передумаешь?

— Не передумаю. Но не поговорить с ней — не могу.

— Угу. Понятно. Независимость. Ну хорошо. А когда ж мы будем защищаться?

— В восьмидесятом, в сентябре.

— В восьмидесятом?!! — Мусино лицо перевернулось. — Ты смеёшься? В апреле семьдесят восьмого ты мне говоришь — в восьмидесятом… Это же целых два года ещё…

Не два, а два с половиной, подумал я, но промолчал.

— Я не выдержу… Я живая, Лёша, ты пойми… Сказал бы кто, что такое может быть — со мной! Я б не поверила. Ладно, что с тобою делать — я подумаю. Пойдём хотя бы ещё погуляем.

                          3.

Так мы и жили эти два с половиной года — словно танцевали пионерский танец, на расстоянии вытянутых рук. Ездили в кинотеатры на окраине, где показывали всё, что пахло авангардом и полупротестом; сидели на торгпредовских местах в старомодном, но приятном театре имени Вахтангова и живом, бурлящем «Современнике», подолгу бродили в Нескучном саду, заезжали в Серебряный Бор, катались с горок в имении Узкое, где в те годы обретался санаторий Академии наук; я показывал Мусе усадебный дом, вокруг которого бродили академические старички, объяснял, что в самом начале XX века в этом доме умер гениальный — странный — неприкаянный философ Соловьёв, излагал его мистическую «Повесть об Антихристе», рассуждал о подтверждении его пророчеств. Муся вежливо слушала.

Мы целовались. Спорили. Молчали. Возле Мусиного дома расставались, и она смотрела испытующе: не передумал?

Я отводил глаза.

Это повторялось каждый божий раз; Муся отличалась редкостным спокойствием — и столь же редкостным упорством. Причём без выверта, без театральной позы, в отличие от нашего семейства. Да? Нет? Ну хорошо, как скажешь, спросим в следующий раз. Точно так случилось и вчера. Мы посмотрели поздний репортаж о сказочном успехе нашей баскетбольной сборной, я доставил Мусю на «Сокол», мы ходили вокруг её дома, говорили ни о чём и обо всём, горячий асфальт остывал, гавкали ночные псы, нам было хорошо, но я по-прежнему не передумал и в половину первого нырнул в метро. Снова не попал на пересадку; пересёк Белорусскую площадь, неживую, тёмную, пустую, бросил пятачок в косую прорезь и в абсолютном одиночестве спустился вниз по эскалатору, как в романтическом кино шестидесятых: а я иду, гуляю по Москве, и я — пройти — ещё — смогу. И на подходе к собственному дому вновь увидел яркое окно с печальным силуэтом.

Мама.

Она всегда меня ждала, как бы поздно я ни возвращался. Я старался тихо отпереть замок, в надежде незаметно проскользнуть, но мама непременно выходила в коридор и смотрела на меня влюблёнными ревнивыми глазами. Я злился на неё, орал, даже как-то разбудил соседей, но в следующий раз окно опять светилось. То же упорство. Другое по форме, но такое же точно по сути.

Будильник я завёл на восемь, чтобы оклематься перед поездкой к декану (надо было заявить о возвращении из стройотряда и получить его формальное согласие). Но жарким ранним утром, в шесть с копейками, в соседнем доме саданула дверь и вырвался животный вопль:

— Ай-йа-а-а! Билал! Билал!

Голос я узнал сразу: вопил Мансур, младший брат моего одноклассника Шархемуллина. Дверь снова ухнула, и на этот раз кричала женщина:

— Мансур, домой! Мансур, не надо!

И что-то ещё по-татарски.

Я вскочил, раздёрнул занавески.

Наши дома стояли очень близко, окна в окна. По двору, между песочницей, железными качелями и дворовым столиком для домино, носились двое. Тощий подросток в сатиновых чёрных трусах и без майки и его мать, Агиля, в неуклюжем цветастом халате и восточных тапках с большими помпонами. Вот она поймала сына, вцепилась в него и с трудом удержала; Мансур продолжал рычать в неё, колотил руками по спине.

— Ай-й-йя! Билал! Билал!

Наконец Мансур обмяк и начал всхлипывать, а потом икать, как перекормленный младенец.

Дверь в мою комнату приотворилась.

— Это что такое? а? — спросила мама шёпотом.

— Мама. Ты же видишь сама. Билала убили, — я ответил жёстко и громко, сразу же об этом пожалел, надо было как-то мягче, исподволь, но поздно.

Мама вздрогнула и решилась переступить порог. Остановилась возле двери, ко мне не подошла.

— Какого Билала? Как это убили?

Когда происходило что-то страшное (умер дед, отец объявил, что уходит), мама защитно глупела: не понимаю ничего, отстаньте.

— Мам, Билал у нас один. Шархемуллин. Тот, который поехал в Афган.

— Кто убил? За что убил? Зачем? — мама сделала мелкий шажок мне навстречу.

— Слушай, мам, — я снова потихоньку начал раздражаться. — Зачем людей на войне убивают?

— Алёшенька, какая война? — Мама наконец приблизилась ко мне вплотную и трусовато посмотрела сквозь окно на улицу.

— В Афганистане, мам. Зачем спрашивать, если ты сама прекрасно знаешь? — Я подвинулся, чтобы она разглядела получше, но мама отшатнулась от окна.

— Ну какая там война? Там только в столице, в Кабуле, наш ограниченный военный контингент?

Хотел я её обличить: мол, из-за таких, как ты, мамуля, всё у нас и происходит, вам слишком выгодно *не знать*. Но у мамы было заспанное, жалкое лицо, а на щеке замятина от скомканной подушки; мама смотрела с мольбой — сыночка, пожалуйста, не говори мне правду, ну ты же знаешь, как я боюсь... И вместо пламенных речей и порицаний я осторожно её приобнял. Мама обмякла, прижалась ко мне — совсем как Мансур к Агиле.

Я подумал, что кожа на макушке у неё сухая, корни волос неприятно седые и ломкие, на шее пигментные пятна, на предплечьях розовые тельца папиллом. Ворот ночнушки протёрся, надо новую ей, что ли, подарить.

Вот так будет правильно, мама. Мы просто постоим и помолчим. Ничего не надо объяснять.

Тощая, застенчивая Агиля растила мальчиков одна. Муж её когда-то был вахтовиком, жил то в Москве, то в далёком каспийском посёлке, по советским меркам много зарабатывал, «жигули»-пикап, роскошная «четвёрка», гэдээровский сервант из дорогого гарнитура «Хельга», дефицитная румынская стенка из светлого дуба, на стенах — ковры рокового венозного цвета. Всем семейством — отпуск в санатории, в Крыму. Или в доме отдыха Верховного совета в Пятигорске. Шархемуллин гордился собой. В отличие от этих русских он не пил и даже не курил, всё свободное время что-то строгал на балконе, а летом выходил из дому в трениках с большими пузырями на коленях, подворачивал застиранную майку, выпуская на волю живот, и начинал окучивать кусты шиповника, поливать змеиные сплетения настурций и выщипывать назойливые сорняки.

Но однажды Шархемуллин-старший улетел на вахту — и не вернулся. Говорили, вертолёт зацепился за вышку и рухнул в Каспийское море; никого не удалось спасти. Агиля неделю выла на балконе, а потом пошла работать в нашу школу, нянечкой-уборщицей на ставку и на полставки — ночной сторожихой, через двое суток на третьи. Сатиновый синий халат, деревянная швабра с намотанной вафельной тряпкой, въевшийся запах карбола и хлорки, неизбывная, пожизненная нищета.

Мансур незаметно отбился от рук. Он не прогуливал и не хамил учителям; сидел на первой парте, преданно смотрел в глаза и всё время кивал, как болванчик. Но при этом тихой сапой фарцевал, выменивая у иностранцев на значки жвачку, и приторговывал ею в сортире. Пятьдесят копеек стоил кубик «Дона Педро», розовый, пахнущий мылом и пудрой; за пятнарик Мансур отрывал половину шершавой пластинки «Джуси Фрут», двадцать пять копеек брал

за жёсткую канадскую подушечку, которая кроши-
лась, выпуская ядовитый сок. Много раз его ловили,
директор созывал собрание, учителя и гладкошёр-
стые отличницы наперебой песочили Мансура. Агиля, похожая на мумию, неподвижно стояла в дверях.
Мансур привычно обещал, что больше никогда и ни
за что. Надувал живот и щёки, верноподданно вски-
дывал руку в салюте. Перед лицом своих товарищей
торжественно клянусь… как завещал великий Ленин. Разумеется, назавтра набивал карманы пионерскими значками и дрессированной мартышкой
приплясывал у «Метрополя»: сэр, мэм, плиз, чейндж,
чуингам.

А непроницаемый Билал был гордостью своей по-
луоборванной семьи — и предметом лютой ненависти в нашем классе. Все убегали с урока — и только
Билал оставался, причём сдавал зачинщиков учителям. Ему устроили однажды тёмную, но оказалось,
что Билал — спортсмен, качает штангу, так что больше на него никто не покушался. Все давали списы-
вать без разговоров — он локтем прикрывал тетрадь
с домашкой. На переменах сидел за партой и без
конца решал задачи по химии для поступающих. На
страницах толстой тетради за сорок восемь копеек,
отвратительно пахнущей казеиновым клеем, разра-
стались пчелиными сотами схемы, руки у Билала
были в цыпках — от химических растворов — и в не-
смываемых потёках чёрной пасты… После школы
он быстро и жадно обедал в столовой (Агиле полага-
лась бесплатная порция, она отдавала ему, умилён-
но сидела напротив, мальчику надо расти). И уезжал
во Дворец пионеров: там была отличная химическая
лаборатория. Или шёл в спортивную секцию в под-
вале при ЖЭКе.

Школу он окончил с золотой медалью и подал документы в Менделеевку, на перспективный силикатный факультет. Силикатчиков охотно брали в министерство, они сидели в тихих кабинетах или ездили с инспекциями на места… С тех пор его никто из одноклассников не видел. Разве что пересекались в овощном. Привет. Здорово. Как сам. Нормалды. Говорили, что Билал надеется на комсомольскую карьеру и даже выступал на конференции в горкоме, в знаменитом доме Кнопа, похожем на вычурный замок с торчащими ушками шпилей.

А потом случилось непонятное. Комсомольский отличник Билал не получил нормального распределения. А получил — на полустанок в Апшероне. Забытый богом, совершенно безнадёжный. Он отказался и пошёл в военкомат. Сначала служил под Ковровом, был десантником на Сахалине, а зимой восьмидесятого попал в Кабул. Сам полетел — добровольцем, зарабатывать очки для будущей карьеры.

В самом начале июня, незадолго до отъезда в этот чёртов стройотряд, я случайно столкнулся с Билалом. Тот сидел во дворе на краю деревянной песочницы и, опасаясь запачкать штаны, аккуратно курил. Лихая пятнистая форма, жёстко перетянутая портупеей, из-под расстёгнутого ворота видна тельняшка; кепка с удлинённым модным козырьком, на груди блестящие бирюльки.

— Привет, Билал! — я поздоровался первым.

— Привет, — Билал посмотрел отстранённо. — Обойди меня с другого бока, я не слышу.

— Что с тобой? — не понял я.

— Ничего особенного. Контузия. Во, гляди.

Билал затянулся, зажал пальцами нос и выпустил синюю струйку из уха.

— Учись, салага. Называется дракончика пустить. Солдатне и начальникам нравится.

Говорил он со спокойным равнодушием. А? ты тоже здесь? ну хорошо. Уже пошёл? Нормалды, до скорой встречи.

И вот Билала больше нет. Где-то там, за горизонтом, перестал существовать хороший мальчик. Словно взяли ластик и затёрли контур. Остались разрыхлённая бумага, чёрные окатыши резинки и марганцовый запах грифеля.

Мансур затих. И покорно поплёлся домой. Я тоже разомкнул объятия, мягко отстранил расстроенную маму. Время сочувствия вышло. Нужно было вставать на молитву.

4.

Для домашней (я гордо называл её келейной) молитвы был приспособлен встроенный шкаф, что-то вроде крохотной кладовки; раньше дед использовал его как мастерскую. Дед садился спиною к окну, откидывал столик на петлях, зажигал лампу на прищепке и с утра до вечера строгал, пилил, подтачивал и красил. На верхней полке стояли прихотливые коряги, грибы-наросты, круглые спилы стволов. На средней лежали ножи. Самодельные, из плексигласа, рукояти отливали красным, перламутровым, зелёным. Здесь же было несколько баночек с пастой для полировки, кожаный правёж и хищные стамески. А на главной полке — токарный станочек, чёрный, с тяжёлой чугунной станиной. У зажима —

клыкастая морда, а какие вкусные слова произносил любимый дед! «Фреза», «бобышка», «передаточный вал»... Дед надевал огромные защитные очки и делался похожим на купальщика в подводной маске. Зажимал в зубах мундштук, посасывал его, как леденец, и быстро-быстро давил на педали, молитвенно покачиваясь в такт.

Здесь давно уже ни деда, ни станка, ни заготовок. Вместо бывшей кладовки домашний алтарь, так я его называл. Заходит в комнату чужой — и видит только старые зеленоватые обои, сурового вида тахту, покрытую клетчатым пледом, над ней — старинные часы с тяжёлыми гирьками и барометр в резной оправе: БУРЯ, В. СУШЬ, ПЕРЕМЕННО. Вдоль свободной стены — стеллажи из толстой морёной сосны — тоже наследство от деда. У окна — полированный стол. Всё обыденно, облезло, как у всех.

Но открываешь дверцу встроенного шкафа — и попадаешь в мирную нездешнюю обитель. Все внутренние полки вынуты, оставлена только одна. Она задёрнута шёлковой шторкой, цвета вечереющего неба. Сдвигаешь шторку, а за нею — как будто подсвеченный кукольный домик. В центре домика — большая самодельная икона: цветная репродукция рублёвской Троицы, наклеенная на фанеру и по краям протравленная йодом. Как будто настоящая, старинная. По бокам — такие же фанерные иконы, но поменьше: Спас Нерукотворный с неотмирным взглядом, Рождество Пресвятой Богородицы, где Мария возлежит, как настоящая усталая роженица. Перед иконами, на белом кружеве с курчавым восковым натёком, — намертво засохший артос и тёмно-жёлтые окаменелые просфоры.

Одну из них, нечеловеческих размеров, мне подарил отец Георгий. Я навсегда запомнил этот день: очередь была завей верёвочкой; я терпеливо достоялся до креста, и хитрый, добродушный батя сверкнул золотыми очками: «Алексей! Так ты же ж сегодня у нас именинник. Многая лета, Алёша! Погодь, не спеши». Передал весомый крест молодому священнику, на секунду вернулся в алтарь — и гордо вынес это чудо православной кухни. Пышную, ровную, с крышечкой, напоминающей афганскую пуштунку. Просфоре было хорошо в большой руке отца Георгия, а на моей ладони она помещалась с трудом.

А ещё в шкафу была бордовая лампада из неровного, в воздушных пузырьках стекла. И пасхальные красные свечи в маминой серебряной карандашнице. (Она её долго искала; видимо, в конце концов нашла. Но промолчала.) Засохшие бутоны жёлтых роз. Плоские медальки лунника, мерцающие перламутром. Оранжевые колбочки китайского фонарика.

Я долил «деревянного» масла, промял засохший кончик фитиля, протёр зачернённые жирные пальцы особой салфеткой, нарочно предназначенной для этих целей (я стирал её отдельно, чтобы не смешивать с грязным бельём), и чиркнул охотничьей спичкой. Пламя было крупное, опасное. Затенённое пространство алтаря преобразилось. Колеблющиеся отсветы легли и на цветы, и на иконы, тяжёлым светом налилась лампада, ночными звёздами мерцали пузырьки. В качестве ладана я использовал золотистый кусочек смолы, привезённой отцом с Валаама; смола не хотела разгораться, янтарные комочки тужились, сипели и внезапно разрешались дымом, от которого глаза слезились, а душа наполнялась восторгом. Сразу хотелось молиться.

Я открыл свой крохотный молитвенник — записную книжку в кожаной обложке, куда со всеми ерами и ятями переписал молитвы утренние и вечерние, а также затяжное правило перед причастием и мучительно длинный покаянный канон. И стал свистящим шёпотом читать, освобождаясь от вчерашних стычек мамы с Мусей, отрешаясь от сегодняшнего утреннего ужаса, отстраняясь даже от заветного *письма*. Помилуй мя, Боже, помилуй мя. И очисти беззаконие мое. От сна востав, полунощную песнь приношу Ти, Спасе…

И чем дольше я читал молитвы, тем расплывчатее становился воздух и сосредоточеннее — тонкий свет.

5.

По пути в родимый университет, где предстояло объяснение с деканом, я решил заехать в храм к отцу Илье. И потому что разбудили слишком рано, и потому что я соскучился по этому пророческому басу. Да и в церкви не был полтора месяца… На ранней литургии было пусто и безлюдно, как всё в олимпийской Москве. Синий воздух в светящемся куполе. Бордовые блики лампад. Длинные мёртвые тени на прессованной мраморной крошке. Каждый звук усилен многократно: испуганно потрескивают свечи, служка, деловито топоча, перетаскивает хлебную корзину с просфора́ми…

Голос громовержца бился в тесном боковом притворе. Спаси люди Твоя! — требовал отец Илья. Не получив ответа, он усиливал нажим: и благослови достояние Твое! И не оставь нас, уповающих на Тя! Слышишь? Не вздумай оставить!

Но так по-домашнему пел безалаберный хор, старческими надтреснутыми голосами, что внимание моё само собой рассеялось. Я приказывал себе: сосредоточься, но глаза меня не слушались — и разбегались. На царских вратах поползла позолота; голубую дымку от кадила спицами протыкали яркие лучи; ожиревшая муха лениво оттолкнулась лапками от люстры и спикировала на оконную герань. В алтаре отчётливо и дробно повторяли поминальный список: Анны, Анны, Георгия, Пантелеимона, Нины, Нины, Нины, особо выделяя череду имён — Николая, Александры, Ольги, Марии, Татьяны, Анастасии, Алексея... И порядок имён, и нажим, с которым их произносили, наводили меня на смутное воспоминание, однако на какое именно, я всё никак сообразить не мог и страшно мучился. Ну кто это, кто это, кто...

После Херувимской отец Илья взошёл на солею возле иконы Нечаянной Радости, опустил шишковатую голову и бегло, словно даже неохотно перечислил общие грехи: исповедаю аз многогрешный, назовите свои имена... гордостию, самомнением, высокоумием, самолюбием, честолюбием, завистью, превозношением... грешен? Грешен, Господи... Большинство грехов меня не касалось, но на «нечистых, блудных помышлениях» я, как всегда, почувствовал укол стыда. Ну куда мне спрятаться от этих помышлений? Они преследовали по ночам, накрывали во время молитвы, как душное облако, голова туманилась, тело слабело, хотелось сдаться на милость врагу... Исповедуясь, я прикрывался ритуальной формулой, а священники старались не вникать — помышлял так помышлял: такое дело; только отец настоятель однажды спросил: рукоблудствуешь, что ли? Но отец Илья не требовал даже проформы; если исповедник не настаивал на разговоре, он молча возлагал на голову епитрахиль, остро постукивал пальцами, как будто забивая гвоздики, и широко, медлительно благословлял.

Дело неуклонно шло к причастию; я с интересом следил за тем, как священник и диакон в алтаре меняются очками, у одного близорукость, у другого дальнозоркость, краем уха различал рокочущие звуки. Как ни придавливал себя отец Илья, как ни старался перейти на шёпот, голос то и дело вспыхивал и прорывался сквозь заслоны: бу-бу-бу-бу шестикрылатии… бу-бу-бу пернатии… И это было так красиво, что захватывало дух от умиления, а сердце начинало больно колотиться.

Наконец отец диакон с видимым усилием, как физкультурник гирю, поднял тяжёлый подсвечник, священник распахнул скрипучие врата и, не пригашивая взгляда, прогремел: верую, Господи, и исповедаю… Я стал податливее воска. Сложил крестообразно руки, полузакрыл глаза и сделал робкий шаг вперёд.

«Верую!» — легко и глубоко. «Приимите!» — с сердечной радостью. «Со трепетом!» — именно так.

Поднялся на одну ступеньку, росту мне не хватило, заступил на другую — и взгляд упёрся в край огромной медной чаши. Я произнёс, как пароль, своё имя и осторожно принял сладкое причастие.

На секунду меня захлестнуло, я не помню, как принял запивку, как достоялся до выноса креста; помню только, что я закрыл глаза, а когда их открыл, то увидел старую, костистую и пахнущую мылом руку. Я вежливо её поцеловал.

6.

После службы я умял подсохшую просфорку и запил её святой водой из металлического чана. Оставалось полчаса до поздней литургии, служки разворачивали алую ковровую дорожку, ловко, как приказчики в одёжной лавке, перетаскивали стихари на самодельных проволочных вешалках, отравнивали медные подсвечники и вытряхивали ящики с огарками. Настоятель перед царскими вратами шёпотом читал входные молитвы. Было тихо, дышалось легко; огромные окна распахнуты настежь, за ними — густые деревья, сквозь которые не пробивалось солнце. Выходить на жару не хотелось. Но времени было в обрез: обычно декан принимал с десяти, а в одиннадцать срывался с места и спешил к проректору на ежеутреннее совещание.

С трудом открыв величественную дверь (умели строить предки наши, богатыри — не мы), я остановился на широкой лестнице. Тут уже солнце светило нещадно. В густой тени толпились опытные нищенки, они смотрели жадными кошачьими глазами. Как только отворялась дверь и появлялся свежий прихожанин, от могучей кучки отделялась чёткая фигура; нищенка решительно перегораживала путь и смотрела на клиента молча, не мигая. Ну. Будем жертвовать на пропитание? Подадим Христа ради? Или как? Прихожанин поневоле суетился, попрошайка царственно молчала.

Мне досталась бабка в бязевом платочке, с доброй улыбкой и взглядом удава. В кошельке не оказалось мелочи, а купюры были только крупные: десятка, пятёрка, трояк. Я приготовился расстаться с трёшкой — а это четыре обеда в профессорской столовой, два сборника в букинистическом или шестьдесят поездок на метро, но тут подоспело спасение. Вдалеке я увидел Насонову — высокую, непоправимо тощую, в несуразной, неряшливой кофте, похожую на персонажей позднего Малевича. Голова была повязана косынкой, чёрной, капроновой, жаркой, по-кавказски затянутой сзади. Насонова писала диссертацию по логике, а до этого училась на матмехе в Ленинграде. Откуда она родом, я не знал; судя по тому, как Аня обращалась с гласными (Нговицн, ты чтал дыбротылюбье, что скажшь), детство она провела вдалеке от столиц; кто её родители, чем занимаются и где живут, она не сообщила. И то сказать, мы не особенно дружили (несмотря на пожелание *оттуда*), хотя встречались в храме регулярно. Здоровались, обменивались книгами — и расставались. А когда пересекались в МГУ, то не общались. Кивали вежливо, издалека. И расходились.

Аня, как всегда, шагала быстро; чёрная монашеская юбка резко заворачивалась вокруг ног.

— Аня! — крикнул я и вежливо подвинул попрошайку в сторону: — Простите. Аня, погоди!

Насонова от неожиданности вздрогнула, остановилась, на лице её отобразился ужас.

Я подошёл к ней:

— Привет!

— Здравствуй, — Аня увернулась от непрошеного поцелуя и почему-то покрылась нервными пятнами.

— Ты на позднюю?

— На позднюю. А ты уже?

— Уже. Ты чего такая? Словно неродная?

— Я была уверена, что ты вернёшься в сентябре. — Отвечала она глухо и смущённо.

— Пришлось пораньше... по семейным обстоятельствам. Еду к Павлу Федосеичу, отмазываться буду.

— Что, прямо сейчас? В деканат? — дрожащим голосом спросила Аня и окончательно побагровела.

— Тебе плохо?

— Нет, просто жарко. — Она достала из брезентового рюкзака старушечий помятый веер и стала напоказ обмахиваться: видишь? — Так что, действительно прямо сейчас?

— Ну конечно, а когда ещё? Ананкин в выходные на работе, он же у нас трудоголик.

— Да, — слабым эхом повторила Аня, — трудоголик.

Она была как будто не в себе; то её бросало в жар, то в холод, то она как будто тормозила, то начинала дробно бормотать. Да что с ней такое случилось? Чтобы как-то завершить невнятный разговор и распрощаться, я с полным безразличием спросил:

— Ты будешь в следующее воскресенье? Книжками махнёмся?

— Нет, — встрепенулась и почти обрадовалась Аня, — в то воскресенье ничего не выйдет. Я в то воскресенье работаю.

Я удивился:

— А где?

— В приёмной комиссии в педе. — Насонова заговорила мягче и спокойней. — В субботу начнётся приём, а потом уже с рассвета до заката. Да, и в общежитии меня не ищи, — добавила она и снова стала сумрачной и отстранённой. — Я переехала в Голицыно, к подруге, там у неё огород, огурцы, мы с ней и клумбу разбили...

Зачем она мне это говорила? Как будто я её когда-нибудь искал...

Вдруг Насонова пробормотала странную, совсем уже бессмысленную фразу:

— А в общем, как будет, так будет. Прощай.

— До свидания, Аня.

7.

В гуманитарном корпусе тоже было прохладно и гулко — как в церкви. В необъятном холле с толстыми прямоугольными опорами и низкими, как бы приплюснутыми потолками эхом отзывался каждый шаг. Обычно возле лифтов собирались толпы; первокурсники по-школьному галдели, дипломники общались с профессурой. Жанна Серафимовна, а можно сдать работу по Ярхо не завтра? — У вас должна иметься веская причина, Гроссиус. — Да, причина более чем веская. Мне на ночь дали машинописный сборник Бродского. — Ну так и быть. А мне дадите?

Но в тот день в гуманитарном корпусе царила тишина.

Панорамное окно на философском этаже покрылось серыми затёками; город проступал, как фронтовые укрепления сквозь маскировочную сетку. Просторный, неухоженный, заросший. Скалистый контур главного здания. Тяжёлые мохнатые холмы. Перевёрнутый гигантский капсюль стадиона. К Лужникам я должен был подъехать в половине первого — Муся умолила побывать разок на ватерполо:

— Ну котик, ну пожалуйста, ну я прошу.

И закрепила просьбу поцелуем.

В приёмной декана сидел Иваницкий, доцент неизвестных наук. У доцента были длинное козлиное лицо, брови запятой и острый треугольный подбородок. Развернув офицерские плечи, Иваницкий перелистывал «Известия»: поплёвывал на пальцы, отслаивал газетный лист, разворачивал его и бил наотмашь, чтобы полоса сама сложилась вдвое. Быстро пробегал глазами, снова бил. Пожилая секретарша Павла Федосеевича, баба Оля, тюкала по клавишам огромной пишущей машинки «Оптима» и в сторону доцента не смотрела. Иваницкого, которого прислали года полтора назад — приглядывать за факультетом, не любили. На философском было принято решать вопросы полюбовно, а доцент являлся на чужие лекции, сверял заполненную ведомость с «количеством наличного состава», писал докладные декану и произносил на собраниях грозные речи о потраченных на обучение «средства́х». Возражений он не принимал:

— Неправильный тезис, что вы не понимаете, почему вы не услышали мои осекания и уходите во внутренний диалог?!

Дверь в приёмную приотворилась, в образовавшуюся щель трусливо сунул голову курчавый выпускник:

— Пал Федосеич у себя?

— Не подошёл ещё, — сказала баба Оля с придыханием и сразу поменяла тон: — А вы по какому вопросу?

Курчавый выпускник затараторил, как бы опасаясь, что его прервут:

— Меня отдел аспирантуры завернул. А у меня целевая, и кафедра рекомендует. Вот, — он зачем-то показал бумажку с провинциальным размашистым росчерком.

Иваницкий, оторвавшись от газеты, демонстративно долго изучал выпускника. Общий план — сутулая фигура, средний — впалая грудь и сведённые плечи; на крупном плане — нависающий нос и семитские губы. После чего лениво и презрительно заметил:

— Это я им запретил по причине основания. Есть мнение, что вам не надо.

— Не надо что?

— Идти в аспирантуру.

— Не понял. Объясните почему. — Выпускник стал свекольного цвета, глаза заблестели.

— Да как вам сказать? Потому.

Иваницкий снова хлопнул по газетному листу, газета послушно сложилась. Выпускник всё понял, но ответить не решился, только скрипнул зубами и слегка пристукнул дверью.

Декан вошёл стремительно. Старое лицо его, с упрямо выпирающими скулами, впалыми щеками и грифельно прочерченными складками от крупных крыльев носа к подбородку, сохраняло выражение брезгливости. Он был из поколения последних довоенных вольнодумцев, романтически влюблённых в молодого Маркса. Гнусавым голосом усталого пророка он наизусть цитировал любимые отрывки из «Дебатов шестого ландтага», заметок о прусской цензуре, «немецкой идеологии». Причём сначала по-немецки и только затем в переводе. В этом было что-то эротически неутолимое; даже я порой испытывал волнение.

— Иваницкий, заходите! — сановно предложил декан; меня он словно не заметил.

Тот бобиком метнулся в кабинет. Вышел через несколько минут, растерянный, злой. Одёрнул пиджак, как поправляют мундир, и гордо покинул приёмную.

Я встал наизготовку.

— Обожди, Ноговицын, — тормознула меня баба Оля. — Не спеши, не гони, мы тебя позовём.

Заварила перечную мяту из горшочка, на чёрно-красный жостовский поднос поставила забавный жёлтый чайник, заботливо накрыла полотенцем, посмотрелась в зеркало и влюблённо постучала в дверь, над которой висела алая табличка с золотыми буквами: «Ананкин Павел Федосеевич, декан, профессор, заслуженный деятель науки и техники РСФСР, зав. кафедрой диалектического материализма».

— Можно! — булькнул селектор.

— Следуй за мной, Ноговицын, — позвала секретарша и сердито добавила: — Куда вылезаешь вперёд? Лучше дверь подержи.

Окно в кабинете декана было плотно зашторено, на тяжёлом дубовом столе сияла карболитовая лампа, как бы зависшая в полупоклоне; свет падал на руки Ананкина — слишком тонкие, холёные, с мертвенными белыми ногтями, выпуклыми, как виноградины, — а лицо его тонуло в полумраке.

— Присаживайтесь, Ноговицын. — Ананкин никого не звал по имени и отчеству, только по фамилии, официально.

Заранее скучая, он принял заявление. Пробежал глазами, растопырил пальцы и сместил листок на самый край стола, как бы намекая на отказ; жесты были отработанные, театральные, собеседник должен был почувствовать тревогу.

— А чего ж так рано сорвались? Вы вот пишете — «возникшие проблемы со здоровьем». — Павел Федосеевич придвинул заявление ко мне и неприятно чиркнул длинным ногтем по бумаге. — Когда возникшие? Где справка от врача?

Я знал неписаные правила: декан всегда сначала должен поворчать, а проситель — немного поныть.

— Павел Федосеевич. Какая справка? Там один медпункт на сотню километров. Легковых машин в отряде нет, трёхтонку гонять не позволят. Я завтра справку получу, в институтской поликлинике, и приложу.

Брови сдвинулись, нависли над глазами; Ананкин принял образ громовержца.

— Вы когда в Москву приехали? Вчера?

— Вчера, — подтвердил я.

— А по какой такой причине вы её вчера же и не получили?

— Павел Федосеевич. Ну вы же знаете: вчера была суббота. Это вы по воскресеньям в кабинете, а врачи предпочитают отдыхать…

Я подыгрывал ему и ждал, когда он сбросит маску.

— Ничего не знаю, Ноговицын. Не знаю и знать не хочу. Дежурные врачи всегда на месте.

На этом роль администратора Ананкину наскучила; он кисленько скривился и поставил росчерк.

— Вот.

— Спасибо, Павел Федосеевич.

— В следующий раз… а впрочем, чего это я, не будет никакого следующего раза. Вы когда у нас выходите по плану на защиту? В октябре? — Он откинулся на спинку кресла и показательно забарабанил пальцами. — Да-с! И сколько ж мы таких навыпускали, безработных. Вот на хрена, скажите мне, товарищ Ноговицын? Что молчите? Правильно молчите. О чём хоть сочинение? Очередная критика бессмысленного разума? Или буржуазная эстетика? Вы у кого там?

— У Петрищева. А консультантом — Сумалей.

Ананкин и вовсе скривился, как будто откусил недозрелое яблоко.

— А… философские аспекты урбанизма? Нет? Ах, скажите нам на милость: любомудры… А хотите, я скажу вам правду, Ноговицын? А? С большевистской прямотой? Вы про что угодно будете писать, лишь бы вас избавили от Маркса. Вы от него как черти в омут. А перечитали бы про восемнадцатое брюмера и нищету немецкой философии… про возвращение к мечу и рясе, про веру в чудеса как признак слабости… Да что я! Вам идеалистов подавай, а про марксизм пускай вот эти вот доценты с кандидатами… Храм не посещаете, надеюсь? А то сегодня модно… Что молчите?

Не зная, что ему ответить, я неопределённо мотнул головой.

— Чего башкой-то машете, можно подумать, я не знаю… Знаю всё, Ноговицын, и даже больше. У нас, чтоб вы знали, имеются специально обученные люди. Доцента Иваницкого вы видели, проверенный кадр. И он здесь такой не один.

Хрюкнул селектор:

— Пал Федосеич, от ректора звонили. Через десять минут совещание, по переводчикам, а у вас не подписаны справки.

— Ох ты ж, ёжкин кот. Всё, Ноговицын, завтра подколете справку. Я вам ничего не говорил, вы ничего не слышали. Какое время, такие и темы — на зеркало неча пенять.

8.

Муся была деловитой. Проходим через турникет, пригласительные, вот они, котинька, сворачивай на правую трибуну, наше место во втором ряду, товарищи, вы не прозрачные. Солнце светило в глаза, пахло хлоркой, карболкой, неприятной тёплой сыростью, армейским пóтом. Пластиковые стулья были неудобными, без спинок; болельщики знали друг друга в лицо, бурно махали руками: «Привет!» Вдруг трибуны разом засвистели и вдоль бортиков построились команды в разноцветных махровых халатах и шапочках с круглыми ушками, как переодетые зверушками актёры.

Рефери в светлых пижонских штанах и приталенной белой рубашке сунул в рот свисток, как леденец на палочке, и поднял руку (под мышкой расползлось обильное пятно); пловцы небрежно сбросили халаты и сиганули в воду.

Ватерполисты заняли удобные позиции. Выстроились в колеблющийся ряд. Замерли. Шапочки качались поплавками, в воде извивались тела. Взвизгнул короткий свисток, мяч, как пощёчина, шлёпнул о воду; спортсмены дельфинами стали выпрыгивать в воздух, вздымали обильные брызги, истерически кричали друг на друга, во время бросков издавали животные вопли. Вдруг помощник рефери выставил правую ногу, левую согнул в колене, как в цирке метатель ножей, и начал бешено вращать флажком на острой шпильке. Недовольные пловцы швырнули мяч соперникам, те, ловко болтая ногами, зависли возле линии ворот, вратарь стал быстро и кокетливо вилять огромным телом, раскидывая настежь руки и пытаясь угадать, откуда будет совершён бросок, однако направления не рассчитал, и счёт стал ноль-один.

Проигравшие расстроились, как маленькие дети в лягушатнике, победители крутились волчком, хлопали друг друга по плечам, отфыркивая воду, целовались.

Снова взвизгнул свисток, и бассейн закипел.

В перерыве между матчами мы поспешили в буфет. Потолкавшись в длинной очереди, взяли бутерброды с колбасой, сырокопчёной, тёмно-красной, с белым, приятно подтаявшим жиром, две бутылки настоящего чешского пива, традиционное яйцо под майонезом и сосиски с зелёным горошком. Сосиски пахли натуральным мясом, непривычно высокая пена норовила сползти через край: о, счастье олимпийского завода!

Муся посолила сохлый чёрный хлеб, намазала его густой горчицей, обильно макнула в розетку с подсолнечным маслом, с аппетитом, крупно откусила.

— С детства обожаю, не могу! Лучше только бородинский с килькой и кружочком лука. Пива доливай, скорее, скорее! Уф-ф.

Выпив и выдохнув, Муся спросила:

— Ну как тебе сегодня?

— Это не моё, — вежливо ответил я.

— Зануда ты, котя. Тебе говорили об этом?

— Говорили.

— Прекрасно. Ты наливай, наливай. Отсиди ещё один матч, хорошо? Ты же меня любишь?

— Да, — буркнул я; вообще-то я надеялся уйти в библиотеку.

— Что — да?

— Да — люблю.

— И я тебя тоже.

...Постепенно я приноровился. Или это действовало пиво? Переживал, когда судья назначил четырёхметровый; возмущался, если игрока несправедливо удаляли; меня уже не раздражали показные мышцы и детские реакции пловцов. В этом матче было что-то древнегреческое, некая бессмысленная красота. Рты распахнуты, как на античных масках; руки, заведённые для сильного броска, повторяют жест Лаокоона...

На излёте последнего матча я краем глаза зацепил фигуру в отвратительно знакомой белой майке. В сеточку. С круглыми накачанными мышцами и тугими оплетающими венами. Некий белобрысый человек стоял у входа в раздевалку и что-то строго выговаривал переводчику-студенту; студент энергично кивал, соглашаясь. Я всё ждал, когда же белобрысый повернётся и я сумею разглядеть его лицо. Федя, Федюшка? Или я обознался? Ну давай же, оглянись! Гюльчатай, открой личико!

Но белобрысый всё-таки не оглянулся. Он хлопнул практиканта по плечу и скрылся за внутренней дверью.

Нет, не бывает таких совпадений.

9.

Отработав олимпийский номер, я наконец отправился в библиотеку. Здесь тоже было непривычно пусто: заняты десять-пятнадцать столов, остальные свободны, садись не хочу; я перелистывал фехтующего Шпета, который обличал восторженного Сковороду и высмеивал моих дурацких любомудров; он создавал карикатуры мыслей и упивался собственным всезнанием; как же мне всё это нравилось когда-то. Время прошло незаметно. Уборщицы стали пристукивать швабрами, намекая, что рабочий день окончен. Одна за другой выключались зелёные лампы, по дорожке и паркету пробегали полосы закатного оранжевого света: на высоких антресолях бликовали окна. Господи, какая красота.

И в метро сегодня было хорошо, свободно. На «Смоленке» поезд вынырнул из тоннеля, и через распахнутые форточки ворвался лёгкий воздух.

На подходе к дому я заметил нечто странное. У подъезда, где ещё недавно жил Билал, кучковались какие-то люди. Разновозрастные женщины в тёмных платках, слишком плотные мужчины в чёрных тюбетейках. Казалось, все они чего-то ждали, тихо разговаривая по-татарски. Вдоль скамейки, на которой восседали любопытные старушки, были выставлены старенькие табуретки. Неужели привезли Билала... как же быстро теперь — не успела прийти телеграмма...

Лифт снова не работал; я взлетел на четвёртый этаж, распахнул окно: сострадание мешалось с любопытством. Балконы и лоджии в доме напротив были забиты, как театральная галёрка на премьере. Из подъезда вышли Агиля с Мансуром, она в платке и длинном тёмном платье, он в глаженой белой рубашке и чёрных штанах: одежда болталась на нём, как бельё на верёвке. Видимо, осталась от Билала. Они уже не плакали, не причитали. Агиля свернула к женщинам, Мансур к мужчинам. Вдруг бормотание стихло, несколько мужчин засуетились возле табуреток, выстраивая их в косую линию, углом к скамейке. Они слегка поспорили, показывая на солнце и тыча пальцами в наручные часы; в конце концов согласовали угол.

После этого из дома вынесли больничные носилки, покрытые новым ковром. Носилки были пустые. Их поставили на табуретки, Агиля поправила ковёр, все в растерянности замолчали. Белобородый старичок провёл руками по лицу, безвольно покачал головой. Казалось, он хотел произнести заупокойную молитву, но не умел. Шархемуллины мечеть не посещали, Билал в столовке уплетал свинину, Агиля ходила часто без платка. И родня у них наверняка такая же...

Наконец белобородый дедушка сказал по-русски с еле заметным татарским акцентом:

— Заноси.

Собравшиеся испытали облегчение; пустые носилки с ковром торопливо сняли с табуреток и вежливо внесли в подъезд.

Балконы мигом опустели; на лавочке остались только бодрые старушки — обсуждать невесёлое зрелище: ай-ай-ай, какие времена... Я слез с подоконника и отправился на кухню выпить чаю.

Из распахнутой балконной двери Шархемуллиных доносились правильные запахи — июльской молодой картошки, жареной баранины и беляшей; там всё громче, всё умиротвореннее и веселее стучали ложками и вилками, меняли тарелки: вам биш-бармак положить? Казылык передать? Постепенно к этому домашнему роению стал примешиваться чужеродный звук, только невозможно было различить какой.

Вдруг поминальная разноголосица утихла, я различил беспечный голос телекомментатора. Да-а-а, что и говорить, великая спортсменка Надя Команечи! Но чем ответит наша юная гимнастка? Заменит ли Давыдова Елену Мухину?

И раздалась ответственная музыка, под которую легко маршировать.

День третий

21. 07. 1980

1.

В медсанчасти пахло марганцовкой, протарголом и люголем. Под потолком лениво проворачивался вентилятор, равномерно разгоняя духоту. Сутулый врач-кореец по фамилии Хёгай сидел за письменным столом и заворожённо смотрел на телевизор, чёрно-белый, лупоглазый, со сколотым переключателем. Телевизор был подвешен на кронштейне, ближе к потолку, поэтому Хёгаю приходилось задирать голову, так что он напоминал коленопреклонённого разбойника перед иконой Нечаянная Радость. Звук был то ли выключен, то ли сломан. На экране в полной тишине происходило *действо* в духе олимпийских песен Пиндара и Вакхилида. Тужились штангисты. Вращалась толстая метательница молота. Дрессированная девочка с раздутыми борцовскими ногами валилась на пол, вскидывала ленту, радостно её ловила.

Я кашлянул.

Доктор Хёгай просиял, привстал на цыпочки, выключил телевизор. Он обожал смотреть спортивные программы, но ещё сильнее он любил свою работу.

Выписывать освобождения от физкультуры, расспрашивать о доме, о семье и угощать овсяными печеньями. А летом Хёгай тосковал: студенты разъезжались по домам и на шабашку, профессора предпочитали поликлиники получше. Он уложил меня на кушетку, застеленную жёсткой простыней, долго мял холодными сухими пальцами *животик*, выслушивал *сердечко*, спрашивал «как стул? на уровне мировых стандартов?», между делом осуждал американцев, попытавшихся сорвать Олимпиаду, эти игры мира, игры надежды. Заподозрив хрипы в лёгких, радостно отправил делать *флюру*. После чего диагностировал врождённую локализованную эмфизему, астоненевротию в лёгкой форме и запущенный остеохондроз шейного отдела позвоночника. Не сумев придумать что-нибудь ещё, корявым почерком заполнил справку. Поставил фиолетовую бледную печать и с грустью отпустил единственного пациента.

Баба Оля была деловита (она во всём копировала Павла Федосеевича, если тот был в настроении, она сияла, а когда приходил раздражённым, сердилась). Подколола справку к заявлению, уложила в папку бережным музейным жестом. И вредным голосом произнесла:

— И ещё вам будет поручение... Нам тут разнарядочка пришла. — Баба Оля заглянула в телефонограмму. — Двадцать третьего, в девять утра. Там какой-то индус прилетает, надо ему помахать из толпы.

— А далеко ли толпа?

— На Ленинском проспекте, близ метро.

— Ну хорошо, я подъеду.

— Сверка в восемь сорок в центре зала. Отметитесь, помашете — и на свободу.

Формальности остались позади; я принадлежал себе до самого начала сентября, если только не потребуют *оттуда*.

В лифте было душно, как в колбе с откачанным воздухом; скорей бы на волю, скорее... Но в самую неподходящую минуту лифт дёрнулся и замер между этажами. Я попробовал нажать другой этаж; напрасно. Попытался раздвинуть створки дверей; не вышло. Удерживал красную кнопку диспетчера; никакого ответа. Мне стало страшно. Папа в детстве сводил меня в баню; ступени в парной были скользкие, лампочка слабая; мужики склонили головы, то ли траур, то ли предстояние; в благоговейной тишине вознёсся веник и в лицо ударил мокрый жар. Мне стало страшно; я тогда боялся замкнутых пространств.

Вдруг лифт зарычал, пошатнулся, как пьяный, и медленно поехал вниз, останавливаясь на каждом этаже.

2.

Та встреча с толстогубым человеком — приезжайте к преподобному, мы будем ждать — долго не давала мне покоя. Завершилась клочковатая весна, прошли августовские грозы, а я всё продолжал раздумывать. То мне казалось, что случилось чудо и Провидение послало нам юродца, месяц светит, котёнок плачет, а-а-а, а-а-а, мальчишки копеечку отняли. Если так, то нужно срочно бросить все дела и отправиться на поиски «преподобного». То убеждал себя, что всё это случайность. Дурачка свозили в монастырь, он поисповедовался доброму монаху, причастился. После трапезной церкви пошёл поклониться мощам преподобного, подал нищенке денюжку. Добрая нищенка кланялась, это приятно. Дурачку в монастыре понравилось: вкусно пахнет свежеиспечённая просфорка, улыбаются беззубые старушки, сосредоточенно проходят бородатые монахи — вот он и кидается на встречных: а почему вы к нам не едете, мы ждём, а рублика мне не дадите?

И всё-таки сомнение не оставляло. А если? А вдруг? Я к тому моменту прочитал десяток книг о судьбоносных встречах, которые перевернули жизнь новоначальных. Человек увидел странника, который посоветовал творить Исусову молитву; он оставил дом, семью, профессию, отправился по городам и весям. Из края в край. И спас свою грешную душу. Или девушка плясала на балах, кокетничала напропалую, вдруг на девушку находит пламенное озарение, и девушка уже мечтает в монастырь, а потом и вовсе умирает вместо брата. Почему это было возможно для них, а для нас — невозможно? Только потому что время изменилось? Но ведь оно меняется всегда...

Так я промучился всё лето семьдесят восьмого, а осенью решил, что пора мне поехать в Загорск. Где найдёшь другой такой рассадник старцев? Только там.

Вышел затемно, в надежде поспеть к литургии. Над белой Лаврой распласталось сумрачное небо, серое, в мелованных мутных потёках, как школьная доска; выпуклые сине-золотые купола напоминали дорогую аппликацию на тёмном фоне. Я отстоял затяжную монастырскую службу. Суетились карпатские тётки в расшитых платках, с грозовыми просверками люрекса на зелёно-красно-жёлтом фоне.

Гордый морской офицер в чёрном форменном пальто и с фуражкой на согнутом локте очень твёрдо, очень правильно крестился, и тётки, несмотря на тесноту, держали восхищённую дистанцию. Военный! В храме! Щедр и милостив Господь, долготерпелив и многомилостив!

Хор звучал отрешённо, безлично; управлял им грузный низкорослый регент, восседавший в деревянном кресле с высоченной спинкой; дирижировал он кулаком, и видно было, что ослушаться его не смеют. Спаси ны, Сыне Божий, во святых дивен Сый, поющия Ти: Аллилуйя.

Потом была медлительная очередь к мощам святого Сергия, под медовое сопровождение акафиста; в дымном сумраке моргали золотые свечки, молодой монах перебирал записочки, похожие на библиографические карточки, трудолюбиво протирал стекло на раке преподобного, маленькой, как детская кроватка; от стеклянной крышки доносился запах розового масла.

К середине дня погода урезонилась: небо стало жёваное, в складках, сквозь разрывы в тучах резко прорывалось солнце. По сырым дорожкам устремлялись иноки, тётушки бросались им наперерез, выставив вперёд ладошки лодочками, как ныряльщики перед прыжком с обрыва. Люди в мантиях солидно поправляли клобуки, как военный проверяет козырёк фуражки, поддёргивали спущенные рукава и торжественно благословляли подбегавших. Голуби, прогуливаясь генеральским шагом, огибали лужи и принимали безразличный вид. Если им швыряли корки, клокотали и кидались на добычу.

А на скамейке у дальней ограды воцарился монастырский кот. Кот был плотный, недоверчивый, благообразный. На умильное кыс-кыс отозвался презрительным мявком. Я присел — кот немедленно спрыгнул; пригибаясь, но не отворачивая головы, отошёл на несколько шагов и замер. Не дождавшись подачки, презрительно подёргал шкурой и перемахнул через ограду.

Голуби были. Кот был. Благочестивые паломницы были. Были протяжные службы, были сизые полосы света. Преподобного — не было. Никто ко мне не подошёл, не подозвал; все вокруг спешили по своим молитвенным делам: кто набрать святой воды в бутылки и бидоны, кто оплатить сорокоуст и поставить свечи по заранее намеченному списку. Я на всякий случай постоял на монастырском кладбище возле красивых могилок со смешными поучительными надписями — покойный был благочестив, богобоязнен, чаю не вкушал. Посидел посреди суетливой толпы. Ничего не дождался и обиженно пошёл на станцию.

Притулившись к запотевшему окну, я задремал; мне снился смутный сон, как будто у меня есть дети, и я их собираю в школу, а из коридора дверь ведёт в загадочную комнату, очень узкую и очень длинную, и там, в этой сплюснутой комнате, где горят большие свечи и мерцают гигантские лампады, расположен маленький алтарь, возле которого стоят священники и причащают. Я прекрасно сознавал, что сплю, слушал дробный перестук колёс и чувствовал, как поддувает из открытой двери. Сзади доносился вялый разговор: меня знаешь, как научили? Чтобы соседи, там, или кто. Покупаешь секретер в комиссионке, за тридцатник. И туда все иконки, лампадку…

— Мань, огурец передай.

Я заставил себя проснуться. Обернулся. За мной сидели женщины размытых лет, с напряжёнными, испуганными дочками; они разливали чай из термоса, жевали дорожные булки. Одна из тёток говорила неестественно, протяжно, как Феклуша из «Грозы» Островского в постановке Малого театра:

— А мне отец Наум сказал... осторожнее лей, горячо... что Игнатий будет в первый день поста... у святейшего... спасибо... в резиденции. — Слово «резиденция» она произнесла с трудом и трепетом. — В десять начнёт принимать. Манька, осторожнее, на пальцы...

— Никогда не бывала у старцев.

Протяжная тётка от изумления поперхнулась.

— Что, ни в Почаеве, ни в Киеве? Ни у отца Тавриона, ни у батюшки нашего Иоанна? — Казалось, она не верит своим ушам. — Какая же ты, Манька, православная? Отправляйся к нему в ноябре, не пожалеешь. Игнатий — старец из великих, огненный столп от земли и до неба, преподобнейший, великий человек! Плесни ещё чуто́к...

Преподобнейший. У патриарха. В ноябре.

Осень семьдесят восьмого года выдалась дождливая, но тёплая; морозы грянули как раз перед началом Рождественского поста. В одну секунду все дороги завалило снегом, лужи покрылись стеклянными корками, обледеневший шарф кусался, снег покошачьи царапал лицо. Электричка изнутри светилась жёлтым, как детский игрушечный домик, а снаружи была темнота. Я неохотно уткнулся в молитвенник и вычитал долгое правило, не пропуская ни одной молитвы; если возле «Господи помилуй» значилось: 40 р. — значит, ровно 40 р. и ни одним повтором меньше. Прочёл кафизму, даже мысленно пропел. Дома я не следовал настырным нормам, для моих душевных нужд вполне хватало покаянного псалма и нескольких прошений. Но сегодня нужно было постараться, чтобы не попасть впросак. Мало ли как обернётся. А если старец прозорлив и спросит: молилась ли ты на ночь, Дездемона? Ты для чего нарушил уставные правила?

Интересно, как пойдёт разговор. Что мне этот Игнатий откроет и какие инструкции даст? А вдруг он скажет: никакой науки, собирай манатки в армию? А после армии служи в котельной? Или вообще велит идти в священники, а я ну никак не готов?

Через полчаса со вздохом распахнулись двери, острый холод ударил в лицо. Электричка съёжилась и усвистела, а на платформе Переделкино осталось несколько сосредоточенных людей. Юноша с армейским рюкзаком выбил сигарету из картонной пачки, аппетитно размял, но испугался сам себя и торопливо раскрошил табак на рельсы. Подумал — и пачку отправил туда же. Остальные притворялись, будто изучают расписание, исподтишка поглядывая друг на друга. Никто не произносил ни слова.

Я сжался в комок, поднял воротник пальто — и бодро шагнул в темноту.

Возле пузатенькой церкви стояли, нахохлившись, люди. Здесь тоже царило молчание, все изображали посторонних. Я изготовился ждать. Вскоре промёрзли подмётки, скрючились пальцы в лёгких ботинках, за ворот скользнул ледяной ветерок. Время от времени тьма расступалась, со станции врывался наглый свет, очередная электричка сплёвывала пассажиров; толпа у входа в резиденцию росла. За высоким церковным забором ругались собаки, незримая обслуга выносила вёдра, тонко скулила пила, взрыв-пакетами раскалывались бревна.

Запахло растопленной печкой, над забором пополз осторожный дымок, и от этого стало ещё холоднее; толпа принялась подпрыгивать, приплясывать. Несколько крупных парней в камуфляже, со следами споротых погонов на плечах, сгрудились в тесный кружок и, притопывая, нараспев повторяли акафист.

Иисусе пресладкий, патриархов величание. Топ-топ-топ. Иисусе преславный, царей укрепление. Топ-топ-топ.

Закряхтела старая сосна, дятел пробил свою дробь, тр-р-р-р-рт-т-т, воздух сменил светофильтры, медленно стало светлеть.

Тут меня окликнули:

— Алексей Арнольдович, неужто? Вы сюда как попали? Какими судьбами?

Передо мной стоял поэт Петюня, сорокалетний неприкаянный оболтус. У Петюни были круглое дурацкое лицо, кучерявые нестриженые волосы и огромные зелёные глаза, а губы всё время кривились в усмешке. Он служил истопником в посёлке Мячиково и сторожил тамошнюю церковь. Ночью отсыпался на работе, а днём ходил по лекциям и семинарам: то забредал на бородатых гениев Живова и Успенского, то ошивался на публичных чтениях Мамардашвили, то сидел на семинарах Сумалея. А на переменах не стесняясь подходил к студентам на сачке, прикуривал, знакомился и поэтическим утробным голосом читал свои километровые поэмы. Отбиться от Петюни было невозможно, а пахло от него нехорошо — дымом, аскетически немытым телом и горечью мучительного перегара.

— Здрасьте, рад вас видеть, — я вежливо изобразил улыбку, а внутри себя содрогнулся, только этого мне не хватало.

— Глазам своим не верю. Вы, Алексей Арнольдович, туда же? К старцам решили податься? — Петюня иронически осклабился.

Я решил не уступать и отбрехаться.

— А вы-то здесь зачем, Петюня?

— Я? Да с меня какой спрос. — Петюня никогда не обижался, он не допускал и мысли, что над ним смеются. — Я праздношатай, служитель муз, это вы у нас — учёное сословие.

Говорил Петюня слишком громко; в глазах богомольцев читалась тревога, смешанная с подозрением, это что ещё за комсомольцы? Но Петюня продолжал вещать, не замечая недовольных взглядов:

— Старцы — это православная история, у католиков совсем не так, и правильно...

Парни в камуфляже заглушили акафист, как заглушают холостой мотор, и недобро посмотрели на Петюню. Его необходимо было увести. Я неохотно предложил:

— Раньше десяти здесь не начнётся, не хотите пойти прогуляться? На писательское кладбище, например? Вам эта тема близка.

— Ладно, — согласился Петюня, как всегда, не почуяв издёвки. — У меня есть несколько кладбищенских стихотворений.

Мы спустились по шоссе, свернули на писательский погост. Грустно пахло отсыревшей сосновой корой, ржавым железом оград. Петюня продолжал вещать, но поскольку он шёл впереди, а дорожка была очень узкая, до меня, как брызги, долетали лишь отдельные слова: Власьевна… читали… в стихах… Солженицын!

Иногда Петюня резко тормозил и делал стойку, восхищённый только что произнесённой фразой. Оглянувшись, спрашивал:

— А? что? Ну как? Вы согласны?

— Согласен, согласен, — спешил я его успокоить. — Только давайте пойдём, а то стоять на месте холодно.

— Вот и я говорю: как Чухонцев, писать сегодня невозможно, а про Вознесенского — молчу из принципа!

Мы остановились у могилы Пастернака. Я обожал этот тихий просторный участок, похожий на домик улитки: внизу смущённые надгробия родных, над ними спиралью свивается тропка, а в центре, на спокойном возвышении, отсыревший, серый и печальный камень. На нем — стремительно несущаяся роспись, самопоглощённый профиль гения и восьмиугольный крест, самочинно процарапанный каким-то неофитом… Там, вдали, за безжизненным полем — темнел неподвижный посёлок.

Всё здесь было идеально пригнано, всё впору; правильно поставленная лавочка, корабельная могучая сосна, чувство безмятежного покоя, сплетение жизни и смерти.

— А? Какой вид? — с гордостью спросил Петюня, словно это был его фамильный склеп. — Я как раз об этом написал стихи.

— Петюня, смилуйтесь, не надо никаких стихов! — взмолился я.

— Почему не надо? — искренне не понял тот.

— Христом-богом прошу, помолчим две минуты, потом почитаете, не здесь.

— Как скажете. — Петюня наконец-то замолчал, но это было многословное молчание.

А я стоял и слушал тишину. Стариковское кряхтение сосны, глухие удары сорвавшихся капель о лавку, шелест шин на далёкой дороге. Это было почти как молитва, а может быть, лучше. Нет ни отца настоятеля с его армейским басом, ни бабусь в платках, поросших люрексом, ни отца Георгия, похожего на ласкового бегемота… Только небо, открытое настежь. Только прекрасная смерть. И живое присутствие Бога.

— Нет, я всё-таки не понимаю, как Женя Блажеевский мог? Как мог? Он же предал свой талант! — не выдержал Петюня. — А ведь какие, блин, стихи писал, какую высокую ноту держал! «И рано понимать пока, — трубным голосом, тягуче стал читать он, — что встали в очередь за смертью». А что теперь? Поэт комсомольской путёвки?

Кто такой Блажеевский, о чём ты, Петюня, зачем? Чудо присутствия кончилось.

На возвратной дороге Петюня болтал без умолку, не слушая — и не ожидая — никаких ответов; он стрекотал как кузнечик. То плакался на жадность настоятеля, ему севрюжку с хреном подавай, а истопники — они не люди, истопнику — картошка в мундире и банка солёных грибов. То хвастался друзьями-диссидентами; один, из поколения дворников и сторожей, взял Петюню к самому Андрею Дмитричу, ну какому-какому, какие у нас ещё бывают Андреи Дмитричи, к Сахарову, ёптыть. Дверь у академика не запирается (мне это, кажется, знако-мо, насмешливо подумал я), очередь к нему стоит на лестнице, он принимает каждого минут по пять, по десять, каждому даёт необходимые советы и наказы, кому рисковать и включаться в работу, кому пока что лучше поберечься. Петюне он своим овечьим, мекающим голосом сказал: ваше творчество, ваша поэзия гораздо важнее для общего дела, вы себя по-берегите, Пётр. Прямо так, открытым текстом. Про-зорливо! Вот к кому нужно ходить, а не к *этим*.

Мы вернулись к церкви без чего-то десять. Толпа разрослась, спрессовалась. Мы походили вокруг, но не сумели просочиться внутрь; нас доброжелатель-но, но жёстко отсекали. Опоздали? Значит, стойте тут. Были с утра? Но ушли же.

Петюня мрачно произнёс:

— Я же говорю, мы не Европа. Вы, Алексей Ар-нольдович, как знаете, а я домой, а то начнётся пере-рыв, два часа придётся куковать.

— Счастливого пути, — обрадовался я.

Вдруг зелёные железные ворота растворились, и толпа перетекла на внутреннюю территорию. Меня притёрли к мелкому штакетнику, за которым затаился тёмный сад. Розы прикрывал осенний лап-ник, на клумбах лежала подгнившая стружка. Не-приветливая женская обслуга мыла и скребла крыль-цо флигелька, деловито проносила корм в кастрю-лях, слышались кудахтанье и клокотанье, вежливый собачий лай: «Йаф-ф-ф! Йаф-ф!»

И вот по толпе пробежал шепоток. Идёт! Идёт!

Неприветливые женщины преобразились, сдела-ли добрые лица. В глубине глухого сада появился мятый старичок, рядом семенила гордая дворняга, раболепно взглядывая на него. Старичок вышагивал неторопливо. У калитки он остановился, и, пока привратник возился с навесным замочком (медным, маленьким, почти игрушечным), я успел как следует разглядеть отца Игнатия.

На старичке была коротковатая застиранная ряса, ортопедические толстые ботинки, стёганая телогрея и чёрный шарфик крупной самодельной вязки. Узенькая полуборода из жидких длинных волосков (папа называл такие бороды «китайскими», в противовес интеллигентным эспаньолкам и народным «лопатам»), выцветшие серые глаза за стёклами больших очков. Губы были фиолетовые, тонкие; никакой значительности в облике: пенсионный божий одуванчик. Удивляла разве что роскошная улыбка, широкая, во все вставные золотые зубы с металлическими проволочками поверх бесцветных дёсен.

Толпа восторженно вдохнула: а-а-а-ах! И выдохнула: «Батюшка, благослови».

Батюшка погладил умную дворнягу, та потянулась, скульнула и, ловко виляя хвостом, потрусила обратно — прятаться в тёплую будку. А Игнатий проскользнул через толпу, бесцеремонно раздвигаемую служкой (расступитесь, православные! дорогу, говорю, дорогу!) и замер на мытом крыльце. Я снова изумился стёртому, невыразительному личику и какой-то нездешней улыбке.

Старичок перекрестил толпу, помолчал немного, пожевал фиолетовыми губами. И вдруг спросил по-свойски, очень тихо:

— Христос Воскресе! Что, дорогие, замёрзли?

— Воистину! Замёрзли, батюшка! Нет, не замёрзли! — ответили ему разноречиво.

— Какие вы! А я замёрз. Потому что хо-о-олод-
но, — ещё шире улыбнулся старичок, и толпа в ответ
послушно засмеялась.

А дедушка продолжил очень тихо и невнятно:

— Тогда помолимся.

Порылся в глубоких карманах, вынул потрёпан-
ный требник, слегка изменился в лице, посерьёзнел.

— Господи, помилуй, Господи, помилуй, Господи,
помилуй. Господи, благослови.

Мятый старичок заговорил. Голос у него был слабый, мёрзлый пар не отлетал от губ, а зависал бес-
сильным облачком. Такие пририсовывают в комик-
сах, чтобы записывать фразы. Слова были пресные,
как весь этот стёршийся облик. Надо быть хороши-
ми детьми (пожилые тётеньки вздыхали: надо).
Надо Бога любить (воистину, кивали мужики). А вот
ещё случаются аборты (случаются! трясли акафист-
ные парни бородами). Вместо водопада — ручеёк,
вместо красного вина — подкрашенная розовая во-
дичка.

Я приуныл. Здравствуйте, пожалуйста, приехали.
Преподобнейший. Огненный столп. От земли, блин,
до неба.

Старичок зашелестел о страхе Божьем: «Это не
страх наказания, это страх оскорбить в чём-либо
Господа». Дважды два четыре, трижды три девять.
Простенькие, гладкие слова, вариации на тему ва-
риаций. А этим согрешили? Согрешили! Господи,
помилуй нас, грешных! Лишь иногда сквозь это бормотание на секунду веяло нездешней силой. И улыбка на пресном лице оживала.

«Чеширский кот», — насмешливо подумал я.
И сам себя одёрнул: «А ты — интеллигент несчастный!»

Старичок закончил шелестеть. Перекрестил толпу и попытался отворить незапертую дверь. Дверь ему не поддалась; старичок, не рассчитавший силы, пошатнулся. К нему рванулись несколько паломников, стоявших у высокого крыльца; остальные подались вперёд, и образовалась толчея.

— Тихо! Стойте! Смирна-а-а! — рявкнул толстый служка, с опозданием взбежавший на крыльцо, и я понял, на кого он так похож: на интенданта. — Что ж вы делаете, православные? В очередь, в очередь, заходим к Батюшке по одному, Господи, помилуй, дамочка, вам сказано, спокойно.

Глаза у служки были голубые, хитрые, а щёки красные и при любом движении тряслись.

Спустя непонятное время (то ли десять минут, то ли час, то ли вечность) дверь, ведущая в сторожку, отворилась, и распаренный счастливчик вышел на морозный воздух.

— Ну! Ну! Что он? Как? — снова подалась толпа вперёд.

Удостоенный беседы богомолец ошарашенно смотрел на всех и никого не видел.

— Проходи, не задерживай, в храме свечку поставь, — подтолкнул его толстый служитель.

В тот момент мне так хотелось думать о высоком, но получалось только о собачьем холоде и давке. А ещё о том, что выйдет непростительная глупость, если я не попаду к отцу Игнатию. Стоило ехать так долго, тащиться с болтливым Петюней на кладбище, мёрзнуть. И, потеряв новоначальное смущение, я стал протыриваться к флигельку. Притирался к соседу, делал охотничью стойку; стоило соседу на секунду сдвинуть острые расставленные локти, я делал быстрый полушаг вперёд. Сосед оглядывался возмущённо, но было поздно; богомольное дело — сурово. Либо ты подвинешь молитвенника, либо он тебя.

Через час я оказался в сердцевине православного водоворота.

Через два добрался до крыльца; повариха пронесла во флигелёк судки, и я почувствовал, что в животе — бурчит.

Через три обильный телом служка запустил меня в натопленное помещение. Но прежде чем открыть мне дверь, остановил. Внимательно, как старый кадровик, окинул взглядом. Одобрительно кивнул. И зачем-то зашёл вслед за мной. Я решил, что он тоже продрог; в сторожах у дряхлой святости — не сладко.

Старичок сидел в глубоком неудобном кресле, под ногами у него была скамеечка, а под спиной диванная подушка, обшитая бордовым бархатом. На коленях столовский поднос с весёлыми, но бледными цветочками, на подносе стояла тарелка с остатками супа. Старец дремал. Глаза полузакрыты, голова склонилась набок. Я молчал: старичка мне будить не хотелось. Кожа на лице уснувшего отца Игнатия разгладилась; она была сливочно-жёлтой и тонкой, на высохших щеках ветвились тонкие прожилки, над правым веком нарастала бородавка — мясистая и неприятно-рыхлая.

Стены были обшиты дешёвой вагонкой, сверкали самоварные оклады софринских икон; перед иконами, как гири на цепях, висели разноцветные лампады; в углу потрескивала печка, отделанная пёстренькими изразцами, а единственное окно было наглухо закрыто старым ставнем. Столик, придвинутый к левой стене, был заставлен подношениями; здесь были пироги с черникой, постный сахар, огромные банки солений. В тёмном рассоле, как человеческие органы в кунсткамере, зависали ножки подосиновиков. Пахло чесноком, смородинным листом и джемом, слишком густо, слишком плотно, как на восточном базаре.

Одышливый служка смотрел на меня вопросительно; я устыдился и вынул десятку. Так вот для чего он меня сопроводил — чтобы я не забыл о подачке. Сунул купюру служке — как на молебне поминальную записку. Тот удивлённо вскинул брови: щедро! Снова одобрительно кивнул. Но продолжал изучать непреклонным рентгеновским взглядом.

Старичок зашевелился в кресле. Посмотрел подслеповато и опять заулыбался, как дети улыбаются котёнку.

— Христос Воскресе! Воистину Воскресе! Здравствуй, радость моя, не смущайся, преподобный Серафим заповедал нам пасхальное приветствие всегда, во всякое время.

Служка вскинулся, убрал поднос. И снова стал в углу по стойке смирно, как рядовой кремлёвского полка у Мавзолея. Я не очень понимал, что нужно делать; стула возле старца не было, а стоять, возвышаясь над старцем, неловко. Служка молча толкнул меня в спину: мол, колени у тебя на что?

Ладно. На коленях, значит, на коленях.

— Помолимся? — старичок накинул на меня епитрахиль со смешными кисточками на конце; епитрахиль была шершавая, а кисточки колючие, с золотыми проволочными нитями.

Бур-бур-бур, быр-быр-быр, аз же точию свидетель есть, властию мне быр-быр-быр; добрый дедушка качает на ноге внучка́, цок-цок-цок, моя лошадка, ехали, ехали в лес за орехами, баба сеяла горох. Ну и в чём же старческая тайна? Или нет её совсем? А есть накопленная с возрастом усталость и равнодушное приятие всего?

— Ты, милый, главное, не бойся, никаких тут, понимаешь, тайн, — как бы между делом произнёс Игнатий. — Что тебя тревожит, что на сердечке не так?

Тут я совсем растерялся. То ли старец был провидцем и читал мои скрытые мысли, то ли повторял стандартное присловье, ритуальное, как заклинание брахмана: я эвам веда, ом, мане, падме, хум, никакой тут, понимаешь, тайны.

— Так что же ты хотел спросить? — повторил Игнатий; лицо у него сделалось вялое.

По-хорошему я должен был ответить: ничего. Потому что к этой встрече не готовился. Я думал, что если позвали, то сами мне предложат некий план.

Надо было что-то сочинить для старичка.

— М-м-м-м-м... не знаю, как сказать, — промямлил я.

— Скажи как есть, — и старичок опять полузакрыл глаза, как дряхлый кот зимой на подоконнике, того и гляди замурчит.

Я начал на ходу придумывать проблему и формулировать её короткими обрывистыми предложениями, мама мыла раму, мы не рабы, рабы не мы: «У меня есть девушка. Я её люблю. Она не хочет в церковь. Что мне делать». Вполне в духе той проповеди, которую мы слушали на улице; общие слова, конкретно — ни о чём.

— Терпи, воздерживайся, соблюдай чистоту, — последовал ответ, вполне достойный моего вопроса.

— Но она... как вам сказать. Она хочет, чтобы мы жили вместе. Она не хочет ждать до свадьбы, — продолжал канючить я.

— Это нехорошо, — справедливо заметил Игнатий и добавил ни с того и ни с сего: — Главное, помни, что у Бога мёртвых нет.

Кажется, он сам не очень понимал, к чему произнёс эту фразу. Глубоко задумался. И объяснил:

— Бывают случайные встречи, а бывают встречи неслучайные, во как. У нас же с тобой неслучайная, верно? Что-нибудь ещё на сердце есть?

«Ничего», — хотел я сказать с облегчением: наконец-то мне выдадут пропуск на выход. Но вместо этого, как бы помимо моей воли, произнеслись слова:

— Батюшка, мне очень тяжело, — сказал я и с удивлением прислушался к своим словам. — Бога-то я чувствую. А церковь — нет, не ощущаю. В ней всё чужое, я как в гостях, причём у далёкой родни. А без церкви я жить не хочу. Что делать?

Старец вынул носовой платок и деловито просморкался. Просморканным платком протёр очки, испачкав стёкла.

— Мда, бяда. Но чего нам грустить? Или Бога нет? Вот я когда крестился, мне на заводе сказали — ты, Вася, дурак. — И старичок засмеялся рассыпчатым смехом. — Выгнали из комсомола, наставник мой Иван Семёныч, великий был слесарь, просто огненный столп и опора, испугался, составил донос. Семья у него, понимаешь, была. А в церкви-то, наоборот, так хорошо-о-о-о…

И старичок стал скучно объяснять, что именно в ней хорошо. Чем дольше я слушал, тем сильнее болели колени и ныла спина. Не надо было с путаным вопросом обращаться к милому бесхитростному дедушке. Но ведь я не собирался спрашивать; оно спросилось словно без меня.

— Ещё что есть?

— Нет, вроде всё.

— Ну, если всё, то и ладно. Чего вопросы сочинять, что есть на сердце, то и спрашивай.

Игнатий положил сухую ручку на епитрахиль и, похлопывая и поглаживая, от чего становилось смешно и уютно, снова стал читать привычную молитву. Все лишние мысли и чувства исчезли; я испытывал глупую радость, которая захватывала целиком, как молодое безболезненное пламя.

Старичок перекрестил меня и ловко сдёрнул с головы епитрахиль, как парикмахер сдёргивает покрывало: ну-с!

— Что, дружок, немного полегчало? — спросил златозубый Игнатий, сияя улыбкой.

— Полегчало, — с удивлением признался я.

— Вот и хорошо. Вижу, очки у тебя. Ты у нас близорукий?

— Да.

— Во-от, — поучительно ответил старичок и вдруг по-настоящему заинтересовался: мной, моими линзами, моей оправой. — А я наоборот. Ну-ка стёкла покажи… — Я снял очки и протянул ему; он повертел их в руках, посмотрел на просвет, пощёлкал по стеклу. — Смотри-ка, я думал, они тяжелее. Дорогие, поди? Минус сколько? Четыре? Не много, не много. А в целом со здоровьем как?

— Да вроде бы нормально со здоровьем.

— Слава Богу, слава Богу. А простужаешься часто? — тоном доктора Хёгая продолжал выспрашивать Игнатий.

— Часто.

— И насморк бывает?

— И насморк.

— А кашель?

— И кашель.

— Я так и думал, так и думал... Тебе, дружок мой, климат не подходит. Климат у нас не того. Лучше бы тебе в Ташкент. Ну, или, там, Самарканд... Горы, долины, песок... Там жарко, сухо, хорошо, там не простудишься. И вообще.

В словах Игнатия я различил опасный отзвук старческого слабоумия; так мой любимый дед, вцепившись в обессмысленную жизнь, днём и ночью мелкими шажками ходил из конца в конец своей крохотной комнаты, рвал газету на мелкие кусочки, дул на них, разбрасывал по полу крошки, наливал в трёхлитровую банку воду и бросал в неё незажжённые спички. И лепетал: здравия желаю, с похмелья умираю, ручка права, сердце здраво, черти окаянные, чтоб вы подохли.

Старец долго и сосредоточенно смотрел в одну точку; очнувшись, добавил:

— Знаешь, я сейчас подумал: тебе нужен друг. Чтобы можно было с ним попить лимонаду. У тебя ведь нету друга, правда?

— Нету.

— Вот видишь. Ты попробуй не быть одиноким. Путь впереди большой, не растеряй себя... И ещё... ещё... ещё... ещё. — Старичок пощёлкал пальцами. — Вспомнил. А ещё тебе нужен советчик. Советчик. Ты вот что. Продолжай ходить на исповедь, куда ходил. И никого не осуждай. Понял меня? Никого. И особо — отца настоятеля. У настоятелей работа нервная, тяжёлая, я сам был, я знаю. Столько соблазнов, столько проблем... А зубы лучше чистить порошком, без мяты. Совсем ничем не пахнет, представляешь?

И ветхий старичок противно засмеялся.

— Ну, Бог благословит, ступай в тот угол, там бумага для записочек и карандаш, напиши своё имя, отдай Ивану... И главное, запомни: никого не суди.

Толстый служка прошептал мне на ухо: «Припишешь адресок на обороте». Зачем, не уточнил. Пока я писал «адресок», отец Игнатий успел поговорить с очередной паломницей, которая поставила на стол корзину со съестным, размером со свадебный торт. Как я ни старался ничего не слышать, та восклицала ораторским шёпотом:

— Я грешница, отец Игнатий, дайте мне епитимию!

Старичок довольно громко отвечал:

— А что ж ты натворила?

— Я давила тараканов каблуком! Вы понимаете, о чём я?

— Подумаешь, матушка, не грех. Я, ты знаешь, их и сам давлю. И этих, как их, комаров. Во!

— Вы не поняли! Я их топтала без любви!

— Ладно, в следующий раз топчи с любовью...

Просвистел декабрь. Я штудировал бессмысленные книжки, увиливал от Мусиных намёков, по воскресеньям чистил зубы неприятным порошком, настоятеля не осуждал. Как герой стихотворения «Снегирь», которое мама мне читала в детстве: «Было сухо, но галоши я послушно надевал, до того я был хорошим — сам себя не узнавал». Поручили — выполнил. Велели — сделал. Но герой стихотворения Барто получил желанную награду: «Добивался я упрямо, повозился я не зря. — Чудеса, — сказала мама и купила снегиря». А мне снегиря не купили. Никто мне, разумеется, не написал. Ни через неделю, ни через две, ни через три. Нарастало чувство незаслуженной обиды; всё-таки напрасно я поверил дурачку и — особенно — благочестивым тёткам в электричке; не надо было ездить в Переделкино, не нужно было слушать милого и бесполезного отца Игнатия; до свидания, огненный слесарь шестого разряда. Между прочим, было жалко десяти рублей — мог бы ограничиться и трёшкой.

Новый год мы встретили, как полагается, у телевизора, так откроем же «Советское шампанское», пробки летят к потолку, начало шестого сигнала соответствует двенадцати часам, с Новым тысяча девятьсот семьдесят девятым годом, товарищи, союз нерушимый республик свободных сплотила навеки великая Русь. Мы поели салат оливье и селёдку под шубой, мамин неизбежный холодец (на вечерней службе настоятель нас предупредил — не бойтесь нарушения поста, бойтесь обидеть домашних). Мама рано отправилась спать, я доставил Мусю на «Сокол», по счётчику четыре восемьдесят пять, но кто же в Новый год везёт по счётчику; мутно спал до часу дня, вечером мы с мамой поиграли в доедалки, она доскребла оливье, я же ограничился треской в морковном маринаде. Второе января я посвятил библиографии, а третьего переводил скучнейшую статью какого-то американского марксиста. Двигался короткой перебежкой. Торопливо перелистывал словарь, тонким грифелем надписывал над непонятными словами перевод.

Осторожно постучала мама:

— Лёша, я сходила за «Вечёркой», а в ящике лежит письмо? Из города Владимира?

Ей было страшно интересно, от кого, но спросить она не решалась. А я с высокомерной строгостью ответил:

— Мам, я занят, извини. Брось конверт на диван. Вечером прочту.

Дверь послушно затворилась.

Я тут же захлопнул английский словарь и распотрошил конверт с изображением счастливого Гагарина. Адрес получателя и отправителя был отпечатан на машинке с нестандартным шрифтом — мелким, с прыгающими буквицами: «е» словно привстало на цыпочки, «р» осторожно пригнулось. Точки над буквицей «ё» были расставлены вручную, остро отточенным грифелем. В разделе «Адрес отправителя» значилось: Владимирская обл., Небыловский р-н, совхоз «Новый мир», а/я 7546, Соколовой М.С.

Чудесны дела Твои, Господи! Кто такая Соколова М.С.? Что ей от меня надо?

В конверте обнаружился двойной листок из ученической тетради. Текст письма был тоже напечатан на машинке со смешными прыгающими буквами.

Экие, подумал я, крокозяблики. И стал торопливо читать.

1 января 1979 г.

С Новолетием! Христос Воскресе!

Не знаю, как мне лучше обратиться.

Здравствуйте, многоуважаемый Алексей! Или добрый день, товарищ Ноговицын?

В самом начале Рождественского поста (кстати, день это в церкви особый, поминаем великого старца, Паисия Величковского, знаете о таком?) Вы оставили адрес. Сами знаете кому и сами помните где. До меня этот адрес дошёл по цепочке и только вчера; меня попросили

с Вами связаться. Что же. Связываюсь. Я полностью
к вашим услугам. Прошу любить и жаловать, иеромонах
Артемий. Возраст неважен, место рождения — тоже. Где
обретаюсь ныне — см. на конверте.

Если у Вас возникает нужда о чём-то посоветоваться,
поговорить — можете писать ко мне. Чем смогу, помогу.
Обещаю не занудствовать и не навязывать общение,
а главное — не подсылать к Вам деревенских прихожан.
Хотя они, конечно, с удовольствием. Сами понимаете —
за колбасой в Москву удобнее ездить с ночёвкой. Знаете
загадку: длинное, зелёное и пахнет колбасой? Правильно, электричка Москва—Петушки. Это по нашей железной дороге, направление г. Владимир.

Но если Вам совет не нужен и общаться Вам покамест не о чем — тогда не надо, не пишите, не понуждайте
себя.

Желаю Вам сил и смирения. Мы живём в нехорошее
время, но когда оно было хорошим?

С сердечной молитвой

ирм. А.

От руки было приписано округлыми устойчивы-
ми буквами:

P.S. Если вдруг решите написать — не указывайте на
конверте моё имя, только абонентский ящик, адресат —
Соколова М.С., мне так будет проще: за письмами на
почту ездит прихожанка.

Я прочёл письмо раз, прочёл два. Даже зачем-то
понюхал бумагу. Бумага пахла сушёной ромашкой
и мятой. Придраться было как бы не к чему. Слова
стояли на своих местах, писавший был явно начи-
тан, писал с поповским юморком. Но кое-что меня

смущало. А если говорить по правде, то не кое-что, а всё. Начиная с обильных тире: знак нервический, женский, — и кончая фривольным филфаковским тоном. Сразу было видно: старец подослал начитанного батюшку, чтобы тот поговорил с интеллигентом. Облегчённый вариант, перетёртая кашка, агу.

Мне стало обидно. Я бегал по Лавре! Я в Переделкине мёрз! А мне в ответ подсунули какого-то Артемия. Долго замеряли по указанным параметрам: этот будет слишком радикальным, этот вялым, а этот сгодится. Да таких Артемиев в Москве полно. Захочу — найду без посторонних.

И я решил, что отвечать не стану. Даже разорвал письмо на узкие полоски, как рвут на исповеди список прегрешений. А конвертом заложил недавний сборник знаменитого марксиста Лифшица.

Не было ни дурачка, ни преподобного, ни угадок, ни случайных совпадений, выкинули глупости из головы. Папа обожал рассказывать историю, как проснулся однажды с похмелья, сел раздражённый завтракать и рявкнул на маму: «Соль должна стоять здесь!» И с размаху ткнул в солонку пальцем. А в церкви всегда попадёшь в православного старца, он же столп, утверждающий истину. От земли и до неба, не меньше. Потому что на меньшее мы не согласны.

3.

Из полусломанного лифта я вышел на ватных ногах. Возле первого гуманитарного не было ни души; ни абитуры, ни студентов, ни преподавателей, как будто на Москву сбросили нейтронную бомбу. Снял рубашку, пропотевшую насквозь, повесил на скамейку сушиться. Зачерпнул воды из фонтана. Вода была противно тёплая, но мне — после душегубки в лифте — показалась прохладной. Я с удовольствием умылся, сел на скамейку, под солнце, зажмурился. И стал нарочно думать о приятном, чтобы вернуть ощущение счастья. О том, что времени теперь навалом, хочешь, книжку читай, хочешь, валяйся на пляже в каком-нибудь Серебряном Бору или где-нибудь в районе Планерной. Женщины трудной судьбы возлежат на песке, мохнатые мужчины роют ямки, чтобы остужать в них «Жигулевское»; дымятся самодельные мангалы, разносится запах свинины, зелёного лука, печёной картошки и пива. Из переносных кассетников звучит Высоцкий: ой, Вань, гляди, какие маечки, я, Вань, такуюжу хочу; из транзисторов сочится сахарно-медовый голос Вали Толкуновой: «Сон свалил страну зеленоглазую, спят мои сокровища чумазые, носики-курносики сопят». Брешут собаки. Ссорятся дети. Летают воланы. Прекрасно!

С Мусей можно было не стесняться — ничего. Нравится быть мещанином? Отлично. Хочешь доморощенных авангардистов? Здóрово. Ей что пляж, что Третьяковка, что бульдозерная выставка — что угодно, лишь бы только в радость. Котя, будь самим собой сейчас, жизнь одна, другой не предусмотрено.

Но сегодня никакого пляжа. Муся позвонила ночью, в половину первого, выразила недовольство моим сонным голосом и отдала приказ по армии искусств: завтра вечером приходишь жениться. Нет, перенести нельзя. Только что приехали родители, и папичка сказал, что снова улетает до зимы. Что? На свадьбе? Нет, его на свадьбе не будет. На свадьбе вместо папы будет телеграмма, правительственная, на красном бланке. Мамичке поищешь что-нибудь такое, подмосковное. Мне — розу, одну, но большую, бери у грузин, дарагой пачему недаволин. Борьке шоколадку, лучше «Вдохновение», синюю, с Большим театром. Или нет. Борька вырос, шоколадкой оскорбится. Борьке можно ничего не приносить.

— Есть! — ответил я. — Есть женихаться! Есть хризантемы, розу, шоколадку! Есть отставить шоколадку, мой генерал. Есть сколупнуть колючки, ваше вашество.

Она и здесь добилась своего, как добивалась во всём и повсюду. Позавчера погасила скандал. Вчера уговорила сходить на ватерполо. Лето Мусиных побед на личном фронте.

4.

Я решил, что отправлюсь пешком. От Ленгор до «Сокола» часа четыре, добреду к назначенному времени.

По крутому, опрокинутому навзничь эскалатору я поехал к раскалённой набережной. Из тоннеля, словно разрывая холм на части, вылетали поезда метро. Замирали на мосту и мчались дальше. По асфальтово-серой реке, как во сне, проплывали речные трамваи. Рыбаки пребывали в нирване; поплавки стрекозами качались на тёмной воде. Только что политые холмы клубились влагой; остро пахло свежескошенной травой, июльскими цветами. Над сельским остовом Андреевского монастыря нависали недостроенные стены Академии наук, маячили строительные краны. Было тихо, стройка остановлена, рабочих перебросили на олимпийские объекты.

Я шёл, глазел по сторонам и думал случайные мысли. Почему-то вспомнил идиотскую статью из маминой «Вечёрки». Статья называлась «Берегите мужчин». Автор яростно доказывал, что слабый пол становится сильнее, а сильный пол, наоборот, неуклонно слабеет; женщины всё чаще проявляют волевые качества, а мужчины сплошь и рядом демонстрируют безволие; женщины дольше живут — продолжительность жизни мужчин сокращается. Я статью не дочитал, что вывел из этого автор, не знаю. Со статьи «Берегите мужчин» я перескочил на размышления об арестованном, униженном и обезволенном отце Димитрии Дудко. За что его всё-таки взяли. На чем сломали. Должна же быть какая-то причина, он же должен был чего-то испугаться? Чего? И что ждёт его дальше. И не слишком ли я рисковал, выполняя *поручение* перед отъездом. И где мы поселимся с Мусей, и куда я пойду на работу.

По старому бетонному мосту я перебрался на другую сторону Москва-реки. Постоял у старинных казарм, улыбнулся избыточной церкви в Хамовниках и побрёл сквозь марево Садовых улиц — мимо пепельного МИДа, гранитно-серой площади Восстания, немытой Бронной. У неопрятного седого ассирийца купил гуталин и дорожную щётку — перед входом в квартиру почищу ботинки. Возле Театра сатиры встал в очередь за квасом. Продавщица с видом опытной доярки, не торопясь, нацеживала квас в бидоны, стеклянные банки, пузатые кружки. Покупатель пил, закидывая голову. Ожидающие сглатывали. В саду, примыкавшем к театру, звучала спортивная музыка; Муслим Магомаев уверенно пел: «Мы верим твёрдо героям спорта, нам победа как воздух нужна…»

Я проклинал неторопливую торговлю, которая огромным кухонным ножом срезала с банок выползающую пену, обтирала нож о край халата и тонкой струйкой продолжала доливать. Возле бочки появился олимпийский иностранец в кедах, детских шортах, подростковой майке и пилотке, утыканной советскими значками. На удобном пузе лежал фотоаппарат. Иностранец экспонометром замерил выдержку и диафрагму, выбрал удобную точку и стал неудержимо щёлкать, подаваясь вперёд, как взлетающий гусь. Он снимал всё подряд, без разбора. Коричневую надпись «Квас» на жёлтой бочке, продавщицу в замызганном халате, мелкопузырчатую пену, кружки толстого стекла, с наслаждением пьющих людей. Вдруг из очереди вычленился пенсионер в серых холщовых штанах с пузырями и растоптанных жёлтых сандальках, молча сдёрнул с шеи иностранца фотоаппарат и случайно сбил с него пилотку; пилотка угодила в лужу, оставленную поливалкой. Всё это мрачно, беззвучно; толпа взирала с изумлением, но не вмешивалась. Я тоже не полез их разнимать.

…За Триумфальной я свернул на Ленинградку и часа за два дошёл до Мусиного дома.

Этот дом иногда называли бобровским — по имени великого спортсмена; то ли футболиста, то ли хоккеиста, я никогда не помнил. Но чаще всего — генеральским. Во внутреннем дворе размеренные маршалы выгуливали пёсиков, обильные жёны ругали портних: ах, милочка, вы опоздали, я сейчас иду *на процедуры*. Гербарий вчерашних карьер, супрематические линии лампасов, могильный перезвон надраенных медалек. Оттопырены нижние губы, упрямо выдвинуты подбородки, нам Сталин лично ордера подписывал, а вы кто?

Мы, барин, никто. Ниоткуда. Нам здесь места не положены. Даже Мусин начальственный папа — и тот попал в бобровский дом не по ранжиру; по местным меркам он был мелкой сошкой. За право жить в четырёхкомнатной квартире в этом генеральском гетто он по доброй воле отдал две приличных трёшки. Как можно было пойти на такой несуразный обмен, в голове моей не умещалось; Муся терпеливо объясняла, что соседство для номенклатуры очень важно, гораздо важнее жилплощади, я этого принять не мог.

На входе, в застеклённой будке, сидел долговязый лифтёр с узнаваемой армейской выправкой: прямая спина, богатырские плечи, весёлые пёстрые глазки. Он строго меня допросил, кто, откуда, к кому, документ, проходи́те. Я хлопнул дверью лифта со смешными кучерявыми колечками и поднялся на шестой этаж; в коридоре было сумрачно и глухо; коридорное окно перегораживал мясистый фикус; из-за ближней двери доносились запахи жарко́го, летних малосольных огурцов и свежей сдобы. Хорошо, что сейчас мясоед...

Сколько раз я был у этого подъезда, сколько раз меня заманивала Муся, сколько раз я отвечал ей жёстко — нет, а сейчас переступлю порог, и развеется «лирический туман». Наверняка в загадочной квартире обнаружатся азербайджанские ковры и огромный иностранный телевизор, бережно покрытый рушником. Натёртые полы должны блестеть, как сапоги, намазанные салом, в воздухе — запах мастики, в столовой (обязательно в столовой! ну не в кухне ж!) лакированный сервант с богемским хрусталём и сервизом «Мадонна». В кабинете — полки с книжным дефицитом. Синий Пушкин, полный Достоевский цвета хаки, оборванный на семнадцатом томе, аккурат перед опальным «Дневником писателя», коричневый десятитомник Манна, восьмитомный агатовый Кант, чёрная Ахматова и синий Пастернак в заветной серии «Библиотека поэта». Да, и Булгаков, куда без него? С уклончивым лакшинским предисловием. Книги, разумеется, нетронутые, новые — кому их читать, кроме Муси?

На комоде бабушкины слоники, дорогие японские нэцке.

Я присел на корточки, макнул сапожной щёткой в гуталин, ловко начистил ботинки. И тут же пожалел об этом: от меня разило женихом, не хватало только запаха дешёвого одеколона. Но деваться было некуда, что сделано, то сделано. Звонок засвирестел, как детский водяной свисток. Дверь отворил приземистый крепкий мужик в дорогой демократической ковбойке и очень правильно протёртых тёмных джинсах. На ногах были белые кроссовки с алой полосой, на мягкой толстой подмётке; в таких кроссовках выступали олимпийские спортсмены, простому смертному не полагалось и мечтать. Глаза у мужика когда-то были голубыми, волосы и брови выгорели напрочь; вообще, он был похож на фермера из голливудских фильмов. За мужиком стояла плотная брюнетка в летнем платье; платье было в модную зелёносинюю полоску, полные плечи открыты, на шее —

ожерелье из крупных неровных жемчужин. Брюнетка улыбалась мягко и неопределённо.

Мужик бесцеремонно оглядел меня. Результатом остался скорее доволен, по крайней мере так мне показалось, широко улыбнулся и дружески похлопал по плечу:

— Привет, привет. Мы, так сказать, поставлены в известность. Пролезайте, гостем будете как дома. Я Виктор Егорович, а это супруга моя, Нина Петровна.

Брюнетка, словно получив отмашку, сразу сфокусировала взгляд и стала радушной хозяйкой:

— Здравствуйте, очень приятно.

Голос у неё был сочный и тягучий, у мужика — простонародно-хрипловатый.

— Я сейчас! — прокричала Муся из столовой. — Ноговицына не обижайте!

— Ты за кого нас принимаешь? — крикнула Нина Петровна в ответ и добавила тихо и вежливо: — Проходите, Алексей, мы рады.

Я наклонился, собираясь развязать шнурки и снять ботинки. Пусть лучше стоят в коридоре, разят гуталином. Но Виктор Егорович мне не позволил:

— Кончай ерундой заниматься. Что за фигня? У нас интеллигентный дом, мы тапков отродясь не носим. О, — шумно принюхался он, — ты, кажись, их надраил! Блестят! Осваиваешь новую профессию?

Я смутился; он почувствовал, что перебрал, и поэтому решил меня подбодрить:

— Не журысь, Алёха, все путём. Сами женихались, было дело! Ну, пойдём, пойдём, не кочевряжься. Эй, Муха, мы пойдём или пойдёмте, как правильно?

— Скажи «пошли», не ошибёшься.

— Вас по́нято. Всё время путаюсь, ей-право! Короче, приглашаю на экскурсию, пока девки на стол накрывают. А ты чего, и правда здесь ещё не был, мне Муха сказала? Ты, блин, даёшь. — И без паузы, избыточно громко: — Борька-а-а!!! Пшол сюда, поздоровайся с гостем.

Из детской выскочил смешной подросток в белой майке-безрукавке и коричневых клетчатых бриджах; над губой темнели арабские усики, майка и щёки были в арбузных потёках, в руке — огромная скиба́, алая, инкрустированная чёрными косточками.

— А это Борька, Муськин брат. Борька, шаркнул ножкой. Молодец. И хватит на ночь жрать арбуз, уписаесси.

Борька обиженным басом ответил:

— Папа! Сколько раз ты мне говорил — не ешь арбуз на ночь, не пей воды на ночь, не наливай чай на ночь! Ни разу не уписался.

И хлюпнул арбузом.

— Дерзко, — похвалил его отец. — Поужинаешь с нами, стариками?

— Я в ваших руках. В смысле, куда мне деваться.

Виктор Егорович хорошо, открыто засмеялся и повёл меня — показывать квартиру.

Всё тут было запредельно дорого, однако без торгашеского преизбытка. Просторный коридор оклеен тёмными английскими обоями с изображением серебряных зеркал. В синей дворянской гостиной — старинные мебели красного дерева, пегий секретер из карельской берёзы, наборный шахматный столик. Возле грандиозного окна стояла заграничная вертушка под матовой полупрозрачной крышкой; хотелось рассмотреть её как следует, но было неловко. Гостиная была совмещена с библиотекой. На открытых стеллажах, протравленных олифой, построились шеренги русских классиков: сиреневый Чехов, бордовый Лесков и зелёный Толстой. Вопреки моему ожиданию, книги были читаны и перечитаны: заячьими ушками торчали белые бумажные закладки, корешки — затёрты по краям.

Из гостиной мы направились в детскую. Вошли без стука; Борька покраснел от злости, но смирился. Только повернулся к нам спиной и сделал вид, что думает о чём-то важном. Хороший, воспитанный мальчик. Стены были полностью оклеены гастрольными афишами; на одном плакате — приторные «Песняры» с густыми усами подковой, на другом — чернобородый Намин, основатель распавшейся группы «Цветы», подозрительно похожий на философа Флоренского, на третьем — Владимир Высоцкий с дешёвой дорожной гитарой. Плакат Высоцкого пересекала подпись (почерк ученический, округлый): «Боре — добра, дядя Володя, Ташкент, "Юбилейный", 1979 г.». Были тут и западные звёзды; я теперь их тоже знал, поскольку Муся приносила мне пластинки и потом придирчиво расспрашивала — что ты думаешь? Тебе понравилось? А почему? Взъерошенная Барбара Стрейзанд, белобрысые фермерши «АВВА», Happy new year, Happy new year, психоделический Боуи в образе перекурившего Пьеро...

В необжитом стерильном кабинете тикали напольные часы. Здесь тоже были книги, книги, книги. Наглухо закрытый тёмный шкаф. Чёрный кожаный диван с армейской выправкой. И резной журнальный столик с толстыми пепельницами, набором курительных трубок и металлическими приспособлениями, назначения которых я не знал. На подоконнике стояла банка из-под молдавского сока, в которой затаился чайный гриб; он разбух и напоминал гигантскую пиявку.

— Муськин будуар осмотришь после, — она сама тебе покажет. Не, ты правда никогда и ничего? Уважаю!

Столовая, как в старых фильмах про былое, была отделена от кухни раздвижной затворкой. Муся, стиснутая ярко-жёлтым фартуком, подхватывала миски с оливье, обильные салатницы с «Мимозой» и нездешним бисерным кускусом (передавая ей посуду, мама наклонялась и неожиданно показывала грудь), красиво расставляла на столе.

— У нас ещё не всё готово, — строго сказала она.

— Плевать! Имеется аперитив, — Виктор Егорович легко раздвинул деревянный глобус, внутри которого распространился свет и вспыхнули резьбой хрустальные стаканы, конусообразные бокалы для коктейлей и тонкостенные бокалы для вина.

— Чё господа предпочитают в это время дня? Белое? Кампари? Виски? Может быть, мартини с водкой, смешать, но не взбалтывать? Мартыныч — просто закачаешься. Как слеза комсомолки, ей-право.

— Виски, — выбрал я наугад, хотя виски никогда не пробовал, да и крепкого практически не пил.

— Здоровски. Я надеюсь, натуральный, безо льда? Бурбон, ирландский, скотч? Есть, между прочим, японский.

— Папа, отвяжись от Ноговицына. Он же не торговая блатняра. Он нормальный человек. И наверняка не видел Джеймса Бонда. Ты же не видел? Правда? — Муся решила меня защитить.

— Не видел, — с сожалением признался я.

— Ну вот, — подытожила Муся. — Отстань от него.

— Как прикажете, — ответил папа. — Давай коньячку, по простульке. Грузинский будешь?

— Буду, — с облегчением ответил я.

Минут через пятнадцать нас позвали есть.

Стол был славный, разговор свободный; Муся, как кошка со шкафа, внимательно следила за тарелками, меняла, вовремя подкладывала угощение. Мама безразлично улыбалась, поражая белизной зубов, крупных, ровных, словно бы ненастоящих, а папа подливал нам беленькую, дамам красненького и бесперебойно травил анекдоты, повторяя через раз: вы будете смеяться, но... Начал с диетических, чукча не читатель, а писатель; на пятой рюмке стал подмешивать политику, тут Брежнев говорит дояркам: приветствую ваш многосисечный коллектив, мы идём нагавно... нагавно... нога в ногу. Неосторожно пошутил про коммунизм: он уже не за горами, за горами Армения. А потом пошла писать губерния. Про Андропова и КГБ. Про Арвида Яновича Пельше, который впал в маразм и поэтому не отдал Брежневу игрушки. И про сексуальную мечту советского мужчины — войти в Политбюро престарелым членом.

На этом неприличном анекдоте Муся недовольно фыркнула, мама сделала вид, что не слышит и, отвлекая на себя внимание, обнесла всех кастрюлей с варёной картошкой.

— В этой стране даже картошка — в мундире! — произнёс Виктор Егорович заранее заготовленную шутку и подцепил дымящуюся картофелину. — С селёдочкой самое оно. Ах, селёдочка моя, селёдочка, как я тебя давно не кушал. Разве в торгпредстве покормят?

Он стал красочно описывать торгпредовскую лавку: всё захламлено, сплошные пыльные коробки с рыбными консервами, на полках стройными рядами экспортная водка; в посольство иногда завозят чёрный хлеб, но продают по предварительной записи, а хочешь вкусненького — дай на лапу. Кладовщика за просто так не поменяешь, кладовщик — номенклатура департамента. Или взять начальника резидентуры: получает сущие копейки, а гонору, гонору, пончик с говном; торгпреду некуда деваться — давай, води его по барам, улыбайся, покамест он, ядрёна кочерыжка, заказывает виски поолдовей. И ведь не скажешь нет, не остановишь; пожалеешь потом, что родился. А этот крепостной обычай? Накануне большого приёма, на Седьмое ноября и Девятое мая, посольские жёны в ленинской комнате лепят пельмени — угощать алжирское начальство. Экономят, мать её налево. Потому что деньжат не хватает. Одна шестая часть, великая держава. Просираем такую страну! Кстати, знаешь этот анекдот?

Я до этого не видел дипломатов. Ни разу. Я думал, они осторожны, как ласковые толстые коты. Говорят пустыми гладкими словами. Поднимем этот тост за дорогого Леонида Ильича, да здравствует коммунистическая партия и лично. Даже Сумалей боялся ляпнуть лишнего и прятал под подушкой телефон; здесь такого не было в помине.

Ловко покончив с горячим — фаршированными перцами в сметане — и налив нам по последней рюмке, захмелевший хозяин воскликнул:

— Покойника под стол!

И, убрав опустошённую бутылку, стал невнятно рассказывать об Алжире. Понимаешь, Лёха, — он закатывал глаза, — всё такое ветхое и сраное, а всё равно, ядрёна вошь, красиво. А природа? Природа, бдь, какая, а? Красное, жёлтое, синее. Днём жарища, как в Ташкенте, ночью ветер, а утром спустится туман — и не проехать. Минут по двадцать все стоят на перекрёстке, ждут, пока рассеется, моторы урчат… Прикинь. Взбитый белок, не видно ни хрена, и ур-р-р-р. Ёжик в тумане, смотрел? Вот примерно как там.

К густому индийскому чаю помимо набора пирожных «Картошка» и дефицитного слоёного полена с витиеватым розовым кремом было подано большое блюдо фиников и колотых орехов непривычной вытянутой формы, похожих на выдолбленные лодочки.

— Это мы оттеда привезли. Попробуй. А? Умереть не встать, нигде таких больше не видел.

Муся убрала посуду и зажгла ароматную рижскую свечку. Свеча была высокая и толстая, сердцевина выгорела полностью, неровные края нависли над провалом, а фитиль опустился на дно, как в колодец. Виктор Егорович снял со стены инкрустированную семиструнную гитару и начальственным приятным баритоном запел подслащённого Визбора: милая моя, со-о-олнышко лесное, где, в каких краяях встретимся с тобо-о-ою… Разогревшись на Визборе, он перешёл к Окуджаве. Мы подпевали тихими задумчивыми голосами: от мама, мама, мама, я дежурю, я дежурный по апрелю до виноградную косточку в тёплую землю зарою.

Выпив напоследок жирного яичного ликёра, мы с Виктором Егоровичем отправились в его необжитой кабинет, а женщины остались наводить порядок.

5.

Виктор Егорович пьяно сопел. Но движения были ровные, твёрдые. Он предложил мне устроиться в кресле, вынул из шкафа большую шкатулку размером с обувную коробку: в полированную крышку было вделано устройство, похожее на медный корабельный компас. Внутри коробки затаились коконы сигар. Он промял одну, полузакрыл глаза, провёл под носом; жесты были барскими, ленивыми; он давно привык к житейскому комфорту и не пытался этого скрывать. Угнездился на диване, кивком показал на сигару:

— Ты, я понимаю, не по этой части?

— Не по этой, Виктор Егорович.

— Попробуешь?

— А считаете, стоит?

— Ну, выбросишь, в конце концов.

— Не жалко?

— На курево пока хватает.

Кривыми рахитическими ножничками Виктор Егорович осторожно срезал кончик отёчной сигары. Запалил охотничью спичку (я такой же разжигал лампады), с удовольствием прогрел сигару, неторопливо провернул её над пламенем и нежно подул, разгоняя огонь. Ногти у него были ухоженные, покрытые бесцветным лаком. Он старался быть демократичным, даже простоватым, но в голосе звучало нечто барское, сановное.

— Вот тебе доминикана, она мягонькая. Только не спеши. Сигара — девушка спокойная, разгорается медленно, зато потом не остановишь. Тебе, я думаю, это знакомо.

Я решил не отвечать. Попробовал втянуть губами дым; не получилось. Облизал сухие губы, как делает трубач перед концертом, прежде чем прикладываться к мундштуку, и попробовал ещё раз. Внутри сигары что-то засипело, рот наполнился суровым дымом.

— Ну как? — с сочувствием и лёгкой завистью спросил Виктор Егорович. — Она же у тебя первая.

— Не знаю, — выпуская дым, ответил я.

— Не противно?

— Нет. Скорей наоборот.

— Хорошо. Побалуйся пока доминиканой. А я предпочитаю по кубинкам.

Виктор Егорович вынул другую сигару, более смуглую, толстую; сколупнул бумажное колечко, поёрзал на диване.

— Значит, с Мухой у тебя серьёзно? — спросил он доверительно, как любят спрашивать подвыпившие мужики.

— Надеюсь. — Ответ прозвучал как-то невнятно; Виктор Егорович насторожился.

— Не, ну я тя умоляю. Ну чё за дела. Ты говоришь как неродной. Она-то к тебе прилепилась, я знаю. А с твоей какие чувства?

Я испугался пьяного допроса; самое противное — когда с тобой начинают говорить по душам.

— И с моей все серьёзно, — ответил я вежливо.

— Окей, — удовлетворился Виктор Егорович. — Предлагаю заполнить анкету. Твои-то кем будут?

— Простите, не понял?

— То есть — родители твои, они кто?

— А. Папа директор техникума, но он с нами не живёт. А мама — в издательстве. Работает в бюро проверки.

— Шо цэ такэ? Навроде Первого отдела, по связям с Лубянкой?

— Ну уж нет уж. Просто проверяет в книжках факты.

— Интэллигэнты, говоря по-русски? — Собеседник скользко захихикал. — Лучше бы, конечно, из рабочих. Перспективнее. Но родителей не выбирают, что уж тут. Я о другом хотел поговорить. О другом, — повторил он и густо затянулся.

Покатал дым за щеками, словно полоскал им рот, и неторопливо, в несколько заходов выдохнул. Устроил длинную сигару в пепельнице с выемкой, панибратски хлопнул меня по колену.

— В общем, Лёха, тут какое дело. У нас товар, у вас купец и всё такое. Муха — правильная девка, крепкая, я за неё, что называется, ручаюсь. Но упрямая, зараза. Упрямая. И заласкана, ей-право, сам наверняка заметил.

Виктор Егорович снова взял сигару, двумя пальцами, как пацаны берут окурок, выпустил синий дым через ноздри. Он курил без мефистофельских ужимок Сумалея, но тоже несколько литературно. Вокруг него распространилось облако, он стал похож на водолаза, который на морозе вылезает из воды.

— И деньги любит. То есть презирает на словах, но ценит... Ты, я понимаю, на мели?

— Заканчиваю аспирантуру.

— Я же сказал — на мели.

Я зачем-то стал оправдываться; чувствовал, что делаю это напрасно, и всё равно не мог остановиться.

— Я был в стройотряде. Заработал прилично. Деньги на первое время имеются.

— Ух ты, ах ты, все мы космонахты... Ну чего ты горбатого лепишь, Лёха? Чего? Мы же понимаем, о чём я. При чём тут первое время, послушай? Не первое, не последнее. Тут время то, которое всегда. Пока не кончится. Ты у нас беспартийный, угадал?

— Да, — ответил я и сам себя спросил: ты что, его боишься?

И признался самому себе: боюсь.

Виктор Егорович снова выдохнул обильным дымом; было в этом что-то вулканическое, дикое.

— Смелые вы всё-таки ребята. Безбилетники.

— Это ещё почему это? — инстинктивно спросил я, хотя мог бы и не спрашивать.

— Потому что ты едешь в советском трамвае. А билет покупать не желаешь. Нехорошо. Куда в наше время без партии, сам посуди. Ну ты хотя бы комсомолец?

— Комсомолец.

— Слава богу.

— Бог тут ни при чём, — я наконец-то решился ему возразить.

Виктор Егорович взглянул на меня с интересом, как взглядывают на часы со сломанным боем, внезапно издавшие звук.

— Согласились, ни при чём. — В голосе торгпреда зазвучало сдержанное уважение; видимо, ему перечили не часто. — Но без комсомола в партию ни-ни. Ты же собираешься в неё вступить?

— Не собираюсь.

— Ничего себе, — будущий тесть изумился и даже курить перестал. — Лёха, утешь старика. Ты не этот, как его, инакомыслящий?

— Нет, я не диссидент. Но я верующий. — Я решил, что пойду до конца, будь что будет.

— Верующий? — он облегчённо рассмеялся. — Правда, что ль? Прям вот так, господи Исусе, батюшка, благослови? Ну ты даёшь. А Муха знает? И чего, согласна? Во дела, во любовь. Ладно, хочешь верить — верь, главное — не попадайся.

Успокоившись, он вновь затянулся, громко почамкал губами, вытолкнул сигарный дым колечками.

— Значит, что я скажу. Что скажу. — Теперь он говорил со мной почти на равных, не как директор школы с несмышлёнышем, а как профессор с упрямым студентом. — Не вступил — и пока обожди. Бережёного бог бережёт, или как там у вас говорят?

— Не понял.

— А чего не понять? Всё это посыпется к чёрту. Или правильно сказать «посыплется»? Поверь мне, я знаю. Я не про идеи, я про деньги. Мы, торговцы, люди трезвые, особенно когда не пьём. Посыпется, развалится, потом чего-то новое определится, вот тогда и вступишь.

Я решил, что ослышался.

— Что вы имеете в виду? Что именно рассыплется?

— А всё. — Он сделал неопределённый жест, как бы показывая это «всё»; в воздухе остался дымный круг. — Система.

— И когда? — задал я глупый вопрос.

— Вот этого не знаю, врать не буду. Я тебе, старичок, не пророк, я торговец. Пять лет, десять лет, какая нахрен разница? Лишь бы нас с тобою не накрыло.

— А вы уверены, что всё накроется?

— Не уверен — не обгоняй. Чудес-то не бывает, так?

— Вообще-то говоря, бывают.

— Ну это там у вас, иже еси на небеси. У нас по-другому. Ты какие языки учил?

— Английский, французский.

— Лучше бы арабский, с этим проще. Арабы вечно деньги клянчат и бузят, там работа найдётся всегда. Но французский, кстати, ничего, годится. Африка — она шерше ля фам. Защита когда? В октябре? Значит, в ноябре пойдёшь на МИДовские курсы. Если, повторяю, всё у вас серьёзно. А свадьба когда? Тоже в октябре?

— Да.

— Штамп в паспорте поставите — и пойдёшь. За помощью без личного мотива — не ко мне, это в собес.

— Куда пойду? — изумился я. — На какие курсы?

— Язык нормальный учить, вот куда. Потом ненадолго слетаешь в Кабул. На полгодика максимум. Ты, главно дело, не волнуйся, в столице спокойно. Я там, кстати, тоже буду, как только сдам алжирские дела — переберусь. Муське не сболтни, она психанёт. А потом посмотрим, как сложится. Сложится или сложится? Повезёт — впихнём тебя в ЮНЕСКО, Париж-Мариш и всё такое. Не повезёт — пересидите у союзных негров. Руки покажи ещё раз. А! Косточка тонкая. В армии с такими руками будет неинтересно. Звание твоё какое?

— Рядовой.

— То есть как это рядовой? Ты же аспирант? И в МГУ? Ты, что ли, комиссован? По какой статье? — В голосе послышалась отцовская тревога. — Ты мне здоровых внуков обеспечишь, или где? Кстати, что там у тебя со зрением?

Из добродушного развязного хозяина он превратился в наглого нахрапистого мужика. Глаза как щёлки, губы сжаты, ноздри раздуты. Я успокоил будущего тестя: зрение не очень, но не страшно; что

же до призыва в армию, то история вполне баналь-
ная. Я сначала поступил на вечерний: не хватило
балла. Мамина подруга, стоматолог, делала Ананкину протез, кто такой декан, чтобы отказать протези-
сту? В конце первого курса меня перевели на дневной. Что-то пришлось досдавать, что-то зачли авто-
матом, только на военной кафедре упёрлись рогом.
Будете, товарищ Ноговицын, рядовым необученным,
воинский разряд — солдаты. И оставшиеся четыре
года, пока сокурсников дрессировал майор Огилько,
не пускавший на занятия в «штанах предполагае-
мых противников», я сидел в читальном зале, занимался.

— Угу, — подытожил мой будущий тесть. — Бла-
та не было, сам поступал, Самоделкин. Я ведь и сам
из таких же. Я, когда приехал поступать в Москву,
комбайнёр комбайнёром…

И тут в коридоре забулькал звонок.

— Кого это черти несут? Так, после закончим. —
Виктор Егорович вынул из шкафа крохотную бутылочку, похожую на шоколадную конфету из набора, выпил и мгновенно протрезвел. — Я тут ничего
не говорил, ты ничего не слышал. А сигару не гаси,
сигара этого не любит. Пусть умирает сама. В одиночку.

6.

В прихожей смачно целовались, с преувеличенным
восторгом восклицали: а чего же вы не позвонили — мы думали, вы завтра — да какое. Я осторожно
высунулся из кабинета и увидел смуглую седую даму,
одетую с демонстративным щегольством: мягкий

джемпер ночного оттенка, расклешённая светлая юбка, бежевые туфли-лодочки. Говорила дама булькающим голосом курильщицы — низким, капризным. Рядом с нею стоял корпулентный мужчина породы домашний послушный, со странным выражением лица, безвольным и начальственным в одно и то же время. Борька льнул к благообразной даме, та его по-свойски обнимала. Муся отстранённо улыбалась. Дама, продолжая громко разговаривать, как бы между делом показала мужу пальчиком на сумку; тот вынул заграничный целлофановый пакет.

— Ну-ка-ся, Бóрис, примерь! — распорядилась дама.

В пакете лежала джинсовая куртка, с черным кожаным лейблом на поясе. Борька привзвизгнул, напялил короткую куртку — и стал похож на молодого пеликана с пузырём на месте пуза и круглым отклячённым задом.

— Потрясающе! — воскликнула дама. — Ну-ка, Бóрис, отвали в свою комнату, мы тебя попозже позовём.

И добавила, принюхавшись:

— Нафуняли-то, нафуняли! Курильщики хреновы.

— Кто бы говорил, — парировал Виктор Егорович.

— Я-то что? Я скромно курю, сигаретки. А ты? Кто тебя к сигарам приучил? Это что за буржуазные замашки?

— Я помогаю кубинской революции! И вообще. Не стало жизни русским людям, разрослися цветики-василёчки, колосу негде упасть.

— Нашёлся тоже русский людь, — дама тяжело закашлялась; сглотнула вязкую мокроту, снова стала мучительно кашлять; уняв колотун, продолжала: — Ты, Виктор Егорыч, поджидок, мы анкету Нинкину видали, знаем! Правда, знаем, Олежка? — обратилась она к мужу. И сама себе ответила: — Точняк. Так что помалкивай в тряпочку. А кто это, как некий мыш, выглядывает из кабинета? Манькин сокурсник? Как звать, почему не представил?

Я пошёл в коридор.

— Это Муськин ухажёр, зовут Алексеем. А это наши старые друзья, Евгения Максимовна, Олег Петрович.

— Ты по профессии кто будешь? — не поздоровавшись, быстро, как в отделе кадров, уточнила дама. — На плешкинского не похож. Случаем не гуманитарий?

— Хуже, чем гуманитарий. Я философ, — с некоторым вызовом ответил я.

— Из МГУ?

— Из МГУ.

— Мой клиент, — непонятно ответила дама. — Ладноть, Егорыч, сажайте за стол. С утра ничего не пила. И знаешь что, давай мы Даньку позовём, он божественно рассказывает анекдоты.

Мусин папа позвонил загадочному Даньке, Нина Петровна и Муся вернулись к хозяйским заботам. Взмахнула крыльями тугая накрахмаленная скатерть, гостеприимно распахнулся барный глобус; рюмки, бокалы, стаканы вернулись на место; по тарелкам разложили принесённые Евгенией Максимовной деликатесы: тонкие хрустящие волованы с пепельно-чёрной икрой, тарталетки с перетёртым сыром и тончайшую нарезку балыка. Кто скоммуниздил вилку? Ах, Олег Петрович? Не ожидал от вас, Олег Петрович, не ожидал.

В дверь позвонили; появился Данька — благообразный лысоватый человек с полными капризными губами и большими мягкими ушами. Коричневый костюм в широкую полоску, галстук-бабочка и обходительно-развязные манеры усиливали сходство с конферансье. Меня поразили глаза: влажные, большие, грустные, они смотрели на тебя с любовью и при этом совершенно равнодушно. Я как-то видел в телерепортаже весьма доброжелательного крокодила, который разгрызал живую антилопу, — и взгляд его был точно таким же. Ласковым, сочувственным и хладнокровным.

— Знакомься: Даниил Вениаминович, — представил гостя Виктор Егорович.

Евгения Максимовна обидно засмеялась: что, и у Даньки имеется отчество?

— Ну что, товарищи соседи?! — с преувеличенной энергией воскликнул Виктор Егорович. — Синклит на месте, предлагаю перейти к потере человеческого облика. Кто за? Единогласно. Наливаем, наливаем, не манкируем.

Даниил Вениаминович пил водку, Олег Петрович — запотевший цинандали. Евгения Максимовна предпочла виски, она подставляла стакан, говорила: лей-лей, не жалей, выпивала залпом, высоко закидывая голову и морщась. Если кто-нибудь пытался не допить, она кричала: эй, куда! а ну вернись на место! жухало долго не живёт, мы сегодня напьёмся как свиньи. В роли опытного тамады выступал благообразный Данька; кажется, за тем его и звали. Мягким, как бы приглушённым голосом он желал сибирского здоровья и кавказского долголетия, рассказывал байки про общих знакомых, она же настоящая пзда в манишке, смешно передразнивал Брежнева, дарахие таварыщы жэщины.

— Какой ты, Данька, придераст, — пьяненько подначивал Виктор Егорович.

В перерывах между анекдотами и тостами Даниил Вениаминович как будто выключался из розетки: он откидывался на спинку стула, упирался в стену плешивым затылком и мгновенно погружался в двухминутный сон; очнувшись, заново включался в общий разговор. Все, видимо, к этому давно привыкли и на него внимания не обращали; спит человек, потому что устал.

Когда разговор захлебнулся, в дело вернулась гитара; Евгения Максимовна распорядилась властно: ну, мою любимую! И, затейливо растягивая гласные, затянула душевный романс: «Дин-дин-дин, дин-дин-дин, колокольчик звенит, дин-дин-дин, о любви говорит…» Когда мокрота начинала биться в горле, Евгения Максимовна прокашливалась, сплёвывала в салфетку и продолжала с пропущенной ноты: «…ви говорит». Пела она грамотно, то приглушая свой слабенький голос, то словно бы подкручивая громкость. Но с таким демонстративным чувством пела, что мне становилось противно. Это называлось «петь с душою», что в нашем доме строго порицалось; если в детстве мама во время уборки начинала душевно мурлыкать под нос, я подходил и требовал: «Мама, не пой!» Она послушно затихала.

Романсы уступили место нежной песне, которой я тогда ещё не слышал, а потом с трудом переносил: «Сладострастная отрава, золотая Бричмула, где чинара притулилась под скалою, под скало-о-ою, о тебе поёт над ухом сладкая пчела, Бричмула, Бричмулы, Бричмуле, Бричмулу, Бричмулою». Песня была складной, но бессмысленной; её герой приобретал арбу, на которой добирался до Чимганских гор, а потом объезжал полпланеты:

> *С той поры я арбу обживаю свою*
> *Я удвоил в пути небольшую семью,*
> *Будапешт и Калуга, Париж и Гель-Гью*
> *Любовались моею арбою.*

На финальном аккорде Даниил Вениаминович проснулся, чтобы сообщить собравшимся:

— А известно ли вам, господа, что в оригинале данного стихотворения значится совсем другое место?

— И какое же? — вскинула бровку Евгения Максимовна.

— Мушмула.

— Звучит хорошо. Зачем же её поменяли?

— Затем, что на иврите, Женечка Максимовна, — улыбчиво и ловко, с интонацией завзятого лакея, объяснил ей Даниил Вениаминович, — «брит мила» означает «обрезание». Теперь вы поняли, о чем поётся в данной песне?

— Про обрезание ты знаешь всё, не сомневаюсь... А что, на самом деле есть такое место?

— Да. Под Ташкентом, километрах в сорока.

И задумчивый конферансье прикрыл глаза. Сочинил он это на ходу или поделился настоящим знанием – понять было невозможно. Я внезапно вспомнил разговор с Игнатием — «климат у нас не того», — но прогнал воспоминание как наваждение.

— А ну-ка дайте инструмент, — вдруг заговорил Олег Петрович, который промолчал весь вечер.

Он проверил звук, небрежно подтянул колки. «Что он будет петь?» — подумал я. Клячкина? Аду

Якушеву? Городницкого? «Атланты держат небо на каменных руках»? Но Олег Петрович пробежал по струнам и запел надрывного Высоцкого — своим спокойным, аккуратным голосом:

Рвусь из сил — изо всех сухожилий,
Но сегодня — опять как вчера:
Обложили меня, обложили —
Гонят весело на номера...

Евгения Максимовна смотрела добродушно-снисходительно, как смотрят на любимую собачку.

— Гений! — восхитился Виктор Егорович. — Но особенно мне нравится, когда без пафоса и ржёшь внагиб.

Перехватил гитару и, растопырив короткие пальцы, больно ударил по струнам: «И тогда главврач Моргулис телевизер отключил».

Муся встала, поманила меня. Я впервые в жизни пересёк порог её светёлки (так она называла свою комнату). Вся она была заставлена домашними цветами. На подоконнике — неприличный фаллосоподобный кактус, острый «тёщин язык», красная камелия, уличная бордовая калла, алая герань, ветвящийся, как скопище гадюк, столетник... Это было тёмное языческое царство, подчинённое своей единственной владычице.

Я попытался приобнять Мусю, она отстранилась. Я думал, она мною недовольна; нет, дело было в другом. Она побрызгала араукарию из жёлтого пульверизатора, сама себе кивнула: молодец, — и только после этого меня поцеловала.

Из-за двери доносился булькающий голос: па-тря-са-юще! за-ме-чательно! а Клима Петровича сможем?

С Мусей было слишком хорошо, только нужно было вовремя остановиться. Пересилив себя, я отвёл её руки:

— Мне уже, наверное, пора.

Муся посмотрела замутнённым взглядом:

— Воля твоя. Но я бы — осталась.

— Муся. Прости дурака. Защищусь в октябре.

— Воля твоя. Но я бы осталась, — повторила она, нажимая на слово «воля».

— Ну что ты заладила! Как скажешь, как скажешь... есть вещи, которые сильнее меня. Кстати, твой папа говорил со мной про МИДовские курсы. Ты же понимаешь, что я никуда не пойду? Что это поперёк всего, что... я не знаю, как сказать...

— Котя, жить мне с тобой, а не с папой, так что сам решай. Пойдёшь на курсы хорошо, не пойдёшь — значит, такая судьба. Вот то, что ты меня мучишь, — это ужасно. Я вся мокрая после тебя, ну куда это годится?

— Ну, Муся. Ну, прости.

— Что Муся! Что Муся? Я двадцать три года Муся, и такого со мной ещё не было.

Не зная, что ответить, я спросил:

— Кажется, твои до Галича дошли. А ты почему не поёшь?

— Я, котя, не умею петь. Я умею быть.

— Что это значит — быть?

— А то и значит. Вырастешь — узнаешь.

Муся отвернулась, стала сердито накручивать на палец волосы. С кухни доносились отголоски: как мать говорю и как женщина требую их к ответу; за окном орал истошный летний кот.

— Ладно, — Муся словно очнулась от долгого сна, — что тут говорить. Иди, жених, домой, спокойной ночи… Кстати, маме своей передай от меня: папа тут привёз подборку каких-то журналов с выкройками, я шить всё равно не умею, вот если будем нищими, тогда придётся научиться, а ей пригодится сейчас.

Беззастенчиво нагнувшись через край дивана, так что край платья задрался, Муся достала целлофановый пакет с ярко-красной иностранной надписью: «Duty free».

В пакете была кипа журналов с кричащим названием «Burda Moden»; на обложках — дамочки в нарядных платьях, дорогих изысканных пальто и модных юбках.

— Выкройки очень простые, журнал для мелких буржуа, если что, ты ей переведёшь. А теперь уходи. Чем скорее, тем лучше, я буду приводить себя в порядок.

День четвёртый

22. 07. 1980

1.

С утра я, разумеется, проспал. Солнце било прицельно, простыня отсырела, дышать было нечем.

— Мама! — крикнул я.

Ответа не услышал. Значит, мама ушла на работу? Я прошлёпал босиком на кухню; здесь окна выходили на другую сторону и до обеда было относительно прохладно. Умылся ледяной водой, напился из эмалированного чайника — кусочек накипи царапнул горло. Чайник остался от деда; пару раз его забыли на огне, он покрылся копотью и почернел. От деда перешли и чашки с полустёршимся гербом Страны Советов, и сколотое блюдо кузнецовской фабрики... Я раньше никогда не замечал, до чего же мы бедно живём. Рыхло протёртый линолеум, стены в детских затёках, на грубо оструганной полке горшок с полудохлым вьюном; колченогие стулья, круглый покоцанный стол, который мы с мамой тащили с помойки и в четыре руки оттирали от грязи; клеёнка в дешёвый цветочек.

Ключ провернулся в двери.

— Алёша, ты встал уже? — прокричала мама с порога.

— Встал, мам.

— Покушал уже?

— Нет, мам, пока не поел.

— Сейчас я тебя покормлю.

Мама сунулась на кухню и смутилась; всякий раз, когда я выходил на кухню неодетым, она краснела как десятиклассница. Демонстративно глядя в сторону, мама втащила авоську. В плетёнке была молодая картошка, мелкая и жёлтая, как сливочная репка; через кокетливые дырочки торчали стрелки лука, в пергаментной бумаге оттаивало масло...

— Мама, давай разберу.

— Ничего, я сама, я привыкла. Блинчики будешь? Или сырнички, я быстро?

— Буду блинчики. Сырники тоже.

Мама посмотрела удивлённо, как-то жалко улыбнулась, облизала губы и не сразу решилась спросить:

— Что это с тобой сегодня? Аппетит проснулся? Но я очень рада, я сейчас, я мигом.

И коршуном метнулась к холодильнику (какой же он коротконогий и пузатый, эмаль скололась по краям и пожелтела). Вынула глубокую кастрюлю с вареным мясом, тарелку с густо-жёлтыми блинами, привинтила к столу мясорубку, громыхнула сковородкой о плиту, поставила её разогревать и тут же принялась замешивать творог и яйца. Увлеклась, пропустила минуту — и в воздухе запахло гарью.

Мама устыдилась:

— Видишь, Алёшенька, какие они. Подгорели... Не будешь есть? Я тебе сейчас другие разогрею, подожди...

На лбу у мамы выступает пот, мелкий, бисерный, глаза у неё несчастные, да как она могла...

— Конечно, буду. Блинчики мои любимые...

Я макал их в деревенскую сметану, жадно жевал, немедленно откусывал ещё и пытался говорить с набитым ртом. Мама радостно качала головой.

— Понравилось?

— Спасибо, мамуля.

— Ну вот, а такие получились сырнички.

— Давай.

Я хватал горячие творожники руками и густо поливал вареньем из польской мороженой вишни; пальцы стали липкие, я их облизал со смаком.

— Да что с тобой такое? — изумлялась мама, не зная, радоваться ей или тревожиться.

— Соскучился по маминой еде.

— Ты вчера то же самое кушал.

— Так то вчера.

— Тогда ещё чайку. С лимончиком. Может, хочешь выдавить? — предложила мама благородно.

— Не, спасибо, отрежь мне маленькую дольку.

Мама долго мучилась, пытаясь разрезать лимон. Лимон проминался, как мячик. В нашем доме некому точить ножи.

2.

Получив то, первое, письмо отца Артемия и решив ему не отвечать, я сразу успокоился. Все сомнения как будто улетучились; ну, бывает, ну, ошибся, что такого. Но в начале ледяного и бесснежного апреля семьдесят девятого года мы всем аспирантским кагалом отправились на станцию Строитель. Повод был не слишком аппетитный: день рождения Тёмы Габима, циничного и жизнерадостного диаматчика, который километрами цитировал постановления Политбюро и речи Брежнева, всякий раз указывая дату первой публикации. Люди, знавшие Габима, предпочитали с ним не связываться; новенькие пробовали поменять пластинку — тут им приходилось туго. Габим закатывал свои огромные глаза и начинал токовать, как глухарь. «Нет-нет, короче говоря, в решении ЦК по поводу письма Белецкого, от восемнадцатого ноября одна тысяча девятьсот сорок шестого года, мы читаем…»

Эта страсть к партийным документам была у Габимов семейной. Папа, Лазарь Семёнович Коган, преподавал на кафедре истории КПСС, мама, Анна Моисеевна Габим, служила библиографом в архиве института Маркса – Энгельса, а прадедушка, Иосиф Моисеевич Лещинер, был упомянут в сорок первом томе ленинского полного собрания, на странице триста девяносто третьей: «Т. Уржумцеву, срочно! Передайте Оське Л., пусть побыстрей определит свою партийную позицию, или вечно хочет оставаться мальчиком в коротких штанишках?» Дедушка Лещинер вовремя определился и дожил до восьмидесяти шести лет, оставив Габимам в наследство тёплый бревенчатый дом с электричеством, горячей водой и магистральным газом.

В электричках в то время уже не топили; мы всю недолгую дорогу согревались чаем из китайского поюзанного термоса, мутно-голубого, с алой розой и огромным зелёным листочком. Хозяйственная Вика Криворожко разложила на коленях бутерброды с пошехонским сыром, любительской варёной колбасой, кружком солёного огурчика и курчавой веточкой петрушки: угощайтесь, ребя, не стесняйтесь. Разлапистый Андрюша Семикозов с провинциальной гордостью цитировал латинские пословицы:

как гласит древнеримская мудрость… древние неда-
ром говорили, что… Женственно ранимый Егор Бай
(которого в глаза и за глаза называли ебаем) сообщил, что меняет фамилию.

— Чью возьмёшь? — невинным голосом спросила Мура Канторович.

Бай не почуял подвоха.

— Бабкину возьму, она у нас была Донская.

— Хорошее дело, — ответила Мура, — будешь
Ебаем-Донским.

Все засмеялись. У Егора навернулись слёзы. Только невнятная Аня Насонова осуждающе мотнула головой. Как нехорошо, Мария, как нехорошо.

Мне было противно. Я бы с удовольствием ман-
кировал Габима, но от Тёмы отвертеться было невозможно. Он перегораживал дорогу, брал за пуговицу и зудел: старик, без тебя невозможно, короче
говоря, старик, давай ты всё-таки поедешь, нет, старик, а ты пообещай. Согласиться было проще, чем
сопротивляться.

Дом у Габимов был старый, надёжный, с весёлой
глазастой верандой; как положено, скрипели сосны
на глухом запущенном участке, мирно подгнивала
беседка, возле бани ржавели качели. Пока мы болтали в гостиной, на кухне кто-то буйно колотил по
миске ложкой; пахло сочно, жирно. Через полчаса
большая растревоженная дама прикатила барную
тележку и, наваливаясь грудью на спины гостей,
заставила весь стол закусками. Здесь было паровое
баклажанное пюре, нечто пышно перетёртое, чес-
ночное, с кунжутом, овощные шарики, прозрачный
холодец из потрошков… Последней въехала улыбчи-
вая щука на фаянсовом блюде. Многогрудая хозяйка
выдохнула: «Уф!», строго зыркнула на Тёмину по-

дружку, великорусскую красотку Кузнецову, демонстративно положила ей мацу и удалилась.

Мы быстро ели, быстро выпивали, но ещё быстрее говорили; над столом неслись трассирующие голоса… Начали играть в шарады. Егор Бай на пару с Мурой Канторович изображали слово «сторож»; Егор корчил мерзкие физиономии, Мура загибала пальцы — раз, два, три, пятнадцать, семьдесят четыре, сто. «Сто рож!» — закричал Семикозов.

Спьяну это казалось смешным.

Выпили по третьему заходу.

— Надо сфоткаться на память, — предложил захмелевший Габим.

Он притащил нездешний фотоаппарат, странной приплюснутой формы, как если бы на плоскую коробочку насадили чёрный куб с прозрачным глазом.

— Ну-ка, ну-ка, — командовал Тёма, — встали напротив окна, чтобы свет правильно падал… Семикозов, урою! Дуська, убери рогулю… кому сказал, короче говоря…

Вспышка саданула по глазам, из щели выпросталась фотография, скользкая, как послюнявленная марка, серо-голубого цвета глаукомы. Постепенно стала проступать картинка. Мы потребовали продолжения; не скрывая недовольства, экономная красотка Кузнецова распечатала жёлтую пачку и, как вытягивают карту из колоды, вытаскивала фотобумагу для Габима. Листок за листком. И пересчитывала вслух: один… четыре… восемь… может, хватит?

Я не помню, что было потом. Я смутно различал какие-то телодвижения, кто-то притворно стонал, кто-то скрипел раскладушкой; сиреной взвыл прибитый кот, зажёгся верхний свет, я на секунду приоткрыл глаза. Голый Тёма, встав на четвереньки, собирал рассыпанные сигареты. В следующий раз я проснулся под утро: сердце колотится, сухость во рту. Сознание было болезненно резким, в глаза как будто вставили распорки. Я включил ночничок. Аспиранты сопели вповалку — на разложенном старом диване, в старых спальниках на ледяном полу, даже на сдвинутых креслах и стульях.

Я пошарил в куче лифчиков, сатиновых трусов и женских брючек, оделся — и вышел в предбанник. На вешалке висела телогрея, старая, со срезанными пуговицами; от неё разило нашатырной гнилью, но это странным образом бодрило. Я запахнулся в чужое, подпоясался шарфом, как фольклорный ямщик кушаком, и отпер скрипучую дверь.

Во дворе было холодно, звёздно; промороженный воздух звенел.

У ворот стоял раздолбанный велосипед; я вывел его за рога, оседлал и поехал по скользкой дороге неизвестно куда и зачем. Доехав до края посёлка, я остановился возле кромки поля, остриженного коротко, под бобрик.

Уже начинало светлеть. Снег почти полностью стаял, на деревьях проступила изморозь, прошлогодняя трава была седой. В лесочке бодро крякали вороны, пахло мокрой глиной. Поле тянулось к заливу, над которым, на взгорье, стояла унылая церковь. Зачем-то я спустился к берегу, присел на мокрый спил, стал наблюдать, как сухарями размокают льдины. Сунул руку в карман телогрейки, нащупал самодельную бензиновую зажигалку. Вынул, почиркал; огонёк, вырываясь из гильзы, показывал мне горящую фигулю, и это с похмелья казалось смешным. Я зачем-то крутанул колёсико и выпустил пламя в пожухлую траву.

Безжизненная тимофеевка растерянно согнулась, огонь кузнечиком перескочил на пижму, жадно стреканул на сгнивший клевер, и пламя поползло на камыши. Я зачарованно смотрел, как разрастаются горящие участки, на мягких початках рого́за вспыхивают алые короны, буйно дымит камышиное царство, чёрная вода отсвечивает красным, а прибрежная ольха вздымает ветви, а ствол неуверенно тлеет. И это было так величественно, так прекрасно, что я очнулся слишком поздно, когда всё зашло непоправимо далеко. Алые пятна, размётанные по всему полю, упорно и уверенно сближались; оставалось несколько рывков, прежде чем они сойдутся, чтобы резко рвануть по холму, цепляясь за колючие кусты, и с волчьей страстью кинуться на церковь.

Господи, да что ж я натворил. Там сейчас, конечно, склад колхозных химикатов, но какая разница... Господи, да будет воля Твоя!

Я вскочил и бросился тушить пылающее поле. Топал ногами, как капризный рассерженный мальчик, мчался дальше, уминал непослушный огонь. Испортил модные венгерские ботинки, подпалил края единственных индийских джинсов, но это была ерунда, главное — остановить пожар...

Наконец я вздохнул с облегчением: над изъеденным полем ветвились дымки, пламя уступило, присмирело. Только чёрная осина догорала, в тишине пощёлкивали ветки.

— И чего? Это вы подожгли? — услышал я чей-то вредоносный голос.

Невдалеке, на осторожном расстоянии, стояла тётенька с болезненными пухлыми руками, сведёнными под грудью. Она с интересом, как за дракой, наблюдала за пожаром.

— Нет, вы что, — смутился я. — Я, наоборот, тушил. Вот, — показал я ботинки. — Видите?

— Ага, — ответила она. — Конечно, вижу. Я тут уже давно стою. Часов с семи.

— Нет, ну вы не поняли, — замямлил я.

И вдруг разозлился и рявкнул:

— А если тут давно стоите, почему не помогали?

— Да я-то что? Я ничего, — бормотнула тётка и слиняла.

Вернулся я в посёлок к девяти, замёрзший, пропахший горелым и злой как собака; заспанный народ уже бродил по дому, в предбаннике гремел и телепался рукомойник, вскипевший чайник истерически свистел, снаружи лениво брехала овчарка, под обоями радостно бегали мыши, а желтоглазый кот брезгливо ожидал подачки. Мы позавтракали недоеденным салатом с чесноком и сыром, наскоро поправили здоровье кисловатым «Жигулёвским» и уже нацелились на сладкое, как Тёма вдруг принюхался:

— Что это? Горим? Заслонка?

И помчался проверять заслонку; пришлось мне объяснить, в чём дело.

— Такое дело, господа, такое дело... Я тут колхозное поле спалил, — сказал я, прикрывшись иронией.

— А вот с этого места подробнее!

— Ну что сказать. Проснулся я сегодня засветло, краток и смутен сон алкоголика, ни сна ни отдыха измученной душе...

И чем натужней я описывал пылающее поле, церковь, распластанный быстрый огонь, тем тошнее становилось на душе. Я не был настроен мистически; к старцу поехал не сразу, вчитывать в его слова пророческие смыслы не спешил. Но то, что случилось на поле, было чересчур похоже на видение; всё слишком символично, слишком откровенно и наглядно, словно это не случайный эпизод, а притча, которую я должен прочитать. Но не могу. Не знаю языка. Нужно найти переводчика.

У Габима намечались шашлыки и фейерверки. Я сослался на больную голову (что отчасти было правдой: пить я совсем не умел) и первой электричкой после перерыва уехал в Москву — чтобы отыскать конверт с обратным адресом и написать ответное письмо отцу Артемию. Да, это никакой не старец, он вряд ли сумеет помочь. Но сердце слишком больно било в горло, перед глазами стояло горящее поле. Пламя, побежавшее на церковь и почему-то замершее у порога. Я видел самого себя — беспомощного, жалкого поджогщика, рядом — эту тупую и злобную тётку, подло наблюдавшую со стороны. И понимал, что должен объясниться. Немедленно, здесь и сейчас. Называя вещи собственными именами. Знак, знамение, предвестье. На языке, которым Муся не владеет и которого мама смертельно боится. На языке, о существовании которого отец Георгий даже не догадывается, а отец настоятель — подавно. Знает ли этот язык самозванный Артемий — неизвестно, но попытка не пытка, а спрос не беда.

Я не помнил ни названия совхоза, ни куда я засунул конверт; помнил только про Владимирскую область. Пришлось мне перерыть библиотеку; я искал в Николае Кузанском, в невнятной гегелевской «Философии религии», в непонятно от кого доставшемся мне Шпенглере — «Мир как воля и представление». Наконец я обнаружил однотомник Лифшица и вывернул его, как деревенскую гармошку. Конверт с Гагариным и комсомольской маркой выпал и, подхваченный весенним сквозняком, стал вертолётиком вращаться в воздухе. Вот она, микроскопическая мелкая машинопись, вздёрнутая «е», припавшая «р»...

Я строчил, зачёркивал, опять строчил; ненавидел сам себя, свою бездарность, неумение сказать без экивоков. Впрочем, и похмелье давало о себе знать: голова была тяжёлая, туманная. Я перечитал своё письмо — и ужаснулся. Вместо исповедания помыслов получился очерк о герое-комсомольце, спасающем совхозные угодья. Я разорвал письмо и набросал сравнительно короткую записку, на одном тетрадном развороте, в которой о пожаре не было ни слова, ни намёка. Надо будет — Артемий поймёт. А если не поймёт, то и не надо.

1 апреля 1979 г.
Москва

Ув. ирм. Артемий!

Здравствуйте!

Извините; я долго молчал. Буду с Вами откровенен: я смутился. Чего уж тут греха таить. Но войдите в моё положение. Я оставил адрес для о. Игнатия, а почему-то получил письмо от Вас. Не из Лавры, не из Переделкина, а из какого-то совхоза «Новый мир». Это, мягко говоря, немного странно. Я тогда решил, что не отвечу. Но случились некоторые обстоятельства, которые заставили меня пересмотреть решение. Как минимум попробовать поговорить.

Так вот, я задавал отцу Игнатию один вопрос. Он мне что-то такое ответил, но я так и не могу понять, что именно.

Попробую переспросить у Вас.

Я не так давно крестился, причём крестился сам, по своему решению, и я чувствую, что Бог есть. Он вообще Единственный, Кто есть. Но в церкви мне, чего греха таить, нехорошо. Нет, я не про то, что каждый верит как умеет. Умом я понимаю, для чего она, и таинства признаю, и стараюсь соблюдать каноны. Но в ней — лично мне — неуютно. Я в ней чужой. Все свои, а я отдельно.

И ещё есть у меня проблема, которой я делился с о. Игнатием, и тоже не пойму, ответил он мне или нет. Моя подруга (мы с ней вместе больше года) отнюдь не собирается креститься. И все установления для неё — не установления, а пытка. Она советский человек, ей все эти «сохранить чистоту», «после свадьбы» и прочее — дикость. Мне тоже очень тяжело, я не монах и не собираюсь им становиться, но я-то сам выбрал веру, а она не выбирала. Как быть? Я боюсь её потерять. Свадьбу планирую через год с небольшим, иначе диссертацию не напишу. Или мне рискнуть диссертацией? Или поступиться совестью? Не знаю.

Да, наверное, нужны анкетные данные. Я аспирант на философском факультете. Диссертация будет невинная, про скучных русских любомудров, патентованных зануд, почти как я сам, но зато без Софьи Власьевны, марксизма-ленинизма и т. д. Чем потом займусь, пока не знаю.

С уважением — р. б. Алексей.

Прежде чем сложить записку и запечатать заготовленный конверт, я густо зачеркнул «р. б.».

Зачем я это написал, на что надеялся — не знаю. Мне было наплевать с высокой колокольни, что думает владимирский монах «о дружбе между мальчиком и девочкой». Интересней было, что он скажет о церковном одиночестве. Но тоже — постольку-поскольку. На самом деле я (не признаваясь самому себе) хотел другого. Чтобы этот Артемий прочёл между строк — мой страх, мою боль. Чтобы он меня утешил: ничего, мол, страшного, подумаешь, огонь пошёл на церковь, с кем не бывает.

Я думал, что ответ придёт через неделю. Максимум через две. Но только через месяц вытащил из ящика упитанный конверт с картинкой будущей Олимпиады; на неровно приклеенных марках красовались улыбчивый Ленин и строгий Дзержинский, высохший до состояния мощей.

За окном было холодно, ветрено, как часто бывает на майские праздники, зато квартиру заливало солнце; комнатка моя нагрелась, как зимой, при отоплении, и от этого стала уютной; я щурился как сонный кот и, повторяя про себя отдельные слова, читал миниатюрную машинопись:

2 мая 1979 г.

С/х «Новый мир»

Добрый день,

дорогой «р. б». Алексей. Правильно сделали, что зачеркнули, — если не лежит душа, чего себя неволить? Ч е г о у ж т у т г р е х а т а и т ь. И не смущайтесь тем, что спрашивали Вы в Переделкине, а ответ получили из Нового мира. Новый мир, по Апокалипсису, есть результат всеобщей переделки; тут имеется прямая связь. Будем вас переделывать, «р. б.». Почти шучу.

А вообще письмо у Вас хорошее, так редко задают серьёзные вопросы, у нас тут в основном духовная текучка — а можно ли с мужем попариться в бане, или что ещё похлеще, неудобно даже повторять. Особенно живя в Молдавии, такое приходилось видеть... Ну, например (Вы, с Вашим тонким юмором, оцените): на лице покойника раскладывают блин, а на поминках этим блином потчуют батюшку. Скушай, батюшка, блинчик. Если представитель долгополого сословия откажется — село обидит. Село обидит — настрочат уполномоченному. Настрочат уполномоченному — выведут за штат. А дома матушка и семеро по лавкам; матушка возьмёт сковороду и, не щадя живота своего, оприходует батюшку. Вот тебе гордыня, вот тебе брезгливость, вот тебе требы!

Поэтому деваться некуда. Батюшка сидит и давится, но жрёт.

Так что понимаю Вас, Алексей! Понимаю — и не одобряю в целом. Да и в частностях, ч е г о г р е х а т а и т ь, не одобряю.

Вы, должно быть, после этого опять не станете писать, но обманывать ни Вас и ни себя не собираюсь. Обман не входит, так сказать, в мои творческие планы.

Не стану приводить цитаты из Отцов, давать приличествующие ссылки на Учителей, Вам ведь это безразлично, верно? Скажу от себя, по-простому. Так сказать, на основе молдавского опыта. (Хотя и это Вам, возможно, безразлично, но что делать, что делать.)

Итак.

Предположим, Вы, Алексей, влюбились. Так влюбились, что жить друг без друга не можете. Помните, как в кинофильме «Мимино»? Такую личную неприязнь испытываю к потерпевшему, что кушать не могу. А здесь наоборот. Так люблю, что не могу не кушать. Но вот беда! Она — из далёкого города и переехать к Вам никак не может. Мама болеет, брат первоклассник, всякое такое прочее. Тогда Вы принимаете решение, что перебираетесь к ней.

Сказано — сделано. Городок симпатичный, уютный, деревянные такие домики с наличниками, кучерявый палисадник, вишни-яблони цветут, всё бело-розовое, медвяный дух. Но всё не так, как Вы привыкли. Вы обычно спите до восьми, а тут поднимаются в пять сорок пять. Вы до полуночи читаете Апостол, а здесь отрубаются в десять. Говорят на смешном диалекте. Гэкают. Окают. Акают. И вообще какие-то они другие. А печку надо подтапливать часа в четыре, до рассвета; не подтопишь, будешь утром зубами дробь выбивать.

Вопрос. Что станем делать? Бежать от любимой? Или немножко изменим себя? В первом случае предашь любовь. Во втором помучаешься, да и привыкнешь.

Вы, конечно, догадались — о чём я. Что именно имел в виду. Хотя я Вас отчасти понимаю, но только отчасти — о т ч а с т и! В нашей подсовецкой церкви многое опасно устарело, а кое-что не по уму обновлено. Когда-нибудь, не сразу, а когда появятся у с л о в и я, надо будет в ней что-то менять. Не таинства и не соборные установления! Помилуй Боже! Но опыт управления — пожалуй. Слишком много стало в нас расслабленного, воскового, слишком мало твёрдого, мужского, неразрубаемого, как кремень! Волевого! Решительного! И так мало людей проверенных, прокалённых в огне! Старики, испытанные лагерями, либо медленно стареют, увядают, либо уходят один за другим, а вместо них — кисломолочная какая-то молодёжь...

Пока об этом хватит говорить, когда-нибудь вернёмся к теме — если Вы продолжите со мной общение. А через годы, кто знает, может быть, и Вам будет кое-что суждено. Самому прокалившись — других прокалить.

Теперь про настоящую любовь. Слушайте, ну Вам с ней жить. (Если Бог, разумеется, даст.) Хотя ни от чего не зарекайтесь, даже от монашества, Вы себе не представляете, какие прихотливые бывают ситуации, препоясают, да и пойдёшь, куда не ждал. И если я всё верно понимаю, то Вы не очень сходитесь с людьми. «Свой среди чужих, чужой среди своих». Как в фильме неплохого режиссёра Михалкова. А такое одиночество в миру указывает нам на некоторую предрасположенность... Как минимум к уединению, как максимум к суровой бессемейной жизни.

Как бы то ни было, вы не должны — нет, скажем по-другому! — у Вас нет права ставить своё будущее в зависимость от настоящего. Иначе... не могу придумать, что иначе.

Ну, скажем так.

Это всё равно как запалить весеннюю траву (у нас тут жгут вовсю, к вечеру нечем дышать — наверняка разит горелым от моих листочков). Ну, полюбуетесь на пламя, потешите себя, а потом всё отгорит дотла, ничего не останется... Ещё хуже, если огонь перекинется на чью-нибудь дачу, а то и на церковь, их же часто строили на взгорье у большой воды... Или другое сравнение. Это как напиться до потери пульса, так сказать, до положенья риз. Вроде хорошо и даже весело, но ведь утром придётся проснуться... Думаю, Вы снова поняли сравнение. Сапёр ошибается только однажды. Так что соблюдайте. Во всех смыслах.

И построже, построже! Огонь может спалить, а может глину превратить в гранит!

Если решите ещё написать, то Вы знаете обратный адрес. И на чьё имя отправлять. Пишите о том, что Бог на душу положит. О своих, так сказать, однокашниках, есть ли среди них верующие, можно ли с кем поговорить по душам, имеет ли смысл это делать. Нам, людям Божьего Огня (не путать с пожогом травы... это шутка), надо держаться друг друга. Чего мы слишком часто не делаем, Вы это сами знаете, ч е г о у ж т у т г р е х а т а и т ь.

И отдельно, от руки, внизу страницы:

Всех Вам благ. И храни Вас Господь! —
сердечно —
ирм. А.

Меня бросило в дрожь. Я чувствовал себя студентом на проваленном экзамене. Ну-с, молодой человек, что скажете комиссии по первому вопросу? Не выучили? Переходим ко второму. Отец Артемий написал про сожжённое поле, уцелевшую церковь, похмелье. От кого он это знает и откуда?

На всякий случай я поднёс письмо к лицу. Пахло выветрившимся дымом, отсыревшей плащевой подкладкой, одеколоном «Красная Москва» и пудрой; так пахла мамина хозяйственная сумка. В детстве, когда мама уходила на работу и я оставался один, то засовывал голову в сумку, вдыхая запах сопревшей подкладки, и понимал, что обожаю маму и не хочу, чтоб она старела.

Противореча самому себе (я затем и отправил письмо, чтобы не беседовать с отцом Георгием!), я пошёл на воскресную исповедь. Скорострельно подтвердил грехи («и словом?» — «да!», «и делом?» — «да!», «и помышлением?») и, не дав отцу Георгию взметнуть епитрахиль, подсунул письмо из Владимира.

— Тут, батюшка, такое дело…

Отец Георгий нехотя подвинул крест на аналое, разложил и разгладил листки, забавно подобрал края фелони, нашарил в кармане очки, нацепил их на толстый картофельный нос и стал похож на барина в халате. Вот, ваше вашество, счета, всё ли сходится, изволите опохмелиться? Читая, он слюнявил пальцы, шевелил губами. Дочитав, почтительно сложил тетрадные страницы и осторожно, даже несколько пугливо, возвратил их.

— Шо тут скажешь, Алёша. Кроме как похвалишь одобрением. Молодец! Вижу, что духовно развиваешься. Письма вот какие тебе пишут… добрые. К старцу Игнатию ездил. Похвально. Огненный столп, что тут ещё скажешь, от земли и до неба. Ну, склоняй свою головку, да-да-да. Вот так. Во имя…

Торопливо причастившись и не дожидаясь выноса креста, я чмокнул чёрное распятие при входе и галопом помчался в храм к отцу Илье, к началу поздней. Может быть, хотя бы он сумеет объяснить… Но в этой церкви позднюю служили не всегда, а ранняя уже закончилась. Было безжизненно, пусто, народ разошёлся, только трудовая армия уборщиц молчаливо скоблила и тёрла — кто деловито полз на четвереньках, кто выковыривал огарки из подсвечника, кто маниакально протирал канун.

Я подошёл к свечному ящику, за которым пересчитывала мелочь пожилая женщина.

— А что, отец Илья уже ушёл?

— Отец Илья? Пятнадцать… двадцать… двадцать две… четыре… двадцать пять… Посмотрите, молодой человек, в крестильне… рубль… Там есть комната священников… Три семьдесят. Уф. Записали. Во-он, видите выход во внутренний двор? Идите туда.

Никогда я не был в комнате священников; всё, что касалось поповского быта, было скрыто от меня покровом тайны — и эту тайну почему-то не хотелось разрушать. Однажды я наткнулся на отца Георгия в троллейбусе; тот был в коротких неуклюжих брючках и весёленькой рубашке, под которой телепалось пузо. И стало мне как-то неловко и грустно. Вот и теперь. Рядом с комнатой священников — крестильня. Там, возле старинной купели, до краёв наполненной сияющей водой, я отвечал с замиранием сердца: отрицаешься ли ты от сатаны, отрицаюся, плюю и дую; и теперь я что, войду в захламлённую келью, а там пророческий отец Илья собирает горбушкой остаток желтка на тарелке?

Отец Илья остаток — собирал. Перед ним стоял стакан в железном подстаканнике, из стакана торчала погнутая ложка. На верхней губе подсыхала яичная корка, в небрежной бороде застряли крошки; отец Илья, обвязанный детсадовской салфеткой, потянулся к сахарнице и стал накладывать кусочки рафинада: третий, четвёртый, пятый. На шестом он заметил меня, устыдился, положил кусок обратно в сахарницу.

— Здравствуйте. Мы ведь знакомы? — неуверенно спросил он незваного гостя.

Голос был обычный, здешний, даже вялый, никаких пророческих сверканий.

— Да, вы меня какое-то время назад крестили. Меня зовут Алексей, вы не помните?

— А, точно, точно, — смущённо подтвердил отец Илья; стало понятно — не помнит.

— Мне очень нужен ваш совет.

— Что так? — и отец Илья прихлюпнул чаем.

— Боюсь, что это долгая история.

— Не убили никого? — как-то странно пошутил отец Илья. — Молитву на исход души читать не надо?

— Что вы, честное слово.

— Ну, если долгая история и не убили, то давайте встретимся отдельно. Потому что сейчас я докушаю завтрак и поеду человека отпевать. Далековато, в Монино. Запишите-ка мой телефон, — отец Илья позвякал ложкой и опять осторожно прихлюпнул. Поморщился и всё-таки ещё добавил сахара. — Как ваша фамилия, напомните? Позвоните мне во вторник, посмотрим, что у нас там будет.

Во вторник я набрал продиктованный номер. Раздались простуженные долгие гудки. Ответа не было. Я обождал минуту-две, ещё раз провернул скрипучий диск и вновь не дождался ответа. Пробился только с третьего набора; мне ответили заспанным тоном:

— Да?

— Здравствуйте, отец Илья, я Алексей.

— Очень приятно, Алексей, я вас слушаю, чем я могу быть полезен?

— Вы мне дали номер и велели позвонить во вторник. Сегодня вторник. Я звоню.

— Я велел? Ах, да, наверное. Простите, я неважно что-то себя чувствую сегодня.

— Мне нужно с вами побеседовать… поговорить…

— Да-да, совет… припоминаю. Хорошо, Алексей, приезжайте. Часика в четыре. Или в пять. Найти меня будет непросто, так что запасайтесь терпением…

Священник стал занудливо описывать дорогу. Едете до станции такой-то, там переходите дорогу, слева будут блочные девятиэтажки, за ними рощица, за рощицей бензоколонка, от бензоколонки, только ничего не перепутайте, направо, и ещё четыреста метров, а там…

Под конец отец Илья спросил капризно — и в то же время неожиданно застенчиво:

— Скажите, Алексей, а вам не будет очень трудно… если будет, то не надо… вам не будет трудно привезти мне бутылочку коньяку? Я простужен, у меня давление, мне надо. Предпочтительней грузинского, пять звёздочек, с синей такой этикеткой.

— Хорошо, я привезу, — растерянно ответил я.

— И, если можно, купите газетку с программой. Какой-нибудь «Советский спорт» или, скажем, «Социндустрию». И на всякий случай дайте мне ваш номер.

— Вы, батюшка, готовы записать?

— Ага, диктуйте… восемь-восемь-семь-пятнадцать… а, стало быть, вы в Кунцеве… Я жду.

Но пока я пробивался через алкашей к прилавку, а затем спешил к газетному киоску, что-то в жизни батюшки переменилось. Он неожиданно перезвонил и начал как-то многословно и нечётко бормотать: знаете, Алексей, тут такое дело, вы извините, но сегодня как-то ничего не выйдет, возможно, мне придётся ехать к умирающей, ещё не решено, но вдруг, поэтому давайте попробуем завтра.

— Хорошо, — ответил я, — договорились, завтра значит, завтра. Во сколько?

Назавтра батюшка уехал освящать жилище, в среду он крестил ребёнка на дому, а на службу в воскресенье почему-то не явился. Начало литургии задержали — минут на двадцать или даже полчаса; после небольшой заминки к малому притвору вышел молодой священник и, тяжело волнуясь, начал исповедовать. На вопрос, куда исчез отец Илья, женщина у свечного ящика мне не ответила. Отвела глаза и промолчала.

3.

Постепенно я втянулся в переписку; мне наконец-то стало с кем *поговорить*. Не о бытовом и примитивном, не о любовном и полузапретном, а о том, что затаилось в глубине, и безнадёжно ищет выхода, и не находит. Не всё в записках и развёрнутых посланиях отца Артемия мне было близко, кое-что казалось непонятным и излишним, что-то задевало и царапало, но в целом это было самое *оно*. Как говорится, то, что доктор прописал.

9 мая 1979 г.
Москва

Здравствуйте, батюшка!

Поздравляю с Днем Победы!

Вот Вы мне пишете, что Церковь — это новая семья, в ней придётся просыпаться в шесть и ночью подтапливать печку. Значит, надо приноравливаться. Но какая же они семья, если я не понимаю их, а они меня? Однажды после целования креста меня остановил один из настоящих, верных. Кряжистый мужчина, низкорослый, с твердокаменной улыбкой и круглой пугачёвской стрижкой. То ли бывший армейский, то ли стареющий школьный учитель. Спрашивает:

«Как спасаешься, брат?»

«Спасаюсь», — говорю, а сам думаю, как бы половчей слинять.

«На, — продолжает он, — почитай на досуге».

И протягивает маленькую самодельную книжицу, в голубой тетрадочной обложке, размером в осьмушку. Послушно беру и в метро раскрываю. Это выдержки из сочинений епископа Игнатия Брянчанинова.

Мамочки родные. Получается, что всё грех! Всё! Самостоятельное думание — грех. Неуважение к властям — грех. Отказ от аскетизма — грех. И любовь, конечно, тоже грех. Кажется, единственное, что не грех, — это смерть. И то не всякая, а только «непостыдная», «по правилам»...

Тем не менее я в Церкви. И никуда из неё не уйду. Помните, я Вам рассказывал про встречу с тем полуюродивым, после которой я поехал к старцу в Лавру, а потом и в Переделкино? Вот Вы можете мне объяснить, это что? Случайно случившийся случай? Или некоторое чудо? Или, говоря по-брянчаниновски, «соблазн»?

Вы, кстати, спрашивали, верует ли кто-нибудь ещё в моем окружении? Вы же понимаете, что факультет у нас непростой, кое-кто читает под подушкой метафизиков, но в основном это либо начётчики, либо циники, либо в лучшем случае нормальные марксисты.

Исключение, наверное, одно.

Есть у нас аспирантка, зовут её Анна Насонова. С ней мы как-то раз столкнулись в церкви, но именно столкнулись — нас тут же разнесло, как магниты с одинаковыми полюсами. Она нелюдима, и я нелюдим. Она смотрит волком, и я. Разговоры говорить не получается. Она, несомненно, церковная, на ней, так сказать, родовая печать.

Есть ещё мой любимый учитель (пишу я диссертацию не у него, так получилось, целевое место дали на другую кафедру), Михаил Миронович Сумалей. Крест носит, о церковной службе знает всё и даже больше, но ходит ли в церковь — не знаю, на эти темы говорить не любит. Больше никого не назову.

P.S. Кто вам сказал про сгоревшее поле?!

11 мая 1979 г.
С/х «Новый мир»

Возлюбленный о Господе р. б. Алексей!

Ничего, что я так, по-церковному? Вас это не очень сердит? Вы строгий, Алёша, я вас даже немного боюсь (тоже шутка и тоже простите; у нас сложился интересный стиль беседы — Вы меня подначиваете, я — Вас, сразу видно двух интеллигентов. Но Вы же на это не сердитесь, правда?).

Последняя фраза меня озадачила. Что значит — «вы знали про сгоревшее поле»? Про какое сгоревшее поле? Но какая разница, в конце концов, что там видели, чего не видели, кто был, кто не был, наблюдала местная тётка за Вами, не наблюдала, хотели Вы поджечь траву или не хотели.

Вернёмся к Вашему вопросу, он гораздо важней и весомей. Бог с ней, с претензией к церкви, с маленькой буквы, к земному собранию. Вы ведь крестились недавно? В новом доме всё непривычно, всё задевает. Обживитесь, а потом и посмотрим, что делать.

А теперь про случайность и чудо. Не знаю. Всё могло быть стечением обстоятельств или, как Вы остроумно заметили, случайно случившимся случаем. Могло быть чудом, но таким... обезжиренным, что ли. Чтобы сохранялась возможность сомнения. А то ещё возьмёте и впадёте в прелесть. Знаете, что это такое? Страшная штука. Духовный наркотик. Святитель Игнатий (Брянчанинов) об этом писал. Но всё произошедшее было Божьим о Вас попечением. Это для меня очевидно. Господь Вас отметил, избрал, предназначил. А отметив, избрав, предназначив, позаботился о том, чтобы кто-то Вас повёл по этому пути, пока Вы сами ходить не научитесь.

...Вдруг подумалось: а если он решит, что это я себя хвалю? Ведь я же — на конце образовавшейся цепочки, Вы же в результате всех случайностей общаетесь не с кем-нибудь, а со мной.... Шёл юноша, шёл и наконец пришёл. Здравствуй, юноша, я столп и истина. Послушайте, мой досточтимый Алексей, я же совсем о другом! Во-первых, я не главное звено и тем более не последнее; цепочка, дорогой мой, только-только начинается, и я надеюсь, что Вы в этом сами убедитесь. Во-вторых же, никто не выстраивал схему: странный человек — электричка из Лавры — старец Игнатий. Ни в какой небесной канцелярии её не рисовали. Жизнь Ваша шла как шла, но в конце концов Вы оказались там, где нужно было оказаться — Вам. И нужно — в данную минуту.

Сие и называется — <u>Б о ж е с т в е н н о е   П о п е ч е н и е</u>. Прошу не путать с волей Провидения, о которой мы мало что знаем.

Мы все случайны. А Господь закономерен.

Боюсь, что этот мой ответ Вас совершенно не устроит. Но что тут поделать. Клянусь говорить правду, только правду и ничего, кроме правды. Вы, кстати, знаете, что выражение (приписываемое в некоторых учебниках Диогену Лаэртскому, но на самом деле принадлежащее Хиону) de mortuis aut bene aut nihil в полном виде звучало иначе: о мёртвых либо хорошо, либо ничего, кроме правды?

Ничего, кроме правды.

<u>Д а ж е   о   м ё р т в ы х .</u>

Что уж там о живых.

о. А.

P.S. И я Вас поздравляю с праздником Победы. Помните, как в том многосерийном фильме разведчик Штирлиц — или это был другой герой? не помню — отвечает штурмбанфюреру на тост «За победу»? — «За победу. За н а ш у победу».

Конверт непременно сохраните, потом объясню, для чего это было нужно.

13 мая 1979 г.
Москва

Здравствуйте, отец Артемий!
Хорошо, согласен на правду. Но тогда спрошу иначе: где я оказался в данную минуту?
Конверт сохранил.
С уважением
А. Н.

15 мая 1979 г.
С/х «Новый мир»

Меня тут попросили передать Вам кое-что. Не знаю, к чему и зачем. Может быть, из этого Вам станет чуть яснее, где Вас ждут.

Но чтобы никого не подставлять (надеюсь, Вы прекрасно понимаете, что мы рискуем — и Вы, и я, и тот, кто просил передать), я использую старинные приёмы конспирации, вычитанные в детских книжках о героях революции. Помните, как, будучи в тюрьме, Ульянов-Ленин выминал чернильницу из хлеба, в неё наливал молоко и писал между строк? А когда приходил надзиратель, Владимир Ильич ловко отправлял молочную чернильницу в рот и с аппетитом жевал? Он же всё делал ловко...

Итак, задание. Я думаю, Вы справитесь.

Возьмите конверт от предыдущего письма. Отпарьте марку. Вызубрите наизусть. После чего и конверт, и марку, и это моё письмецо — уничтожьте.

С большевицким приветом
о. А.

Я с неудовольствием подумал: ну что за детский сад. Тем не менее поставил чайник, подержал конверт над паром. Дело было привычное — с детства. Мама, разбирая переписку с иностранными издательствами, приносила пустые конверты: длинные, с красавицей английской королевой, квадратные, с американским флагом; я отпаривал их над кастрюлей, нежно поддевал пинцетом марку и сушил. Потом проглаживал горячим утюгом и прятал в кляссер; все завидовали моей коллекции.

Под нестандартной маркой, в честь юбилея милиции, обнаружилась карандашная записка. Мельчайшим почерком (мама называла такой — иезуитским). Я порылся в мамином столе, достал тяжёлую чёрную лупу, с помощью которой мама разбирала выкройки, и прочитал:

Инструкция

1. Если к Вам приходят с обыском, ведите себя вежливо и твёрдо. Не раздражайте и не раздражайтесь.

2. Постарайтесь молча помолиться: 90-й Псалом, Отче наш, Царю Небесный, Богородичен, Трисвятое, Иисусова мол. (12 раз), Господи, помилуй (40 р.).

3. Попросите предъявить повестку. Читайте повестку внимательно, выполняйте всё, что в ней написано, но отказывайтесь подчиняться устным распоряжениям (напр., ехать в отделение без второй повестки, на допрос), всё время повторяйте «я законопослушный гражданин».

4. Сверяйте опись с книгами или вещами, отобранными у вас для изъятия.

5. Настаивайте на том, что Вы не занимались антисоветской агитацией и пропагандой (ст. 70 Уголовного ко-

декса РСФСР) и распространением заведомо ложных измышлений, порочащих советский строй (ст. 190.1).

6. На допросе отвечайте только на те вопросы, которые указаны в повестке (если Вы привлечены как обвиняемый — вопросы только по статье, если как свидетель — только о том, чьё дело упомянуто в повестке).

7. Непрестанно повторяйте про себя: Да Воскреснет Бог и расточатся врази Его, а сугубо слова прогоняяй бесы силою на тебе пропятаго Господа нашего Иисуса Христа, во ад сшедшаго и поправшаго силу диаволю, и даровавшаго нам тебе Крест Свой Честный на прогнание всякаго супостата.

Всё это было так странно, с такой напускной таинственностью, что я написал раздражённо, о чём впоследствии пожалел.

17 мая 1979 г.
Москва

Ничего не понял. Для чего мне это? И кто Вас просил передать? Отче, умоляю, перестаньте изъясняться экивоками. Пишите прямо, я же не десятиклассница.

20 мая 1979 г.
С/х «Новый мир»

Ладно, постараюсь «в лоб». Нам всем предстоят перемены. И, как представляется, довольно скоро. Какие именно — об этом напишу потом, сейчас ещё рано. С любой точки зрения рано. Просто — живите и помните, как призывает нас некий писатель.

о. А.

4.

Мы сидели рядом с мамой и молчали. Нам было хорошо на сквозняке — молчать и думать. Маме про разложенный пасьянс и олимпийскую Москву, мне про то, что машинисток следует пороть — в каждой строке опечатка. На пузатом холодильнике «Саратов» бурчал трёхпрограммный приёмник — в чёрном пластмассовом корпусе с белой решёткой.

«На соревнованиях по гребле на байдарках и каноэ на олимпийском гребном канале в Крылатском наши олимпийцы получили весь комплект медалей. Одну золотую, две серебряных и бронзовую. Советские спортсмены первые в большом олимпийском зачёте…»

Мама по утрам всегда включала радио, а вечерами — параллельно — телевизор. Она не различала слов; ей нравился спокойный ровный шум, производимый этими приборами; в тишине ей было неуютно. А я презирал рафинадного Паулса, ненавидел Пахмутову с Добронравовым, меня корёжило от бодрых репортажей. Поэтому мы договорились: радио бурчит всегда, но еле слышно.

После олимпийских новостей зазвучал лакированный голос:

> *Птица счастья завтрашнего дня!*
> *Пролетела, крыльями звеня!*
> *Выбери меня, выбери меня,*
> *Птица счастья завтрашнего дня!*

Песня была новой, незатёртой; в ней звучал неподдельный восторг; я почувствовал себя нехорошо. Этот выплеск бодрячкового идиотизма, этот гимн восхищённой бессмыслицы должен был понравиться моим тогдашним современникам — вот и мама с удовольствием прислушалась, замерла с приготовленной картой. А я ренегат и отступник; я не верю прогрессу; я ненавижу этот беззаботный бред.

Сколько в звёздном небе серебра.
Завтра будет лучше, чем вчера.
Лучше, чем вчера, лучше, чем вчера,
Завтра будет лучше, чем вчера.

— Если хочешь, можешь выключать, — внезапно предложила мама.
— Мама! Дай я тебя поцелую.

Телефон зашёлся в падучей. Маме очень хотелось ответить, но она уступила это право мне.
— Котик?
— Муся, погоди секунду.
Мама выпрямила спину, замерла. Я перебрался к себе. Боже, какая же тут душегубка; пот заливает глаза.
— Да, Муся, слушаю.
— Что значит — «Муся, слушаю»? Я же чувствую, что-то не так. Что вчера с тобой произошло? Отвечай мне, пожалуйста, честно.
— Ничего не случилось, я просто...
— Котя, ты кого обманывать решил? Меня? Ведь сначала было хорошо?
— Сначала было.
— И?
— Борька у тебя отличный.
— Да, отличный. И?
— Папа смешной.
— И? Давай уже, рожай.
— Мама молчаливая.

— Да, я характером в папу. Да, красотой в маму. Ты долго будешь увиливать? А? Ты когда целовался, у тебя в одну секунду губы стали деревянные. Я уснуть не могла, ночью тебе позвонила, но Наталья Андреевна сказала, что ты спишь.

— Ночью?! Это даже интересно.

— Неужели не сказала?

— Не сказала.

— Не любит она меня. Ты, кстати, ей журнал отдал?

— Нет ещё. Сейчас договорим, и передам.

— Как мы будем с ней, не понимаю...

— Я тоже многого не понимаю.

— С этого места поподробнее, пожалуйста.

— Слушай, Муся, ну кончай. Ну правда, это не из-за тебя. И не из-за твоих родителей. То есть из-за них, но не совсем.

— То есть?

— То есть после разговора с Виктором Егоровичем я задумался.

— Та-а-ак. И о чём же мы думали?

— О том, что он во многом он прав.

— И какая она, эта правда? Что я вся такая из себя, мне то подавай и это? Котя, ты чего, совсем того? Я же сказала вчера — мне много не нужно.

— Муся, тебе нужно много. Просто ты сама не замечаешь.

— Да что ты знаешь о людях, Ноговицын? Ты книжный червячок, грызёшь в обложке дырочку и смотришь...

— Спасибо, Муся.

— Ты меня не так понял.

— А по-моему, так. Извини, я должен телефон освободить.

— Ну конечно, ты же в телефонной будке, там очередь, тебе в окно стучат.

— Всё, Муся, прости, не могу.

Я рассердился. Не столько на Мусю (ничего особенно обидного она мне не сказала), сколько на себя самого. Это было классовое чувство — острое, как в презираемых со школы книгах, от романа Чернышевского «Что делать» до повести Горького «Мать». Мне не должна была понравиться торговая квартира Мусиного папочки; понравилась. Я должен был испытывать презрение к холёному начальству; не испытывал. Но главное было в другом. Я не имел ни малейшего права стыдиться нашей с мамой нищеты. И, однако, стыдился. И это было настоящее предательство и подлость.

Я попытался снова приступить к работе, даже отыскал какую-то ничтожную ошибку в описании «Вопросов философии», но сосредоточиться уже не смог. Вернулся к себе, стал бессмысленно смотреть в окно. Мальчишки во дворе играли в банку. В центре детской площадки лежал невшибенный кирпич, двойного размера (стащили со стройки). На кирпиче — консервная банка, судя по всему, из-под сгущёнки. Игроки в домашних тренировочных штанах и драных кедах вставали в раскоряку, изгибались — и швыряли палки из обломков клюшек; если попадали, получали право сделать шаг вперёд; промазав, не двигались с места.

— Мам, а мам? — крикнул я.

— Да, сыночка. — Мама вошла виновато; она ждала вопроса о ночном звонке.

— Тебе там Муся журналы попросила передать.

— Какие журналы?

— Про моду, там какие-то выкройки есть. Погоди минутку, я достану.

Мама со священным трепетом взяла разноцветную пачку журналов, как дьякон принимает кадило из рук настоятеля. Присела на мою кровать, перелистала. Долго изучала снимки с худощавыми моделями; развернула выкройки, поводила пальцем по заумным чертежам, напоминающим астрономические карты. Вдруг произнесла задумчиво и ни к кому не обращаясь:

— Смотри-ка, моды возвращаются…

И вдруг замерла, уставившись в точку. Я знал это состояние; ничего страшнее в детстве я не видел. Когда я приносил из школы двойку, мама вспыхивала, тут же мертвенно бледнела, безвольно садилась на стул и бессмысленно смотрела в пустоту. Глаза и щёки становились мокрыми, солёными; я бросался к ней, пытался целовать — не помогало.

— Мам, ну ты чего?

— Нет-нет. Я ничего, — ответила мне мама, а сама беззвучно плакала, не утирая слёз.

— Ты зачем ревёшь?

— Я не реву, я не реву.

И продолжала плакать.

Я не знал, что мне делать, но, к счастью, снова зазвонил телефон.

— Котя, я тебя люблю. Очень-очень.

И Муся повесила трубку.

5.

Мама успокоилась и побежала пылесосить коридор; к часу я покончил с картотекой и туго набил офицерский планшет, подаренный отцом на день рождения. Сунул отксеренное «Новое Средневековье» (Сумалей одолжил на неделю — он был почитателем Бердяева) и молитвенник. Все тексты я знал наизусть, но приятно было раскрывать молитвенник в метро и молиться посреди безбожного пространства, возвышаясь в собственных глазах.

Я уже возился в коридоре, как снова затрезвонил телефон.

Голос был странно знакомый.

— Алё? Это кто?

— Это я. А это — кто?

— А это я.

— Очень приятно, — я ответил насмешливо, но собеседник был катастрофически серьёзен.

— В общем, подъезжай сегодня в три, сгоняю тусу. Кино будем смотреть: вчера мне вернули кассету.

— Чего сгоняю? И какую кассету?

— Тусу, блин горелый, тусу. Мы же договаривались у Сумалея.

— А-а-а, так это ты?

— А кто ещё? — сурово отвечал Никита. — Запоминай: Кутузовский, дом сорок пять. Квартира сто пятнадцать, на десятом. Живём центрее некуда, напротив Бородинской панорамы, через дорогу, так что заблудиться не получится. Только паспорт прихвати, дом на особом режиме.

6.

Кунцево конца семидесятых было не деревней и не городом. Оно плевать хотело на классификации и философские аспекты урбанизма. Это был не посад, не предместье, не лесопарк, не зона отчуждения; настоящее апофатическое место, сгусток отрицающих частиц. Шумные трассы и жирные рощи. Солдатёнковский парк, заболоченный пруд. Огороды вместо палисадников. Машины, вздыбленные на домкраты, как древнегреческие боги на котурнах. Пахло соляркой, мазутом, залитыми свечами. Из кустов шиповника зыркали помойные коты, вдоль цветников расхаживали куры; за ними наблюдал петух в пионерской пилотке.

Это было Кунцево для нищебродов. Но из-за спин приземистых пятиэтажек, как боевая конница из-за пехоты, выступали жёлтые кирпичные дома, в которых жили важные загадочные люди. По утрам за ними приезжали «Волги», чёрные, с кокетливыми шторками. А вечером их подвозили к чистеньким подъездам: пешком пройти четыре метра невозможно, лужи обходить — не барское занятие.

Чуть подальше, в направлении Немчиновки, начиналось царство погребов. На скошенных дверцах, обитых кровельным железом, висели амбарные замки. От картофельных грядок разило дерьмом; с утра до вечера ревел магнитофон: «И ни церковь, ни кабак — ничего не свято! Нет, ребята, всё не так! Всё не так, ребята!..» Здесь мужики пекли по вечерам картошку, посыпая мякоть крупной белой солью, пацаны стреляли у прохожих сигареты, а поддатые фронтовики разбойным свистом поднимали голубей на лёт.

Кутузовский — совсем другое дело. Кутузовский это столица. «Древний город на семи холмах, памятник всемирного значения». Вместо палисадников и цветников — пышные ухоженные клумбы. Строгие официальные гвоздики, белые нарциссы с жёлтыми присосками, алые маки с черными рыльцами. Возле подъездов пустые скамейки; никаких старушек в бязевых платочках, растревоженных мамаш с колясками и пьяных мужиков. Серые, суконные дома начальства.

Вот и сорок пятый дом. Горделивый, давящий, монументальный. Поразила чёткая казарменная чистота подъезда; даже в Мусином бобровском доме было всё попроще, позаношенней. На полу лежал незатёртый палас штабного мышиного цвета, стены были обшиты пластиком, доска объявлений домкома завешена унылыми бумажками. Крупный почерк с военным наклоном. Всем жильцам явиться на общественный субботник... Товарищи! Ближайшее собрание актива... графики дежурства по подъезду, объявляется помывка коридоров, взносы у старшей по дому...

На месте консьержа сидел милицейский курсант: белая парадная рубашка, на предплечье золотая нарукавная нашивка, бодро окантованная алым. На столе фуражка; матово отсвечивает козырёк. Курсант молодой, деревенский, белобрысая стрижка под бобрик, оттопыренные уши-локаторы, густые неопрятные веснушки. Курсант придирчиво проверил паспорт (я невольно вспомнил капитана из Рязани), задал мне дежурные вопросы и, прикусив губу, как первоклассник, старательно переписал мой адрес. Он макал открытое перо в древнюю чернильницу-непроливайку; старое перо царапало бумагу, чёрным фейерверком разлетались брызги.

Лифт был после капитального ремонта, новенький; сверкающее зеркало в человеческий рост, лакированная жёлтая скамейка — чтобы жители не уставали. Я вышел на десятом этаже и в недоумении остановился. Внутри просторной лестничной клетки были только две двери, друг напротив друга, одинаково прострочённые леской; на обеих самодельный номер из латуни — 115. Двери-призраки. Двери-близнецы.

Я позвонил наугад. Звонок был неуступчивый, сердитый. Но никто мне открывать не собирался.

Неожиданно из-за спины раздался голос:

— Добро пожаловать, товарищи шпиёны. Вас прислали подслушивать, а вы стали подглядывать?

Это был Никита в индийской цветастой рубахе навыпуск и узких линялых штанах. Он безразлично ухмылялся, не выказывая ни радости, ни раздражения; ну, привет, пришёл, и ладно:

— Извини, старик, не сразу разобрал, откуда звонят. Вон тапочки, вот вешалка, закроешь сам. Мы в соседнем отсеке, проходишь насквозь, и налево.

Не снисходя до объяснений, Никита растворился в глубине таинственной квартиры.

7.

Изнутри входная дверь была обита жестью; к металлическому косяку был припаян толстый стержень из легированной стали, а к нему приделаны средневековые засовы, похожие на лезвия мечей. Из могучих накладных замков выпирали острые ключи, длинные, как пики матадора. Чтобы засовы попали в пазы, нужно было поворачивать ключи одновременно, обеими руками. Интересно, кто родители Никиты? На торгашей и дипломатов не похоже.

Коридор был узкий и прямой, в торце мерцало разноцветное окно из ромбовидных стёкол. Синие, красные, жёлтые блики ложились на бледные стены. По пути я заглянул в одну из комнат: над бильярдным столом нависал просторный абажур, к стенам были приставлены кии. Заглянул в другую: обнаружил что-то вроде кабинета с тёмно-зелёным кожаным диваном. На столе, развёрнутом лицом ко входу, стояли массивный письменный прибор из малахита, бюстик Ленина слоновой кости и яичный телефон с латунным гербом на пластмассовом диске. Вздорно тикали старинные часы. На одной стене висела розовая карта, утыканная мелкими флажками; другую закрывал ковёр ручной работы, увешанный саблями в ножнах, адмиральскими кортиками и ятаганами.

Значит, всё-таки отец Никиты из военных. Я представил плотного хозяина в парадной форме: круглый маслянистый подбородок с глубокой ямочкой, бугристая кожа, мохнатые брови; подчинённые сидят на краешке дивана и покорно ожидают поручений. Не хватает подстаканника и сушек…

В стене, когда-то разделявшей две квартиры, был пробит аккуратный проход; он вёл в просторную столовую. Огромное окно перекрывал гигантский фикус, к стене тяжело привалился дубовый буфет; длинный стол был наглухо застелен скатертью. Сумрачно темнело серебро приборов, возле тарелок с невнятным рисунком стояли помутневшие от старости бокалы, словно кто-то собирался принимать гостей, но гости почему-то не пришли, а посуду убирать не стали.

Пройдя столовую насквозь, я оказался в новом коридоре. Из-за дальней двери доносились сдавленные голоса: народ гужевался в гостиной. Я вошёл, произнёс в никуда:

— Всем привет.

— Привет, — безучастно ответили мне ниоткуда.

Я огляделся. Обстановка была дорогой — и унылой; румынская светлая стенка, толстый цветной телевизор, кресла, обитые мещанским плюшем, диван. В центре комнаты стояли сервировочные столики, на деревянных разделочных досках горками лежали маленькие бутербродцы, а из модной сумки-холодильника дулами торчали горлышки бутылок.

Народ был разношёрстный, непонятный — девушки с распущенными волосами и пёстренькими фенечками на запястьях, парень в кожаных штанах и приталенной чёрной рубашке, здесь же был приземистый Максуд. Никита наспех всех перезнакомил: «Максуда ты знаешь, а это Саша Кругозянский, Толик Щипкович, Витя Малецкий, Гуля Кудимова, Серёжа Лобков, Юра Боярский и Вита… Вита, как твоя фамилия? Каменских. А это Ноговицын, с философского».

Все ещё раз посмотрели на меня и отвернулись. Ладно, я же не знакомиться пришёл. А вообще не нужно было умничать тогда у Сумалея, ах, Михаил Миронович, Олимпиада, ах, война; сидел бы под лампой с зелёным плафоном или конспектировал Флоровского в спецхране. Вместо этого приходится смотреть в окно и подслушивать чужие разговоры. Малецкий, гудевший, как шмель над ромашкой, развлекал Кудимову рассказами о тайнах Кастанеды, та разглядывала малиновые ногти и кивала… Кругозянский и Щипкович щебетали о духовном.

От нечего делать я тяпнул прохладной «Посольской», похрустел солёным огурцом (достойный огурец, наверняка с Дорогомиловского рынка), потыкал кнопочки японского магнитофона; магнитофон показал мне язык и выплюнул прозрачную кассету. На подоконнике лежал фотоаппарат, неправдоподобно маленький, размером с зажигалку; я нажал на что-то непонятное, середина корпуса раздвинулась, из неё блестящим клювом выглянул миниатюрный объектив.

Между окнами висел начальственный портрет; на портрете был изображён мужчина в генеральской форме, с огромной звездой на погонах. Мужчина был наглухо выбрит, выражение лица высокомерное, но взгляд мелкотравчатый, хитрый, а улыбка угодливая. Значит, папа у нас из милиции. Ясно.

Никита подошёл и пояснил:

— Папахен мой. Да, он заместитель министра. Да, мильтон. Ну и что? Он в мои дела не лезет.

— А не нагрянет поперёк просмотра?

— Ты чо? У него сейчас колхозная страда, битва за сбор урожая. — Заметив мой недоумённый взгляд, Никита пояснил: — Ну как тебе сказать, пятачок? В стране Олимпийские игры, милиция на круглосуточном дежурстве, он из министерства не выходит. Мамахен, как ей полагается, на даче, жопой кверху, огурчики ибн помидорчики, лучок-чесночок. Так что спокуха. Подтянется ещё одна девчонка, и начнём. Если хочешь, посмотри пока коллекцию значков — она в соседней комнате. А не хочешь, книжки полистай. Полистай-полистай, говорю. Не побрезгуй.

На лице его мелькнула та же безразличная ухмылка; то ли просто пошутил, то ли подколол, то ли правду сказал. Я взглянул на шкаф, заставленный синим Лениным, коричневым Марксом, бесконечным рядом красных стенограмм партийных съездов и зелёно-белым брежневским собранием докладов.

— Ковырни-ка Леонида Ильича. За ним литература второго ряда.

За Брежневым я обнаружил подзапретный «Вестник РХД», сборники Ивана Ильина и боевой комплект журнала «Грани».

8.

В соседней комнате было темно. Шторы были задёрнуты наглухо; из потолка мышиными хвостами торчали срезанные провода. Но зато везде стояли лампы: на столе, на шкафу, на полу, почему-то даже на диване. Одна старорежимная, на бронзовой подставке, плоский абажур как тюбетейка. Две зелёные, в ленинском стиле, с вытянутым верхом и покатыми боками. Розовый девичий ночничок. По углам, как фонари в траве, расставлены гигантские светильники, белые, с жёлтым отливом... Я зажёг все эти лампы; неживая комната преобразилась, превратилась в театральные подмостки. Третий звонок прозвенел. Осветитель проверяет фильтры, медленным лучом ощупывает сцену, зрители покашливают, шуршат целлофаном, скрипят неудобными креслами, ещё секунда, и поднимут занавес... «На меня наставлен сумрак ночи тысячью биноклей на оси...»

На узком столе, словно бы растянутом в длину, рядком лежали аккуратные альбомы. Я открыл один — и отшатнулся. К листам, обшитым поролоном, были подколоты нацистские значки — со сбитыми и рваными краями. Эмаль потрескалась, померкла. Одноглавый орёл, авангардная свастика, угрожающе скрещённые клинки, меч повернут рукояткой вниз... Я в испуге отодвинул папку, взял другую и увидел тёмные железные кресты. Бог ты мой. Час от часу не легче.

В комнату зашёл Никита.

— Что, заценил?

— Откуда это у тебя?

— Это не у меня. Папахен собирает с детства, видишь, целую коллекцию насобирал.

— Ни хрена себе насобирал. Не боитесь, что зажопят?

— Кого? Папахена? Да ну что ты, в самом деле! Мой папахен сам кого хочешь зажопит. Помнишь, в том кино? «Кто его посадит, он же памятник!» Погоди, тут кое-что имеется поинтереснее.

Никита вынул из стола холщовый солдатский кисет.

— Тихие радости Чуйской долины. Будешь?

— Радости чего? — не понял я. — И при чём тут Чуйская долина?

— Будешь травку, дурачок, киргизскую? Ты вообще откуда родом?

— Из Москвы.

— А-а-а. Повезло. Чистенькие девочки, вежливые мальчики. А я, так сказать, лимита. Папахен в Ташкенте служил, там не захочешь — закуришь. Но в Москве киргизская дешевле. Подходишь к поезду Фрунзе–Москва, суёшь проводнику пятёрку — тут тебе и рай, и ад, и всё, что хочешь. Так будешь или нет?

— Или нет.

— Как знаешь, как знаешь. Вольному воля, спасённому рай, а попытка — не пытка.

Никита взял прямоугольную коробочку с круглым отверстием в центре — наподобие точилки для карандашей. Разгладил пальцем осьмушку папиросной бумаги, пристроил в машинку, кинул щепоть из кисета, медным стерженьком примял, ловко провернул и вынул свежескатанную папироску. Щёлкнул дорогой зажигалкой; по комнате распространился запах мёда и хвои. Затянулся, театрально закатил глаза и, обождав, пока слегка ударит в голову, открыл с полупоклоном шкаф.

— Прошу вас, сударь!

На полках рядами лежали немецкие каски, полевые тёмные бинокли и зелёные промявшиеся фляги; стопки потёртых погон и шевронов были перетянуты резинками. А с верхнего ряда смотрели пустые глазницы.

— Это что ещё такое?

— Это, так сказать, обменный фонд. За каску — два бронзовых знака, за бинокль в хорошем состоянии — серебряный значок штурмовика.

— Я про черепа.

— А, черепа. А что тут непонятного? Это то, на чём носили каски. Тоже историческая память. Пур Йорик, всякое такое.

Мятая цигарка прогорела; Никита плюнул на ладонь, загасил самокрутку, завернул окурок в тетрадный листок, сунул в нагрудный карман. И скрутил вторую папироску.

9.

Фильм Лени Рифеншталь «Олимпия» меня не впечатлил. Долго, скучно бежали спортсмены, солнце освещало их прекрасные тела, нервно улыбался Гитлер, пылали факелы, скакали лошади, взлетали в воздух прыгуны с шестами. Час. Полтора. Два. Под конец я вовсе заскучал.

Вдруг раздался двойной перекрёстный звонок. Звонили сразу в обе двери, сквозным проникающим звуком. Тут же взвизгнул жёлтый телефон; Никита коршуном метнулся к трубке:

— Слушаю. Квартира генерал-полковника Дуганкова.

Что-то ему прошипели в ответ. Никита вскинулся, раздёрнул занавески, распахнул окно (уже начинало смеркаться) и с размаху вышвырнул кассету. Рысью смотался в соседнюю комнату, вернулся с папиным кисетом и машинкой для закрутки папирос. Завернул в пергаментную ломкую бумагу и тоже выкинул в окно. В двери стали молотить ногами. Никита кинулся в коридор, но что-то вспомнил, снова подлетел к окну, вынул окурок в тетрадном листочке, смял пыжом и выбросил наружу. Всё это молча, не теряя времени на объяснения.

Тут послышался бритвенный визг заведённой болгарки. Никита захлопнул окно и помчался на выход. Гости замерли, оторопев; никто не проронил ни звука. Я перемог себя и вышел в коридор. В квартиру вваливались мужики — крупные, крепкие, в штатском. За ними трусливо вошёл участковый, жирный, низкорослый, плохо пахнущий, в парадной белой форме.

Участковый, вытянувшись в струнку, доложил Никите:

— Товарищ Дуганков, ознакомьтесь, вот постановление. — И беззвучно добавил: — Это не мы.

Один из мужиков, в роскошных клёшах и ковбойке, ущипнул его за мягкое, желеобразное предплечье; милиционер ойкнул.

— Не суетись, старлей! Никита Вельевич доложит папе, что это мы. Папа ругаться не будет. Правда же, Никита Вельевич?

— А вы, собственно, кто? — Никита делал вид, что говорит уверенно.

— Мы, это, собственно, мы, — ответил штатский, и, напоказ улыбнувшись, добавил: — О, запашок характерный… Чу́дно, чу́дно, папе будет приятно узнать.

И неожиданно смахнул с лица улыбку; без неё лицо как будто стёрлось, стало никаким. Холодноватые бесцветные глаза, резкие скулы, губы ниточкой, кончики загнуты вниз. То ли слесарь высшего разряда, то ли неудачник-инженер, то ли бывший военный, досрочно ушедший на пенсию, то ли постаревший паренёк из подворотни, «эй, закурить не найдётся».

— Вы же умный человек, Никита Вельевич. Вы же сразу поняли, откуда мы. И курсант вам доложил наверняка. Ведь позвонил? А? Позвонил? Ничего, мы не будем сердиться. Ему по должности положено. Ну что, Никита Вельевич, давайте будем представляться.

Оперативник развернул удостоверение. Никита посмотрел внимательно и промолчал.

— Да, мы *оттуда*. Вы молчите, потому что рады? А сами хотите сказать: милости просим? Я правильно понял ваше молчание, Никита Вельевич?

— Я должен сделать звонок, — колючим голосом ответил Дуганков.

— Ты же ж моя лапонька, американских фильмов насмотрелся. «У вас есть право на звонок адвокату». Но ведь вы, Никита Вельевич, не адвокату позвонить решили, правда? Вы хотите папочку побеспокоить? Не советую. То есть сейчас я просто не позволю вам звонить. Проничев, выдерните вилку телефона из розетки; здесь, надеюсь, как в лучших домах

Лондо́на, телефон не просто вделан в стену? Так вот. А потом, когда мы закончим, вам расхочется ему звонить. Наоборот, захочется забиться под кровать, чтобы никто ничего не узнал. Не исключаю, что никто и не узнает. Но увидим. Так мы пройдем, Никита Вельевич?

— Проходите, — отвечал им обезволенный Никита.

— Вот спасибочки, вот ублажили. Понятых мы привели с собой, не возражаете, Никита Вельевич? Этаж у вас последний, на чердаке понятых не бывает, а под вами… сами знаете, кто ваш сосед, для чего заслуженных товарищей тревожить? Я правильно рассуждаю, Никита Вельевич? Вот, кстати, наши понятые, познакомьтесь, Иван Иванович Иванов, Пётр Петрович Петров, прошу любить и жаловать.

Понятые были тоже — стёртые, бесцветные, среднего роста, среднего возраста, средней внешности. Встретишь завтра в магазине — не узнаешь.

— Вольно. Можете пока на кухне покурить, — позволил пижон. — На той из двух, которая понравится. — И, просияв краткосрочной улыбкой, добавил: — Бога-а-ато живете, кучеряво живете, страна уважает родную милицию. Да, Никита Вельевич, согласны? Уважает? Так, — обратился он ко мне. — А это у нас что такое? Вас, товарищ, кто сюда позвал? Никто? Пройдите в комнату.

Я вернулся в гостиную. Компания сидела, вжавшись в стулья. Ну, что там, как? Я пожал плечами.

Старший появился через несколько минут.

— Здравия желаю, товарищи хиппи. Разговаривать вам запрещается, поэтому сидите тихо, достигайте просветления, если что, вопросы задавайте Анатолию Сергеевичу, он тут с вами посидит, я полагаю, вы не против? Не слышу, говорите громче. Хорошо. Проходите, Анатолий Сергеевич, располагайтесь поудобней.

И пропустил вперёд очередного стёртого сотрудника.

10.

Среди моих друзей, коллег, учителей не было ни уголовников, ни диссидентов; моё семейство проскочило мимо катастроф и пертурбаций, в лагерь никто не попал; дед со смехом называл свою семью «отряд беспозвоночных». Мне никто не мог рассказывать про обыски, допросы, приговоры; у меня имелись самые смутные представления о том, как это происходит. Но не было распахнутых шкафов, вываленных простыней и картинно разбросанных книжек; не было угроз, намёков на посадку; ничего такого, с чем ассоциировалось слов «обыск».

Для начала долговязые открыли окна и по очереди высунулись вниз. Выдвинули ящики стола, распахнули створки шкафа, но после беглого осмотра всё закрыли. Книжки изучать не стали, о существовании второго ряда — не узнали. Задержались только возле этажерки с видеокассетами. Работали слаженно, быстро. Один крутил в руках кассету, другой записывал её название в общую тетрадку за 14 копеек, после чего кассету ставили на место. Отвернули край ковра — скорее для порядку. Отобрали у нас документы, данные перенесли в тетрадь.

Через полчаса в гостиную вошёл Никита с огромной картонной коробкой, крест-накрест перевязанной бечёвкой. Никита осторожно сел на краешек дивана, поставил коробку на колени и обхватил её обеими руками, как приезжий обнимает свой баул. Он уже не заикался о звонке папахену, вид у него был ошарашенный и жалкий.

— Ну что, присели на дорожку? — добродушно пошутил пижон в роскошных клёшах. — Всё, поднимаемся, идём на выход.

Нас вывели на лестничную клетку. Повторно просмотрели документы, с девушками пошутили, улыбнулись — и почему-то отпустили восвояси. Освободили также парня в чёрных кожаных штанах; старший даже извинился: обознались, товарищ Лобков, папе пламенный привет и наилучшие пожелания. Парень ухмыльнулся; казалось, ничего другого он не ожидал.

Нас, оставшихся, построили в шеренгу и повели по лестнице гуськом; курсант вскочил и вслепую нашарил фуражку. Нацепил, отровнял козырёк — всё это не сводя с Никиты глаз. «Вольно», — с издёвкой скомандовал главный. Нас окружили кольцом и неторопливо, как бы даже неохотно повели — к переходу на другую сторону, а там от Бородинской панорамы — во дворы.

Киевское районное управление КГБ располагалось на первом этаже жилого дома. Нас рассадили по отдельным кабинетам; я оказался в комнате с двумя дешёвыми столами и кургузым сейфом со следами сварки; дешёвая паршивая машинка («Ятрань» по прозвищу «Я дрянь») стояла наготове, в неё был закручен жёлтый лист. То и дело входили какие-то мутные люди, что-то клали на стол, что-то забирали, но допрос никак не начинался. И обвинений мне не предъявляли.

Кабинет, в котором я сидел уже четвёртый час, был сумрачным и затрапезным. Стулья были из прессованной фанеры; на стенах бугрилась невнятная краска, по полу змеилась старая ковровая дорожка. Пахло пережаренной котлетой, кислым супом. Подоконники были забиты горшками, из которых нагло пёрла деревенская герань. Стыдливо, как будто стесняясь соседства, синели фиалки. На стеклянных банках восседали толстозадые луковицы, а под чугунной батареей пряталось блюдце с курчавым овсом; значит, имеются кошки.

Концы не желали сходиться с концами. Предположим, что Никита был под наблюдением. Или кто-то стукнул, что ему вернули запрещённую кассету. Но если *эти* пришли по наводке, почему они так откровенно халтурили? Почему не потрошили книги, не просматривали документы? И разве можно просто так вломиться к сыну замминистра, даже если *папахен* сидит на дежурстве? И чем всё это мне грозит? Настоящей уголовкой или строгим выговором? Допустят меня до защиты или теперь неизбежная армия?

И чем дольше я сидел, тем сильнее боялся. Страх был безотчётным и бесформенным; по телу мелко пробегала дрожь. Я пытался повторять Иисусову молитву и «Да воскреснет Бог и расточатся врази его». Но слова прокручивались в голове, как буддийская молитвенная машинка, плавно, приятно, бесцельно.

И тут я вспомнил, что меня предупреждали. Как раз об этом. О том, что случится сегодня. И объяснили, как себя вести. Тогда я этого не осознал и отмахнулся. А теперь всё стало на свои места. Я буду следовать *инструкции*, я знаю, как мне действовать — спокойно.

11.

Хозяин кабинета появился в двадцать два пятнадцать. Это был молодой подполковник, лет сорока с небольшим, плотный, высокий, холёный, в безупречно отглаженной форме. В отличие от стёртых, проводивших обыск, этот был избыточно заметным — слишком широкие плечи, слишком маленькая голова, на макушке осторожная залысина. И большие чёрные глаза, влажные, как у стареющей актрисы. Со мною он не поздоровался, даже в сторону мою не посмотрел. Положил на край стола разбитую кассету, злополучный солдатский кисет и окурок. Повесил мундир на удобные плечики, носовым платком смахнул невидимую пыль с поверхности стола и занялся какими-то бумагами. Никуда не торопясь, хотя за окнами уже сгущалась темнота.

Прошло пятнадцать минут, полчаса. Хозяин кабинета соизволил оторваться от бумажек. В его взгляде не было ни раздражения, ни злобы, ни сочувствия, ни простого человеческого интереса; так инженер разглядывает чертежи, с которыми он должен будет разобраться.

Выдержав внушительную паузу, подполковник подчёркнуто тихо представился:

— Здравствуйте, товарищ Ноговицын. Моя фамилия Сергеев, я тут заместителем начальника работаю. — Я был поражён его писклявым голосом. — Назовите ваши фамилию, имя, отчество, год и место рождения, место жительства согласно прописке. Ну, и где работаете-учитесь, разумеется.

Последние слова Сергеев произнёс с нажимом, как бы намекая на возможную угрозу. Но страх во мне уже перекипел; я ответил почти с удовольствием. Вежливо и твёрдо, как меня учили. Что угодно, лишь бы наступила ясность.

— Фамилию мою вы только что назвали. А зовут меня Алексеем Арнольдовичем, 1955 года рождения, русский, москвич, член ВЛКСМ, аспирант.

Всё так же никуда не торопясь, подполковник записал мои ответы; колпачок дешёвой шариковой ручки был изгрызен до пластмассовой мочалы, а чёрная паста — текла. Поставив точку, подполковник капнул ацетоном на салфетку и протёр испачканные пальцы. Другим концом салфетки промокнул бумагу. И поменял тональность разговора. В голосе его теперь звучало мелкое ехидство:

— Значит, Алексей Арнольдович? И смуглый… А в паспорте написано — вы русский.

Я ответил как можно спокойней:

— Я русский. Загорел в стройотряде.

— Даже не стану с вами дискутировать, вам, конечно, виднее, — ещё язвительней продолжил подполковник. — Хотя, по-моему, Арнольдович звучит немного странно. Но хорошо. Сталбыть, философский факультет. Соли-и-идно…

Он прищурился и стал похож на подлого отличника, который за спиной учителя передирает сочинение.

— А факультет вам чем не угодил? — поинтересовался я.

Подполковник насмешливо пискнул:

— Философия как раз нам угодила, очинно полезная наука. Но время позднее, давайте перейдём к волнующей нас обоих теме.

— Я готов.

— Все мы были пионерами, всегда готовы. Итак. Что вы делали в квартире генерала Дуганкова В.В.?

— Я не знаю никакого Дуганкова В.В. Я заехал в гости к Никите Дуганкову, знакомому. — Я старался соблюдать дистанцию — и не заступать определённую черту; твёрдость и вежливость, вежливость и твёрдость.

— Не знаете. Опять же, верю. И возвращаюсь к первой части поставленного мной вопроса.

— Что делал? Просто заглянул. Давно не виделись.

Собеседник радостно всплеснул руками (получилось! враг повёлся!) и снова стал поддразнивать писклявым голоском:

— Как говорил один киногерой, значицца так, значицца так. Не умеете вы врать, Алексей Арнольдович. Потому что друг ваш, Дуганков Н.В., сообщил, где же это у меня записано, а, вот, что познакомились вы с ним два дня назад, у Сумалея М.М., на улице Гончарной, дом 26. Какое же — давно не виделись?

А вот этого я не ожидал. И произнёс бессмысленную фразу — лишь бы снова не начать бояться:

— Давно — понятие растяжимое.

— Да-да, конечно, вы философ. И о чём у вас был разговор? Что между вами общего? Не понимаю. Он обычный технарь, вы философ. Мне кажется, вам не о чем дружить?

— Никита Вельевич увлекается гуманитарными науками.

— Нам даже известно какими. — Почуяв некоторую неуверенность, Сергеев решил натянуть поводок. — В основном фашистской нечистью. Могу имена перечислить. Не надо? Воля ваша, как скажете. Но я хотел бы уточнить, на всякий случай. Может быть, и вы, Алексей Арнольдович, увлечены символикой немецкого нацизма?

— Нет, я законопослушный гражданин.

— О, вы ещё скажите, что не занимались антисоветской агитацией и пропагандой. Да, и обязательно добавьте, что не клеветали на советский строй, сто девяностая прим, — подмигнул подполковник. — Вижу, вы готовились, читали катехизисы советских диссидентов, кто же это, интересно, вас снабжает?

У меня мелко задрожали руки, но Сергеев притворился, будто не заметил.

— Хорошо. А чем же увлекаются другие гости Дуганкова?

— Других я не знаю.

— Неужто? И Кемаля М.Ю.?

— Какого Кемаля М.Ю.?

— Максуда Юсифовича.

— Максуда я знаю. Но плохо. Встречались до этого только один раз, да и то мельком.

— На Гончарной? Конечно, на Гончарной, где ж ещё! Вот видите, подумали как следует — и вспомнили. — Писклявый голос ввинчивался в уши, острым крючком распускался внутри, не вытянешь и не сорвёшься. — А вам известно, что Максуд Юсифович распространяет подрывную мусульманскую литературу? Под-рыв-ну-ю?

— Нет. Неизвестно, — я ответил вежливо и твёрдо и скорей почувствовал, чем осознал, что перехватываю инициативу. — Но ведь вам должно всё это нравиться? В отличие от мистики. Тем более, как вы изволите выражаться, нацистской.

— С какой же это стати? — опешил Сергеев.

— Как же. Арабы враги сионизма, а враг врага — идеальный союзник.

— Эк вы повернули, ловко. Ловко. Похвально. Даже не буду с вами дискутировать, вам должно быть виднее, — подполковник повторил своё любимое присловье. — Готов допустить, что с Максудом Юсифовичем вы не особенно общались. Но, может, что-нибудь сами припомните, полезное для нас?

12.

Несколько минут мы препирались, как бы перетягивая поводок. То я переходил в атаку: разве в гости к Дуганкову ходить запрещено? То подполковник становился злей и энергичней: в гости можно, в гости хорошо, но незаконные просмотры кинофильмов — плохо.

— А с чего вы взяли, что я смотрел кино? Я сидел в соседней комнате и ничего не видел.

— Предположим, — возразил Сергеев. — А как тогда насчёт коллекции значков? Которые вот в этих папках?

— Фалеристикой не увлекаюсь.

— И черепа не видели?

— Не видел.

— Интересно.

И вдруг — к вопросу о случайности в истории — гладкое лицо Сергеева комично сморщилось, и он чихнул. Звонко, беззаботно, как младенец.

— Изви... — начал было он, но тут лицо его скукожилось, и он чихнул опять. — Мать честная, что ж это... Пчхи! Пчхи!

Выдернув из заднего кармана брюк батистовый дамский платок, подполковник выбежал из кабинета. Из коридора доносилось: чхи... чхи... чхи. Вернулся он минуты через три, красный, со слезящимися глазами, громко высморкался и пожаловался:

— С детства, как начну — и не могу остановиться, сорок три раза, не больше, не меньше.

И страх отступил окончательно. Стало даже весело, как в детстве; летишь на лыжах под уклон, сердце больно стукается в грудную клетку, ужас сменяется счастьем!

В дверь подобострастно постучали.

— Товарищ подполковник, мы закончили, — молодым послушным голосом сказал вошедший; я сидел ко входу спиной и лица не увидел.

— Добро, товарищ стажёр. А стулья и столы из второй в четвёртую перенесли?

— Нет, товарищ подполковник. Виноват.

— Ну что же за ёбтвоюмать? Прошу прощения, что приходится ругаться матом.

— Сейчас перенесём. Остальных отпускаем?

— Валяй. Или нет, одного придержи. Мы с товарищем философом сейчас закончим, и они вдвоём займутся важным общественно-полезным делом.

— Есть отпускать — не отпускать!

Голос показался мне знакомым. Я оглянулся и заметил перекачанную спину в белой маечке. Что за наваждение такое.

13.

Я решил перейти в наступление. Потому что если найдены наркотики и запрещённое нацистское кино, нас обязаны арестовать. Как минимум Никиту. Но Сергеев сказал — отпустить... И девчонок тоже отпустили. И Лобкова. И никаких подписок и повесток...

— Послушайте, товарищ подполковник, я же не слепой. Вам же не нужен допрос. Вы мне можете прямо сказать, чего вы от меня хотите? А я прямо вам отвечу, смогу — не смогу.

— Вы, Алексей Арнольдович, неглупый человек. Честное слово, неглупый. — Сергеев, казалось, обрадовался. — Знаете что? Давайте поиграем в угадайку, есть такая телепередача. Не видели? Ну вы даёте. Хорошо, а на бильярде вы играть умеете? Представьте поле, в центре кучно шары, — и Сергеев начал рисовать бильярдный стол, на нем шары, стрелочка туда, стрелочка сюда, — а тот, который загоняем в лунку, тот прикрыт. Я понятно объясняю?

— В целом да.

— Уточняю: бьём в один удар, второго шанса нет, промазали — игра окончена.

— И?

— Что и? Что и? Это называется игра от борта. Вы подумайте сами. В чьей квартире вы были. Чьи там черепа и медали.

— Никиты Вельевича?

— Алексей Арнольдович, я огорчён. Это версия нам не подходит. Вот сюда нам надо, вот сюда, — Сергеев пропорол бумагу стержнем, и я внезапно понял, что подполковник чертит на оборотной стороне протокола. Промелькнула смутная догадка.

— Товарищ подполковник. Я не знаю, в чьей квартире был, то есть на кого она записана. Но протокол вы почему-то закалякали. Правильно я понимаю, что вы его на самом деле не вели? Позвольте узнать — почему?

Подполковник взглянул на меня с одобрением.

— Не вёл, не вёл, святая правда. Наблюдательный вы человек. Что, значит, совсем не боитесь?

— Я как-то вроде отбоялся. Когда привели сюда, трясся от страха. А потом как будто бы пересидел. Не умею объяснить. В общем, вы какой-то момент упустили, а сейчас уже поздно.

— Наверное, оно и правильно, — подполковник разорвал линованный листок и выбросил в мусорку. — В общем, всё мне, к сожалению, понятно, разговор окончен. Вы не сомневайтесь, Ноговицын. Мы бы вас дожали, если бы была поставлена задача. Но такой задачи перед нами не поставлено.

— А какая поставлена?

— Это уж, пардон, не ваше дело. Какая надо, такая и есть. Вот, кстати, ваши запретные книжки, и больше не носите их с собой.

Сергеев вытащил из ящика стола Бердяева, тетрадь с конспектами и рукописный молитвенник. Сдвинул на край, показал глазами — забирайте.

Я на секунду снова испугался: что если меня проверяли на вшивость, а настоящий ужас только впереди. Вспомнилась июньская программа «Время» и священник Дудко в идиотском костюме… Но Сергеев спокойно произнёс:

— Кстати, у Бердяева мне больше нравится про русский коммунизм, но и про пути истории неплохо. А про это… — Подполковник толстым ногтем постучал по обложке молитвенника… — Про это очень сложный разговор. Отдельный. Но не сегодня. Может, смените гнев на милость, встретимся, чайку попьём, поговорим? Нет? Не хотите? А зря. Тут намечается важная тема.

— Какая же тема?

— Такая. У нас коготки затупились. Мы их, конечно, покажем — но уже напоследок. Нам срочно нужно что-то твёрдое, фундаментальное, обрести духовную опору... Знаете фразу — «идущий за мною сильнее меня»?

— Это вы про веру?

— Про неё.

— Вы шутите?

— Нисколечко.

— Да вы антисоветчик... А Дудко зачем тогда арестовали?

— О, вы смотрите программу «Время»? Горжусь знакомством. Но если говорить серьёзно, то ответ простой и очевидный. Не надо было лезть в политику, и только. Вот вы же не лезете?

Я уклонился от ответа.

— Вы лучше мне скажите, что меня ждёт. Что, вот так отпустите? И даже оформлять не станете?

— Не станем. Вы же сами правильно сказали: «Я законопослушный гражданин». Оставайтесь таким, и всё будет у вас хорошо.

— И ничего подписывать не надо?

— А зачем? Ваш Никита нам неинтересен. Ну, поступил ошибочный сигнал, ну, зашли, досмотрели квартиру, ничего особого не обнаружили. А вот про это, — показал он на помятую кассету, — и про это, — положил руку на кляссер, — кто-нибудь с его отцом поговорит. Мы-то кто, у нас кишка тонка, но имеются ответственные товарищи. Жаль, вы заупрямились, могли бы нам ещё сильней помочь. Ну да что теперь. Я вам подпишу сейчас пропуск, но предварительно выскажу просьбу. Точнее, две. И знаете какие? Во-первых, у вас амнезия. Не было сегодняшнего дня. Вообще не было. К Никите Вельевичу вы не заходили, здесь у меня не сидели. Это в ваших интересах, хорошо?

— Допустим, хорошо.

— Нет, никаких «допустим». Просто хорошо.

— А вторая просьба?

— Вторая? Она деликатней. Уборщицы уже домой ушли, а полы неплохо бы помыть. Вы с этим азерботом, как его?

— Максудом?

— Точно, точно! Максудом! Помоете? А мы не станем сообщать о вашем задержании декану.

— Ты мне — я тебе?

— Что-то вроде этого. Договорились?

— Я могу отказаться?

— Нет.

— Тогда зачем вы спрашиваете?

В коридоре горела тусклая жёлтая лампа на длинном шнуре. Дежурный выдал оцинкованные ведра, вонючие прелые тряпки и старые швабры; с плюшкинской страстью порывшись в кладовке, отыскал завязанный на несколько узлов пакетик с хлоркой.

Мы приступили к уборке; в коридоре запахло бассейном. Максуд умело двигал шваброй, влево-вправо, влево-вправо, как траву косил; закончив свою часть, ушёл, не попрощавшись — словно бы мы незнакомы. А я развёл болото. Погонял его туда-сюда, отчаялся и стал тряпкой собирать воду. Вода стала тёмно-коричневой, грязной, раскисшая тряпка воняла.

Отмучившись, я разогнулся и по-бабьи охнул. В самый дальний кабинет, в противоположном конце коридора, только что вошёл тот самый парень — в сетчатой спортивной майке.

Феденька, Федюшка, Федя.

Свет здесь, конечно же, тусклый и мертвенный, но на этот раз ошибки быть не может. Очки-то у меня теперь с собой. Значит, мне и в Лужниках не показалось?

14.

Дежурный выдал мне паспорт, я расписался в тетради и вышел на ночной Кутузовский проспект.

Окна гасли одно за другим, дома становились рябыми. Трасса под машинами дрожала, тугое эхо било по ушам. Я старался ни о чём не думать; нужно было сбросить этот день, стать пустым и прозрачным, чтобы мысли текли сквозь тебя. Что случилось, зачем, почему — завтра начнём разбираться. А сегодня будет только этот перегретый воздух, содрогание тяжёлого асфальта, чёрная Поклонная гора, одномерный перестук товарняка, острый запах нефтяных цистерн и тёплой пыли.

Вдруг вдалеке громыхнуло, вспыхнул ветер и взметнулась пыль. Небо треснуло, по сколам пробежала молния, и на город обрушился ливень. Ветер выкручивал руки деревьям, липы метались, с тополями сделалась истерика. Вдали светился круглый вестибюль метро, похожий на сплюснутый купол часовни; я припустил ко входу. Одежда стала тяжёлой и липкой, неприятно чавкало в ботинках; дежурная взглянула на меня с сочувствием и неприязнью. Станция была наземная, открытая, вода заливала пути, исходила пузырями на платформе; в поезде, по случаю жары, настежь отворили форточки, дождь на ходу запрыгивал в вагон и растекался мелкими озёрами. Внезапно тайфун захлебнулся; небо расслабилось, сделалось вялым, и пошёл обычный летний дождь, ровными расчёсанными струйками.

Свет в маминой комнате был не погашен; мама стояла у окна, сложив крестообразно руки, и была похожа на икону Всех Скорбящих Радость. А может быть, на Умиление. Я страшился расспросов, но мама молча посмотрела на меня и поспешила в ванную за полотенцем. Не проронив ни звука, разогрела ужин: обжарила варёную картошку, выдавила дольку чеснока, порубила свежую петрушку, накромсала в миску огурцы, щедро полила их колхозной сметаной. Неожиданно проснулся аппетит; я смолотил картошку и салат, словно заедая неприятности. И чем тяжелей становился желудок, тем дальше отступал ужасный день.

Мама всё так же смиренно молчала. И только когда я доел, убирая посуду, как бы впроброс сообщила, что меня весь день искала Муся, ну просто иззвонилась вся (в голосе сверкнуло торжество надежды — вдруг рассорились?). Я посмотрел недобро. Мама покраснела и забормотала невпопад, что у папы большие проблемы, у него обнаружили в сердце шумы, ведь не мальчик уже, она предупреждала. Я перебил, извинился и отправился в горячий душ — смывать с себя остатки ужаса и обдумывать предстоящий разговор. Что я мог ответить Мусе? Что меня посадили в кутузку, продержали весь день, учинили допрос, а потом заставили помыть полы и отпустили? Добрые шутки чекистов? Очень правдоподобно. Или как расскажешь, что её любимый Федя никакой не тренер в обществе «Динамо», а самый обычный стажёр в КГБ? Муся сделает брови домиком. Ну да, ну стажёр в КГБ, что такого. Это он был тогда, на ватерполо? Он. Почему? Потому что так вышло, случайно.

— Мусь, привет.

— Здравствуй.

В голосе звенел вселенский холод.

— Прости, но раньше позвонить не смог.

— Понимаю, бывает.

Театральная ирония.

— Слушай, кончай заводиться.

— Кто из нас заводится?

Презрение.

— Ты права. Я бы тоже злился. Но честное пионерское, были причины.

— И какие же?

— Не могу сказать по телефону.

— И не говори. Мне безразлично.

Обида в голосе. Что уже как минимум неплохо. Потому что равнодушие неисцелимо, а обиду можно постепенно растопить.

— Правда не могу. Завтра встретимся, сама поймёшь. Даю тебе слово, поймёшь. Я приеду с утра? Во сколько?

— С утра я занята.

Не слишком уверенно.

— Слушай, Муся, кончай надуваться, как я не знаю кто.

— Как мышь на крупу? Что ещё приятного скажешь?

Обида начинает брать своё, реакции живые; слава Богу.

— Нет, как обиженная кошка. Мне, кстати, тоже есть о чём тебя спросить — и тоже не по телефону.

— Что значит — не по телефону? Ну-ка говори.

Мусин голос сфокусировался, сжался; значит, сделан следующий шаг навстречу — потому что её любопытство сильнее обиды.

— Всё, Мусенька, завтра. Во сколько?

— Вопросы спрашивай давай, а?

— Во сколько?

— В девять. Нет уж, договаривай.

— Тьфу ты, едрёна матрёна. Говорю же, не по телефону.

— Начал — продолжай.

— Отстань.

— Сам отстань. Говори.

— Там, где я был, — встретил общего знакомого. Хочу кое-что у тебя поподробней узнать.

— Какого знакомого?

— Федю.

— Спокойной ночи. Завтра в девять у меня.

— Исполняю, гражданин начальник.

Часть вторая

СВИДАНИЕ

1.

Предстояло заплатить за обретённую свободу и выполнить последнее распоряжение декана. Я вышел из метро на Ленинский; с интересом взглянул на Гагарина, которого установили пару месяцев назад (Гагарин с заведёнными назад руками был похож на героя подполья, которого немцы ведут на расстрел), и пристроился к толпе со смешными пионерскими флажками и похоронными бумажными цветочками. Толпа была немолодая и сердитая; обычно ради иностранных президентов и генсеков жертвовали школьными занятиями, но в июле школьников не соберёшь; этих наскребали по заводам. А рабочим было наплевать на всех индусов вместе взятых; они рассказывали анекдоты про евреев, смачно сплёвывали шелуху и матерились.

Но как только перегретый воздух вздрогнул и на горизонте обозначился кортеж, пролетарская мрачность исчезла, пионерские флажки на деревянных палочках затрепетали, а бумажные розочки вскинулись вверх. Содрогая Ленинский проспект, мимо проносилась кавалькада — по бокам мотоциклы с колясками, стальные, с тяжёлым отливом, в центре могучая «Чайка» с пёстрым индийским флажком на капоте; на благоговейном расстоянии от «Чайки» держались служебные чёрные «Волги». Послышались крики «да здравствует советско-индийская дружба!», «слава олимпийскому движению!» и «миру мир!». В машинах этих лозунгов не слышали, людям команды кричать не давали, просто им хотелось настоящего восторга, а по какому поводу и в честь кого — неважно.

Люди стёрли с лиц счастливые улыбки, как стирают губную помаду, и стали торопливо расходиться. Им нужно было возвращаться на работу; индусы индусами, Индира Ганди Индирой Ганди, а производственных нормативов никто не снижал. Некоторые, впрочем, потянулись к ларёчкам за пивом, по принципу «вольному воля, спасённому рай».

2.

Переписка наша постепенно разгоралась; отец Артемий говорил со мной как с равным, а если наставлял, то осторожно, как бы исподволь. Я стал нуждаться в «новомирских» письмах, как наркоман нуждается в затяжке; просыпался в счастливой тревоге, мчался на первый этаж, прыгая через неровные ступени. Если ящик был пуст, настроение падало. Я капризничал, как маленький ребёнок: чай жидкий, кипяток остыл, а почему яйцо недоварила, ты же знаешь, я люблю вкрутую. Но если доставал конверт с очередной нелепой маркой, сердце начинало колотиться; я потрошил конверт, опирался о почтовый ящик —

и читал с начала до конца. На приветствия соседей отвечал рассеянно: да-да, я тоже, доброй ночи. Дочитав, возносился к себе, запирался на два оборота и перечитывал по новой, набело. После чего усаживался к алтарю, разжигал прозрачный скол смолы и молился в священном чаду. Мама в коридоре звонко кашляла; маму было жалко, но молитва без горького дыма — не та.

Помолившись и усиленно проветрив комнату, я садился — натощак — писать Артемию. Долго терзал черновик, переписывал набело, добавляя росчерки и завитушки. Облизывал линию склейки, проводил по ней ногтем. И только после этого садился завтракать. Спасибо, мама, было очень вкусно. А возле метро, по пути в универ, бросал письмо в огромный синий ящик с выпуклыми буквами «Почта СССР». И волновался в ожидании ответа.

Почему я привязался к этим письмам? Сейчас, по прошествии лет, я не в состоянии ответить. Отец Артемий не удерживал меня, не требовал писать как можно чаще, не настаивал на откровении помыслов; он просто говорил о том, что было важно в эту самую минуту. Не вчера, не завтра, а сейчас. В душном мире, из которого как будто выкачали смысл, присутствие отца Артемия спасало — как лёгочных больных спасает кислородная подушка. А кроме этого отец Артемий демонстрировал особый дар как бы ненавязчивого ясновидения. То раскавыченно цитировал мои слова, произнесённые на философском семинаре — «подчас мы полагаем, что…», и дальше длинное опровержение; то впроброс упоминал о наших кафедральных спорах, свидетелем которых не был да и быть не мог; то угадывал и вовсе невероятные сюжеты.

Так, милиция накрыла аспиранта-первогодка, который на даче выращивал кошерных кур; кур покупала местная еврейская община, и всё шло хорошо, пока соседи на него не наступали. Аспиранта выгнали с филфака, а на всех гуманитарных факультетах усилили идейно-воспитательную работу. Двадцатого июня семьдесят девятого прошло открытое партийное собрание, где парторг с трудом удерживал улыбку, а комсорг откровенно хихикал... А утром двадцать третьего я получил очередной конверт с портретом старого атеистического большевика Емельяна Ярославского.

Дорогой Алёша, давайте-ка я позабавлю Вас одной историей. Почему-то вспомнилась; не поделишься — не отвяжется. Был у меня один знакомый, Иудей. Из тех, немногих, в коих нет лукавства. Чистый юноша, со всякими душевными порывами. Книжки читал, по музеям ходил. Был выпускником худграфа, мечтал о книжной иллюстрации, обожал раннего Конашевича, боготворил Булатова и Пивоварова. Но художником так и не стал, потому что... выращивал куру. Правильную куру, иудейскую. Для синагоги. А потом пришла ему пора влюбиться. И возникла некая проблема, потому что девушка ему досталась православная. Бывает. Производитель курицы страдал, краснел, но никак не мог на что-нибудь решиться. С кем он, с синагогой или с девушкой.

После долгих размышлений не придумал ничего умнее, как пойти побеседовать с дядей. А дядя, попытайтесь догадаться, был кем? Правильно, раввином.

«Что делать, дядя?»

«Ты сам знаешь».

«Знаю — что?»

«Что на званый ужин с крысой не приходят».

Подумал он как следует, всё взвесил — и остался с курами. Когда-то мне казалось, он ошибся, и непоправимо. А теперь я думаю, что он — как минимум отчасти — прав. Потому что вера и верность — слова однокоренные. Нам, Русским, что бы мы ни думали об Иудеях, есть тут чему поучиться.

Прозорливость подкрепляла и подпитывала интерес. Но главное было не в этом. Мне предложили открытую форточку. Воздух. Как я мог от него отказаться?

18 августа 1979 г.
С/х «Новый мир»

Дорогой р. б. Алексей!
Вы пишете, что я манкирую вопросами. Не на все отвечаю, увожу разговор в сторону. Отчасти это правда, но не вся. Я, как некий шахматист, вполне могу зевнуть фигуру. А могу и пропустить свой ход нарочно. Чтобы убедиться в том, что вы дозрели. Убедившись, возвращаюсь к старой теме. Жертвую фигурой — выигрывая качество.

Итак, пора по-новому взглянуть на Ваши письма. Особенно вот эти два, от 17 и 20 мая с. г. Они лежат передо мною на столе. Перелистываю их и вспоминаю.

Во-первых, Вы спросили, где вы оказались? Мой ответ был правдив, но уклончив. Теперь я могу выражаться яснее, поскольку вижу Ваш духовный рост.

Вы, Алёша, оказались ровно там, где было нужно. Нужно — Вам. И там, где Вы нужнее Богу. Где Господь ожидает Вас лично. Вам предназначен сложный путь. Философом вы, разумеется, не станете. Среди прочего и потому, что философия — не Русская затея. Даже на-

стоящие Славянофилы, вроде умницы Аксакова и бойко-
го Самарина, заражены абстрактным мудрствованием,
чужим для нашего объёмного ума. Наш путь совсем
другой. Не жонглёрский навык изощрённого ума, но
прямой и целеустремлённый путь. В Небо, к Богу, во Свя-
тую Русь.

Вы — один из призванных. С чем и было связано то
«странное» послание под маркой. (Надеюсь, Вы конверт и
марку не сохранили? Они токсичны в некотором смысле.)

Во-вторых, Вы проявили любопытство: кто просил
Вам передать «инструкцию». Время прямого ответа пришло. Сообщите мне Ваш номер телефона. Вам позвонит
надёжный человек, встретитесь с ним на вокзале, он пе-
редаст всё, что нужно.

Я выполнил просьбу; номер телефона сообщил.

Сонным утром 20 августа раздался затяжной ме-
ждугородний. К счастью, мама не успела подойти,
я ошарашенно вскочил и заорал: «Алё!» Ответила да-
лёкая телефонистка: «Товарищ Ноговицын? С вами
будут говорить», и переключила коммутатор. Я услышал низкий женский голос с густым провинциальным выговором, комковатым «ч», размазанным «р»
и весёлым звякающим «дз» на месте привычного «д».

— Алексей, вы завтра сможете быть на вокзале?
Электропоезд из Владимира, я буду в четвёртом вагоне.

— Зачем на вокзале?! Вы кто?

— Меня просили передать… Это с Небыловского
района зво́нят, вы должны быть в курсе, из совхоза.

Я не сразу осознал, какой район, какой совхоз.
И от растерянности замолчал.

— Алексей? Скоро минуты закончатся. Это совхоз «Новый мир». Ну, вы поняли?

— Во сколько?

— Без четверти девять.

— Как я вас узнаю?

— Никак не надо меня узнавать, мне показали вас на снимке, я сама вас найду. Просто стойте и ждите.

— На фотографии?! Откуда у вас моя фотография?

— Ну, — смутилась женщина, — это я так сказала. Я вас в общем представляю, мне вас точно описали.

— Да как вам могли меня описать? Кто?

— Отключаю связь, — вторглась в разговор телефонистка.

В назначенное время я стоял на Курском вокзале.

Август семьдесят девятого выдался дождливый, склонный к осени. Было прохладно и чадно; пахло углём, туалетом и смесью спрессованной пыли и хлорки. «Ну, — думал я раздражённо, — сейчас устрою форменный допрос, ты мне всё про фотографию расскажешь». Электричка пришла с опозданием, народ выплёскивался из дверей, как вода, разорвавшая дамбу. Меня вертело, словно щепку в омуте; я тоже невольно пихал пассажиров и едва успевал извиняться. Вдруг почувствовал едва заметное касание. Передо мной стояла молодая женщина, некрасивая, бледная, плоская, с восторженным взглядом. По-монашески одетая — в длинной юбке, растянутой кофте и тёмном платке — она напоминала чёрный силуэт, наклеенный на белую бумагу. Женщина протянула запечатанный конверт. Тут меня случайно зацепили рюкзаком, я пошатнулся, резко оглянулся (куда прёте!), а когда развернулся к посыльной, та уже растворилась в толпе.

Конверт был большой и тяжёлый; это было непохоже на отца Артемия — тот был мастер короткого жанра. Но шрифт на конверте всё тот же, рассыпчатый, мелкий. Шрифт-крохобор. Значит, писал самолично.

Я отыскал скамейку, стал читать, не обращая ни малейшего внимания на проходящих.

Возлюбленный о Господе Алёша!
Я Вам расскажу одну историю? Начнём, как положено в сказке, с зачина.

Жил-был некий Батюшка. Обитал он в маленьком уютном городе. Это ровно тот случай, о котором мы когда-то с Вами говорили: печку надо подтапливать в пять, накануне в девять отходить ко сну, ранним утром слушать малиновый звон... Батюшку любили, уважали, прихожанки в нём души не чаяли... И казалось, так будет всегда, из года в год, из жизни в жизнь, «рука в руке пройдём мы оба, и внуки нас благословят». Но тут явились комиссары в пыльных шлемах, по большей части жители местечек. Прихожане соблазнились, стали куролесить. Батюшка на них наругался, те пожаловались гражданам нетитульной национальности, и за Батюшкой, что называется, пришли.

Тут и начинается завязка некоей истории...

Нет, больше не могу, простите. Эта интонация ужасна. Какая-то пародия на Достоевского. Лучше буду говорить как думаю — и теми словами, какими думаю. Правда, чуть-чуть обобщая и домысливая. Чтобы получилась интересная история. Вы же любите истории, Алёшенька?

Священник, о котором я хочу вам рассказать, был родом из Русских Датчан. По фамилии Петерсен, в миру Сергей Иванович, в постриге — Серафим. Он служил на приходах в Ельце, потом перебрался в Воронеж. В обновленческие времена страдал, на уступки не шёл, трижды был арестован. Но зато, пройдя через тюремную аскезу, начал видеть будущее, как мы с Вами видим настоящее.

Однажды в тонком сне ему представилась картина: он в промёрзшем карцере, вокруг непроницаемая темнота. Карцер узкий, натуральный бетонный колодец, в полу вонючая дыра — её называют параша, Вы знали?

Вдруг по камере распространился тихий свет, воздух стал такой... не умею сказать... благорастворённый, как изредка случается в Крыму, в Коктебеле. Бывали? Густая, удушающая сладость. Запах прелой сливы и свежая морская горечь. Перед ним человек в светящихся одеждах.

«Ты кто?»

«Не спрашивай, не нужно. Следуй за мной».

«Куда же я пойду?»

«На волю».

«Так заперто».

«Для Бога ничего невозможного нет».

Человек берет священника за руку, и к тому возвращаются силы. Проводит его через стену, которая становится как тёплое подтаявшее масло. За стенами узилища — зима. Но они идут через сугробы и не мёрзнут. Колючая проволока расступается перед ними и снова сплетается у них за спиной.

Человек доводит отца Серафима до железнодорожной станции, суёт ему в руки билет, усаживает в поезд дальнего маршрута и машет вслед ему рукой.

После карцера — мягкий вагон. Постукивают колеса, торкается ложечка в стакане с чаем. На купейной двери — зеркало, в коем отец Серафим различает себя самого. Он в приличном костюме, полосатом, двубортном. При галстуке. Воротничок на пуговках, в хорошо проглаженных манжетах — запонки. Пригляделся, а во рту у него — сплошные железные зубы. Ничего не понимая, раскладывает полку и ложится спать...

На этом видение обрывается.

Через месяц он был приговорён. На этот раз его послали в Когалым. Зимой температура минус шестьдесят, летом — гнус, весной — разливы, не пройти, не проехать, а запасы еды на исходе... Вскоре началась великая война. Голод. Цинга. Все зубы выпали, он стал как старик — с младенческими дёснами, с голым беззащитным ртом. И начал готовиться к смерти.

Тем более что в 1942-м в лагерь назначают нового начальника; он лично ненавидит всё поповское, отсталое. Вызывает отца Серафима и с такой рассеянной усмешечкой — видели такую? она у чекистов в ходу — рассказывает, как хоронил свою жену. Он молился Богу, чтобы Тот её ему оставил. А Бог не сделал ничего. И с тех пор он Богу мстит. Даже не позволил пронести гроб с её телом через храм (а другого выхода на кладбище там не было). И приказал передавать через ограду — на вытянутых пальцах.

Представляете сцену? Гроб переходит по кончикам пальцев? У меня мурашки по коже.

И вот, говорит начальник, я жену свою больше жизни любил, а твой Бог у меня её отнял. И ты у меня отсюда своими ногами не выйдешь. Даю тебе слово чекиста.

Слово своё он держал. Никаких поблажек Петерсену. Общие работы. Загибаешься? Мри. Даже уголовников прошибло и они пытались помогать отцу Серафиму. Перевели в истопники, сами таскали дрова — ему уже сил не хватало. Начальник разъярился, приказал вернуть на общие работы. Зиму и весну 1943-го отец Серафим пережил чудом; держался тем, что творил Иисусову молитву, безостановочно и непременно, даже во сне.

И вдруг его будит охранник.

«Заключённый Петерсен, следуйте за мной».

Отец Серафим подчиняется. И читает про себя отходную: он уверен, что ведут на расстрел, а там помолиться над ним будет некому...

Но его ведут к начальнику, в его квартиру. Тот лично открывает дверь, сам на себя не похож, глаза безумные, ходит из конца в конец просторной комнаты.

«Садись».

«Я постою, гражданин начальник».

«Садись, я сказал».

Жаль, я не писатель, какой бы мог получиться рассказ! Или, наоборот, совсем не жаль, потому что книги — это отголосок жизни, а сама жизнь несопоставимо интереснее. Начальник сообщает Батюшке, что его вторая жена заболела — той же самой болезнью, что и первая. Она в городе, в больнице, но везти её в Москву нельзя, не выдержит. Состояние её вчера ухудшилось, начальника вызвали телефонограммой, а жена ему и говорит в полубреду:

«У тебя там поп, отпусти его».

«Это невозможно».

«Тогда я помру. Я ангела видела».

«Ангелов не бывает».

«Отпусти попа. Если меня любишь — отпусти».

И что вы думаете? Тою же ночью Батюшку отправили в больничку, через месяц умер заключённый примерно одного с ним возраста. Им поменяли документы и похоронили мертвеца под именем Сергея Иоанновича П. А Батюшку, который стал Олегом Игоревичем Г., помыли, постригли, переодели в дорогой костюм, рубашка при запонках, и той же ночью под покровом темноты вывезли за охраняемую территорию. Начальник лично вёл автомобиль.

Единственная вещь, которую позволили забрать с собой, был антиминс, зашитый в телогрею. Иначе не поеду, вежливо и твёрдо отказался Батюшка.

Перед посадкой в поезд (мягкий вагон!) начальник сказал:

«Смотри, отец Серафим. Обманул твой ангел или кто там, объявлю во всесоюзный розыск».

«Не объявишь».

«Почему это?»

«Во-первых, самому дороже».

«Это правда. Я тебе справку о досрочном освобождении выдал, меня, случись что, расстреляют. А во-вторых?»

«Во-вторых, твоя жена выздоровеет».

«Обещаешь?»

«Господь управит. А ты ещё церковным старостой будешь».

«Шутник».

Батюшка до пенсии работал сторожем на подмосковном складе: ночью, говорил он, хорошо молиться. По воскресеньям в дачном домике одной келейницы совершал Божественную Литургию. До службы допускались два-три человека, самых верных, самых надёжных. Закрывали ставни, запирали двери, завешивали двери одеялом, чтобы никто не услышал, и служили — в ванной комнате, среди тазов, мочалок, мокрых полотенец. Вместо престола — обычный кухонный столик. Вместо потира — креманка, знаете, на длинной ножке, вместо лжицы — чайная витая ложечка, из тех, какие дарят младенцам не первый зубок, вместо копия особым образом заточенный скальпель.

Когда и кто меня ввёл в сей тайный круг, Батюшка рассказывать не благословил. Видеста очи мои, свет во откровение языков. Скажу только, что мне было плохо, очень плохо, хуже некуда, и он меня видел насквозь. Такие он мне страшные слова говорил... прожигали.

С тех пор я с ним советуюсь во всём. И, конечно, насчёт Вас тоже.

Вам он просит передать, что голова немножко поболит, но это не страшно. Что это значит — не знаю. Но не сомневаюсь, что всё сбудется, и задним числом Вы поймёте, о чём шла речь.

А ещё он говорит, что Вам можно доверять.

Отвечая на это письмо, помните, что не всё нужно писать прямым текстом.

Сердечно — о. А.

Я читал послание отца Артемия с тяжёлым чувством; с каждым словом во мне нарастала обида. Что за жеманное лубочное враньё, что за вычурность, отставленный мизинчик. Бред. Ахинея. Пурга. Чуткая жена энкавэдэшника, нежно любящий ея супруг — начальник лагеря, детективная подмена документов, заговор молчания в бараке, никого не сдавшие могильщики! Мягкий вагон в середине войны. Полосатый костюм, настоящие запонки. Самопальный роман, доморощенное житие, Пётр и Феврония районного развеса. Но ведь Артемий умный и начитанный; он знал, что я на это повестись не мог. Стало быть, делал нарочно. Как монахи, поручавшие послушнику сажать морковку вверх ногами. Но я не послушник, я не монах, пусть играют в эти игры без меня.

В тот же день я написал отцу Артемию.

20 августа 1979 г.
Москва

О. Артемий.

Спасибо, встретился с Вашей посыльной. Текст прочитал. Напоминает очерк из журнала «Божий мир». Вы не находите, что всё это отдаёт литературщиной? Теряюсь в поисках возможного мотива. Для чего Вы это написали? Чтобы меня испытать?

С ув. А. Н.

P.S. Параша, кстати, это не дыра, а что-то навроде ведра. Вы не знали?

25 августа 1979 г.

С/х «Новый мир»

Алексей.

И Вам спасибо на добром слове. Литературщина ли это? Да, литературщина! Первостатейная. Вы не можете себе представить, как Вы правы! Браво! В точку. Вся наша жизнь литературщина. Такая, что в романе не напишешь, не поверят.

Батюшка — мой духовник. Мой наставник. Мой авва. И то самое «последнее звено в цепочке». Всё рассказанное знаю от него, не понаслышке. Впрочем, если Вы не веруете в чудеса, я Вас не могу неволить.

А за то, что рассказ показался таким... ненатуральным? пошлым? — я искренне прошу меня простить и сделать скидку. Я всё-таки не из писателей, а из художников.

С ув. о. А.

P.S. Спасибо за уточнение насчёт параши. Вполне возможно, это знание нам с Вами пригодится.

28 августа 1979 г.

Москва

Дорогой отец Артемий.

Христа ради, простите.

Я чувствую, что сильно Вас обидел. И, наверное, несправедливо. Да, Ваш рассказ звучит неубедительно, поверить в него невозможно — почти. Но я тут вспомнил некую историю. И глубоко задумался.

Был такой великий человек — Пётр Фердинандович Котов, автор многотомной «Философии науки». Помню, как у нас на факультете отмечали котовское 90-летие. Девятая аудитория была забита, только что на люстрах не висели. Котов сидел отрешённый, с пергаментно-жёлтым лицом и венозными щёчками, и быстро-быстро жевал губами. Чёрная профессорская шапочка сползала с лысины. Котов прекращал жевать и лихим мальчишеским движением заталкивал профессорскую шапочку на место.

Выступали многочисленные ученики; они говорили, а Котов — жевал.

А вскоре Котов и его жена, библиограф Ленинской библиотеки, погибли. Задохнулись во время пожара. Панихида проходила в Доме литераторов (Котов был членом союза). Крышки с гробов не снимали, и у нас закралось подозрение, что причиной смерти были не заслонки, а пожар. Завершая панихиду, наш декан Ананкин сообщил, что автобусы на кладбище отходят от главного корпуса в час. Но если похороны в час, то для чего заканчивать в одиннадцать?

Я догадался: стариков повезут отпевать. Это было достаточно странно. Холодный фехтующий ум, язвительный тон полемиста — и Бог. Я подошёл к родне, немногочисленной и подозрительно спокойной. И спросил, не обинуясь: В церковь? — Да, в Обыденку. Если хотите, поедемте с нами.

Мы подъехали к Илье Обыденному; церковь застенчиво пряталась между домами; мёрзлым паром исходил бассейн «Москва».

Крышку котовского гроба отворили — широкой стамеской с обмотанной ручкой. В пышной, как взбитые сливки, постели утопал миниатюрный чёрный кокон, рассекаемый белым крестом. Из кокона выпрастывались руки, воскового неестественного цвета; кисть была обмотана вязаными чётками со смешной пушистой кисточкой. Лицо покойного скрывал просторный капюшон. Вскрыли гроб его жены. И она была в чёрном, на голове — треугольная шапочка, похожая на петушиный гребешок. Я не сразу понял, в чём дело, но внезапно пожилой священник с холёной маленькой бородкой произнёс загадочные имена. Монах Симеон. И монахиня Аааанна. Только тут я понял, что философ Котов и его жена, главный библиограф Ленинской библиотеки, были тайными монахами. Оба — члены партии. Оба — судя по работам — убеждённые марксисты.

Но если так бывает в жизни, то почему нельзя себе представить, что история про Серафима — правда?

У меня нет оснований Вам не верить. Но и поверить — слишком трудно, извините.

А. Н.

P.S. И где же Ваш Батюшка жил после освобождения?

1 сентября 1979 г.

С/х «Новый мир»

Милый Алексей.

Потрясающая история. Чета православных монахов... Случалось мне встречать «подпольных» иноков, но чтобы такое, с такими людьми...

Что касается до Вашего вопроса, то здесь не подходит прошедшее время. Батюшка не жил. Он ж и в ё т. Кстати, обещание его исполнилось. Тот нач. лаг. теперь на пенсии, он древний дед и служит — вы представить себе не можете! — церковным старостой. После Херувимской ходит с блюдом, собирает подаяние на храм, на общую свечу, на украшение к Пасхе. Храм известный, в самом центре Москвы, на Дзержинке. Слыхали? Можете сходить, полюбоваться.

Не судите никого, прошу Вас.

Да. И ещё одно. Не сторонитесь Анну, о которой Вы когда-то написали. Мы навели о ней справки, она вполне достойна Вашего внимания. Это ничего, что пока вы взаимно дичитесь. Даже хорошо, соблазна меньше. Сейчас у Вас каникулы окончатся, начнётся новый учебный год, Вы встретите её в читальном зале, позовите как-нибудь в столовую, попробуйте по-человечески поговорить. За тарелочкой рассольника и голубцами. Совместная трапеза сближает! Потом обменяетесь книгами. Духовную литературу раздобыть непросто, вот Вам и начало диалога. А там, кто знает, встретите кого-нибудь ещё. И ещё. И ещё. И снежный ком начнёт разрастаться.

России очень нужен этот снежный ком. Потому что надвигается лавина, нам предписано её остановить.

В одиночку это сделать невозможно.

о. А.

В то же воскресенье я стоял на поздней литургии в церкви близ Большой Лубянки. И чувствовал себя как посетитель в доме престарелых. Прихожане были в основном немолодые; настоятель — дряхлый дедушка, давно переживший себя. Служил он старательно, вяло, выводил детсадовским неровным голоском: *ми-и-ир все-е-ем*, уходил в алтарь и замолкал надолго. Пожилой перепуганный диакон делал стойку возле Царских врат и ждал — с покорностью старой собаки. Настоятель справлялся с провалами памяти, и раздавался надтреснутый голос: «ми-и-ир все-е-ем», дьякон с облегчением произносил — «и духови твоему» и поспешно прятался в алтарь.

Но после *отче наш* открылась дверца бокового входа, и оттуда уверенно вышел старик, низкорослый, в куцем пиджаке, снизу доверху увешанный военными наградами. Медали брякали при каждом шаге, и старосте это очень нравилось, он улыбался. В руках он нёс большое металлическое блюдо. Обходя молящихся, смотрел застывшим мутным взглядом; прихожане начинали нервничать, копошились в хозяйственных сумках и рылись в карманах.

Я положил пятирублёвую купюру; староста кивнул, но взгляда почему-то не отвёл. Я не выдержал и на секунду опустил глаза; дед самодовольно ухмыльнулся.

Завершив обход, он снова скрылся в алтаре и появился лишь перед причастием. Первым принял святые дары, торжественно прошёл на середину храма (остальные робко расступались), сам налил себе запивку и неспешно скушал антидор; хор приглушённо мурчал — для одного, отдельно взятого причастника: источника бессмертнаго вку-усите… Староста вкусил бессмертного источника, вынул свежий носовой платок с кокетливой полоской, промокнул им губы; настоятель покорно вздохнул, отец диакон подхватил кровавый плат, и остальные стали подходить к причастию. А староста вступил на солею, заняв её, как высотку, и оттуда одобрительно кивал, как бы выдавая мысленное разрешение; дьякон иногда оглядывался на него.

Затем отслужили молебен; настоятель то и дело забывал слова и путался в своих закладках. Однако староста всё чётко контролировал. Записки, прежде чем попасть на аналой, проходили через его руки, он их неспешно разворачивал, внимательно читал и отдавал священнику. Деньги, вложенные в поминальные записки, скручивал, как папироски, и щелчком проталкивал в блестящий медный ящик. Одну записку почему-то задержал, подумал несколько секунд, сложил (даже ногтями продёрнул по сгибу) и отправил в карман пиджака. И никто ему не возразил.

Наконец священник и диакон отправились разоблачаться, а староста остался жучить бабулек-уборщиц.

Я робко подошёл к нему.

— Простите, можно вам задать вопрос?

Староста вскинулся, вспыхнул; мутный взгляд его опасно прояснился:

— Спросить? Зачем? О чём? Ты кто?

— Я никто, я просто захожанин.

— Не знаю, какие вопросы, почему? — Староста как будто растерялся и, зыркнув на бабулек, приказал: — Идите оттирайте солею, там большой свечой накапало.

Когда бабульки отошли, он прошептал:

— Ну? Какой вопрос?

— Я тут составляю родословную…

— Какую родословную? Кто такой? Как звать?

— Алексей Арнольдович меня зовут. Так вот, я составляю родословную. Понимаете? Историю семьи? И мне сказали, что вы знали нашего дальнего родственника Сергея Ивановича Петерсена, в постриге — иеромонаха Серафима. Это правда?

Услышав фамилию Петерсен, старик ошалел. Его пробила дрожь. У него тряслось всё — руки, скрюченный артритом указательный палец, синие губы, красные щёчки; даже пористая кожа на виске — и та дрожала своей отдельной дрожью. Смешно позвякивали медальки.

Так ничего и не ответив, дед развернулся по-армейски, правое плечо вперёд, и бойко побежал из храма. Скрылся за тяжёлой дверью. Но через несколько минут вернулся, подскочил ко мне, схватил сухими ручками за плечи и, брызгая мелкой слюной, прошипел:

— Он меня простил. Понял меня? Перед уходом — простил. И ты — не смеешь.

Вдруг, потрясённый новой мыслью, сделал шаг назад и оглядел меня с ног до головы.

— Кто тебя прислал?

— Никто. Я же сказал. Составляю…

— Так не бывает.

— Бывает.

— Тогда уходи. И больше здесь не появляйся, ясно? Нет на мне греха. Всё смыл, всё исправил.

Он замахал, как гонят надоевших голубей: кыш, кыш. И скрылся через внутренние двери, ведущие в церковный двор.

Я ошалело брёл к метро; дорога была как в тумане. Вдруг я услышал визг внезапных тормозов и ощутил удар в бедро, как будто кто-то саданул меня ногой в шипованной футбольной бутсе. Я упал на тротуар и больно стукнулся головой о бордюр. В ушах зазвенело.

— Ты куда попёрся, блин, на тот свет захотел? Давно под мотоциклом не лежал? — кричал кто-то незнакомый.

К счастью, быстро приехала «скорая», мне вкололи сыворотку против столбняка, выстригли круглую плешь, пролили йодом и смешно замотали бинтом. После чего отпустили домой — «ничего, до свадьбы заживёт, сотрясения вроде нет, а если будет тошнить, звоните ноль три». На рассвете я проснулся; боль поднималась от шеи, тисками сжимала затылок и толчками стреляла в глаза. Такое было ощущение, что в голову вгоняют толстые сапожные иголки. Я выпил две таблетки анальгина — не помогло. Попытался добить цитрамоном — напрасно. Попробовал уснуть — не получилось. Я перетянул голову шарфом (мохеровым, страшно кусючим), сел на кухне и молча смотрел в темноту.

Наутро побежал к врачам. Они меня гоняли из кабинета в кабинет, разглядывали снимки, прописали мне ноотропил и старческий циннаризин; кто-то подобрал прихотливую смесь анальгетиков, кто-то строго анальгетики отверг. Боль между тем ещё сильнее сдавливала голову. Мама слёзно умоляла показаться тётеньке из их машинописного бюро: тётенька видит больного насквозь и лечит простым наложением рук. Я сдался, сходил на приём, чтобы мама поскорее отвязалась.

Тётенька взглянула на меня космическими чёрными глазами, поставила по стойке смирно, коснулась кончиками пальцев шеи, скользнула по вискам и несколько раз энергично встряхнула руками. По коже пробежала смутная волна — и боль ко мне уже не возвращалась.

3.

Отворил мне Борька. Он был в нездешних длинных шортах и приталенной курточке. Борька просиял улыбкой и радостно прокукарекал:

— Муська, это к тебе!

Закрутился волчком и исчез.

— Заходи! — прокричала Муся из своей комнаты, но сама встречать меня не вышла.

Она полулежала на диване, на ней было светлое платье в размытых зелёных разводах. Такие платья мама называла крепдешиновым, что за ткань такая — крепдешин и чем он отличается от шёлка, я не знал, но слово было ароматное, душистое. Взгляду открывались спелые колени, а дальнейшее манило, но не обнажалось.

— Что стоишь? Стесняешься? — спросила Муся строгим тоном. — Тогда входи.

Я охотно подчинился.

— Только дверь закрой, не хочу, чтобы Борька случайно что-нибудь услышал.

— На ключ запереть?

— Зачем? Если двери прикрыты — без стука никто не войдёт. Не знаю, как у вас принято, а в нашем доме — так. Просто прищёлкни. Садись.

Я передвинул угловое кожаное кресло, чтобы ноги оказались полускрыты, а Мусе приходилось выворачивать шею. В ответ она спустила ноги, подгребла диванные подушки, изогнулась, положила голову на руки: мол, не хочешь упираться взглядом в ноги — наслаждайся соблазнительным изгибом.

— Так где же мы вчера таинственно пропадали? И что там Федя натворил?

Я стал рассказывать — в подробностях, не опуская мелкие детали и не забегая вперёд. Начал с Никиты, Максуда, кассеты, а кончил позорной помывкой полов. Муся слушала спокойно, без сочувствия и осуждения, аз же точию свидетель есть, да свидетельствую вся, елика речеши ми.

Когда я закончил, сказала:

— Странно. Мне он этого не говорил. И я не понимаю почему. А главное, зачем ему скрывать?

— А что, вы ничего друг от друга не скрываете?

Муся махнула рукой:

— Перестань.

В дверь постучали, быстро, дробно, трррр-тттт-трррр-тттт; даже звуки здесь были другие, твёрдые, гулкие.

— Что? — недовольно спросила она.

— Я пошёл! — доложился Борька.

— Обедаем в два!

— Понял!

— Мама дома?

— У зубного! Ну, я пошёл.

— Ну, иди.

Муся царственно приподнялась, нажала кнопочку кассетного магнитофона, и зазвучал расслабленный Дассен, «ша-а-анзализе, о, ша-а-анзализе», как будто в воздухе побрызгали одеколоном. Легла, похлопала ладонью по дивану, как хлопают домашним пёсикам: ц-ц-ц, фью-фью-фью, иди сюда.

Я обмяк и подсел.

Она положила голову мне на колени и, как бы покорно глядя снизу вверх, спросила:

— Сам ты как думаешь, что это было?

— Понятия не имею. Дикость какая-то.

— А теперь скажи мне, котинька, про главное. Ты что, действительно считаешь, это *он*?

— Кто он?

— Он, Федя? Ну, что это он подстроил? И зачем ему это? И откуда он знает про тебя? Я ему про нас не говорила.

— Ну, мил человек. Спросишь тоже. Откуда он знает? Оттуда. Он же из этих, которые...

— Котя, не сходи с ума. Они что, за всеми, что ли, наблюдают? Сидят и копят информацию? Это котя, это Муся, а у них лубофф. Фотография объекта вожделения имеется. Перлюстрируем их переписку. Подошьём. Так ты себе это представляешь?

— Почти.

— Да ну тебя, честное слово. А если серьёзно?

— А если серьёзно, то нет, он ничего не подстраивал. Он не знал, что я пойду к Никите. И вообще, он несчастный стажёр, кто бы ему такое позволил.

— Да, похоже, случайность. Но какая-то закономерная случайность, не находишь?

— Мусенька, что значит «закономерная»?

— Не знаю, не умею объяснить. Посмотришь — всё рассыпается. Присмотришься — всё как будто связано... Котя, знаешь что... у меня к тебе просьба, важная-важная, обещай ответить «да».

— Скажи, что хочешь, я решу.

— Всё равно обещай. — Муся расстегнула верхнюю пуговицу моей рубашки, влажно коснулась кожи губами. — Солёненький какой, хоть пивом запивай. Ладно, упрямый, сдаюсь. Давай мы всё расскажем папе, он в этих делах понимает. Ну пожалуйста. Пожалуйста-пожалуйста. — И расстегнула следующую пуговицу.

Снизу поднялась волна — как пена, выбивающая пробку из бутылки; больше я не мог сопротивляться: грудь была непростительно близко, губы покорно открылись. И в эту самую минуту (случайность, но какая-то закономерная) хлопнула входная дверь, и Нина Петровна окликнула:

— Мусенька, Борька! Вы дома?

Муся вяло ответила:

— Да!

И посмотрела снизу вверх, покорно. Ты же не трус? Ты решишься при маме? Продолжим? Нет, Муся, я трус, не продолжим; будем сидеть истуканом.

Муся отстранилась.

— Дело твоё. Но тогда я хотя бы спрошу. Спросить-то разрешается, гражданин Синяя Борода?

— Что именно?

— Почему ты всё-таки вернулся в Москву?

Я растерялся. Я не знал, что ей сказать.

— Котя, можешь не бояться, я попробую понять. Или хотя бы принять. Я же согласилась жить по идиотским правилам, как монашенка какая, даже тошно, сама себя спрашиваю: почему, сама себе отвечаю: нипочему. Но знать-то я имею право?

— Имеешь.

Я запустил пальцы в её сильные волосы и стал опять рассказывать — и снова занудно и долго, в деталях. Про Лавру, электричку, очередь к старцу, письмо и про все необъяснимые *угадки*... Муся застыла; на круглом телёночьем лбу образовались грозные морщины. Когда я спрашивал: «Тебе неинтересно?» — строго отвечала: «Продолжай». Когда говорил: «Тебе это кажется диким» — отмахивалась, как от комара.

Я. Имею. Право. Знать.

Я закончил; Муся покачала головой.

— Нет, котинька, я всё-таки не поняла.

4.

Мы условились, что я вернусь на «Сокол» в полседьмого — в семь. Муся сама всё расскажет отцу о вчерашнем; мне останется внимать ему и соглашаться.

Я уже шагнул за порог, но в последнюю секунду Муся передумала.

— Ну-ка, стой, — приказала она. — Наклони голову. Теперь шею покажи. Ты неприлично зарос. Я должна тебя постричь.

— Муся! Давай не сегодня!

— Нет, именно сегодня! И сейчас! Шагом марш, товарищ Ноговицын, мыться! Папин шампунь на верхней полке, не спутай с моим, он на нижней. Лей не жалей. Рубашку с майкой можешь там оставить, постригу — потом наденешь. Полотенце любое! Голову вытрешь не насухо, пусть волосы останутся сырыми. А я подготовлю плацдарм.

В ванной вкусно пахло свежевыстиранными полотенцами, горьковатым нездешним шампунем, невесомыми, летучими духами. Никакого запаха лежалого уюта, струганого хозяйственного мыла, бака с жёлтыми кругами после кипячения или сваленных на пол полотенец. Грязное бельё лежало в красивой плетёной корзине и было прикрыто крышкой; я не сразу догадался, что это такое и с любопытством её приподнял. На плечиках, как дорогие пиджаки, висели белоснежные халаты — один махровый, а другой рифлёный. Отдельно, с генеральской выправкой, держался шёлковый халат, бордовый, с чёрными полосками, красивой шалькой, пышными кистями. Но больше всего поражало другое. В ванной не было ни абажуров, ни светильников; свет струился через маленькие круглые окошки в потолке, напоминавшие глазки подзорных труб. Словно там, над потолком, есть полое пространство, в котором утоплены лампы.

Я подкрутил горячий кран, чтобы в воздухе клубился пар, и стал намыливаться *папиным шампунем*. До чего же хороший шампунь, иностранный;

волосы сделались лёгкими, мягкими — не то что после «Ивушки», «Кря-Кря» или «Берёзки».

— Долго ты ещё плескаться будешь?
— Вытираюсь.

Зеркало над раковиной запотело; я протёр его ладонью, посмотрел на своё отражение. Муся права, я зарос. Волосы на солнце выцвели, приобрели соломенный оттенок. И бриться утром надо было лучше. Я вышел, не надев рубашки, как было велено — и нос к носу столкнулся с Ниной Петровной, которая несла на кухню вазу с грузинскими алыми розами. Проявляя чудеса спокойствия (или поразительное равнодушие), будущая тёща вежливо кивнула и предложила затрапезным тоном:

— Алёша, хотите халат? Можете взять тот, что слева, он Виктора Егоровича, вам будет чуть велик, но не беда.

— Нет, Нина Петровна, спасибо.

— Спасибо, да или спасибо, нет?

— Спасибо, нет. Муся собирается меня постричь.

— А, это она мастерица, Борьку стрижёт только так. Оставайтесь после пообедать, будут щавелевый суп и котлеты.

Мусина комната преобразилась. Фикус перебрался к занавескам, кресло переехало в дальний угол, прикроватный коврик был скатан в рулон, диван застелен кухонными полотенцами, на полу лежала накрахмаленная простыня, а на неё поставлен деревянный стул с плетёной спинкой. Преобразилась и сама Муся: вместо крепдешинового платья — простенький халатик, ситцевый, весёленький, в цветочек. На груди халатик не сходился, Мусю это не смущало. Она взяла железную расчёску с тоненькими частыми зубцами, искривлённые большие ножницы — и превратилась в цирковую дрессировщицу.

— Садись, накройся полотенцем. И не вздумай дёргаться, не то отрежу ухо, это больно.

— А ты откуда знаешь? Уже отрезала кому-нибудь?

— Если ты сейчас же не замолчишь, Ноговицын, я тебе ещё чего-нибудь отрежу. Мне терять нечего, ты своего дружка надёжно спрятал, так что мне уже всё равно.

Я подумал, что было бы с мамой, услышь она Мусю. Подростковая пошлость, мещанский язык, ненавистные штампы! Да и мне такое не могло понравиться, меня должно было коробить. Но — не коробило; скорей наоборот.

— Руки убери?

Муся нависала надо мною, плотоядно щёлкала ножницами, больно раздвигала волосы расчёской и напевала: вся земля — теплом согрета, и по ней — я бегу — босикооом, если любовь не сбудьца, ты поступай как хочьца, и никому на свееете грусти не выыдвай…

Было хорошо, спокойно; так сидел бы и стригся всю жизнь напролёт.

5.

До вечера времени было навалом, и я решил заехать к Сумалею. Поделиться вчерашним, посидеть на тесной кухне, выпить приторного кофе с кардамоном, посмотреть в холодноватые глаза и ненадолго примириться с жизнью. Сумалей — не Мусин папа; посоветовать он ничего не может. Но зато у Сумалея был особый дар снимать тревогу, как мамина знакомая-парапсихолог снимала головную боль.

Дверь была не заперта; М. М. на месте. Но в прихожей, сквозь привычный запах табака и кофе, веяло газом. Я встревожился и крикнул в пустоту:

— Михаил Миронович!

Молчок.

— Михаил Ми-ро-но-виич! Ау-у-у!

Я ринулся на кухню.

Вентиль был повернут, турка выкипела, толстая жижа накрыла конфорку. Газ с сипом вырывался сквозь кофейные наросты. Так выдыхают старики, с усилием, через нос. Я выключил газ, распахнул окно — занавеска выгнулась, как парус — и кинулся в ближнюю комнату, оклеенную серыми обоями и снизу доверху увешанную фотографиями дальних предков. Вперемешку с местечковыми евреями в лапсердаках и чёрных раскидистых шляпах красовались украинские священники с окладистыми бородами и лицами, исполненными древнего покоя. Нэпманские дамочки двадцатых в изысканных шляпках и шубках. Лётчики с прозрачными предсмертными глазами. Высокомерные начальники-чекисты...

Комната была пуста. Гостиная тоже. На стуле висела мятая рубашка, на обеденном столе валялся галстук — Михаил Миронович куда-то выходил. Замирая от ужасного предчувствия, я заглянул в кабинет. И с облегчением выдохнул.

Сумалей нависал над столом. В зубах дымилась сигарета (он по настроению курил то папиросы, то сигареты), рыхлый пепел загибался клювом. Когда М. М. увлечённо работал, заговаривать с ним было бесполезно; он в лучшем случае воткнёт в тебя отсутствующий взгляд и снова склонится к бумаге. Шорх-шорх. Ровные строки, стремительный почерк, быстрая ясная мысль. Отлетела в сторону завершённая страница. М. М. вцепился в заготовленную книгу, зорко сверил цитату и ввинтил в пепельницу бычок. Ш-ш-шух! — красиво загорелась спичка, кончик новой сигареты вспыхнул.

Через час он начал уставать. Всё чаще делал паузы, всё недовольней (и осмысленней) поглядывал в мою сторону. Поставил точку. Сдул с рукописи пепел. И проявил интерес:

— Приветствую, Ляксей Арнольдович. Давно?

— Часов с двенадцати.

— Ёлки, этсамое, моталки. Ну ничего, ничего. Нечасто к нам слетает вдохновенье. Я, знаете ли, осваиваю новый вечный жанр, называется философская исповедь. Художники-шмудожники, писатели-фиксатели, они же вспоминают мелкие подробности. А нам, мыслителям, положено гулять широкой кистью. Доживёте до моих лет, отправитесь на пенсию и тоже засядете, ручаюсь вам! Что, кстати, нового на личном фронте?

— На личном ничего особенного. А на общественном — есть кое-что важное.

— Стоп-стоп-стоп, не спешите, об этом потом. У меня есть новость поважнее... всем новостям новость. Просто закачаешься.

— Но...

— Никаких, этсамое, «но».

Сумалей достал огромный ключ, в полпрыжка пересёк кабинет и встал на колени. Непочтительно выгреб альбомы Дали и Малевича, отпёр встроенный сейф, в котором жили главные сокровища его собрания: «Буквари» Истомина и Полоцкого, пушкинский прижизненный «Онегин», миниатюрный свод Крылова и вёрстка блоковских «Двенадцати» с нервной, но витиеватой правкой автора. Вынул два томика. Маленьких, в одну восьмую. Он держал их осторожно, на весу, словно молодой родитель, которому доверили младенца. Не вставая с полу, пальцем поманил меня к себе. И с ревнивой гордостью сказал:

— Видите? Вы видите?!

— Вижу, — вежливо кивнул я.

— Нет, вы не видите, — надулся Сумалей. — Сюда, сюда смотрите! Да дайте же руку, пощупайте. Этсамое, теперь чувствуете?

В гладкую кожу обложки переплётчик исхитрился вклеить тёмное шершавое сукно. Крохотный квадратик, сантиметров пять на пять. Уродливый, как чёрная заплатка на коричневом костюме.

— Это что за аппликация? — не удержался я. — Пародия на «Чёрный квадрат»?

— Сами вы чёрный квадрат, — буркнул М. М., отобрал двухтомник, спрятал в низкорослый сейф, а ключ убрал в задний карман. — Это кусок от жилетки.

— Чьей?

— Ну что значит чьей? Что значит чьей? Странный, тыкскыть, вопрос. Чья книга, того и заплатка. Это «Мёртвые души», понятно? А ткань — кусок *его* жилетки! Потрогайте! Чувствуете? К этой ткани прикасался Николай Васильевич! А теперь и я. И вы.

М. М. распирало от счастья; он поманил меня на кухню и за свежим кофе рассказал, как было дело.

У Сумалея имелся приятель, могучий старик Замановский. (Я встречал его на факультете; он поражал породистой дворянской красотой и выражением неколебимой глупости на крупном и свежем лице.) В начале тридцатых годов он стал участником процессии, переносившей останки Гоголя с Донского кладбища на Новодевичье; Замановский красочно описывал в своих воспоминаниях, как совершенно трезвые могильщики вытягивали полусгнивший гроб из ровной ямы, юная музейная сотрудница рыдала, а случайные прохожие снимали шляпы: убивается несчастная вдова… И только об одном он умолчал. Пока могильщики выравнивали яму, открытый гроб остался без присмотра, и комиссия его разворовала. Кто-то взял на память гоголевский палец, кому-то досталась берцовая кость, а Замановский аккуратно срезал край жилетки. Он никому об этом не рассказывал; поделился только с Сумалеем.

Месяц назад Замановский скончался. Сумалей отправился к его вдове, произнёс положенные скорбные слова — и попросил о сущем пустяке. Можно, он возьмёт ненужную вещицу, на память об учителе и друге.

— И вот, — надтреснуто хихикнул Сумалей, — сейчас вы прикасались к Гоголю. Будете внукам рассказывать. А теперь пожалуйте ваш кофе и ступайте в кабинет. У вас же было ко мне дело?

— Было.

Сумалей не перебивал. Не задавал вопросов. Занимался параллельными делами. Перекладывал ручки, как перекладывают столовое серебро, собирал отдельные листочки в стопку, отравнивал её с пристуком. Нумеровал страницы. Цифры обводил в кружочки. Расставлял на полках книги, словно затыкая чёрные пробоины. Я знал эту реакцию — и опасался её. Когда он язвил и насмешничал, это было ещё полбеды; но если он слушал вполуха и занимался посторонними делами, то нужно было ждать сухой истерики. Однако всё закончилось гораздо хуже. Он неожиданно меня приобнял, поцеловал и всхлипнул. Это было так похоже на картину Репина «Царь Иван Грозный обнимает убитого сына», что я с трудом удержался от шутки.

Застеснявшись своего порыва, Учитель отстранился от меня и строго посмотрел в глаза.

— Это всё?

— Всё.

— Точно всё? Вы, Алёша, ничего не упустили?

— Ничего.

— Как же они так? На них, тыкскыть, не похоже. Уж я-то знаю, можете поверить. И декан вам не позвонил?

— Нет, Михаил Миронович, не позвонил.

— То есть не было сигнала? Никакого? Тишь, да гладь, да божья благодать? И почему же вас отпустили? Сам Никита что об этом говорит?

— Мы пока ещё не созвонились.

Я потянулся к телефону.

— Э, нет-нет-нет, стоп-стоп-стоп, — испугался М. М., даже руки у него задрожали. — Вы с глузду съехали, Ляксей Ардалионович… Арнольдович, прошу пардону. Двушка есть у вас? Нету? Секунду.

Он вытащил свой знаменитый портфель — огромный, с проплешинами; пошарил на дне, вынул круглый дамский кошелёчек с золотыми перекрещенными шпу́ньками. Вытряхнул мелочь на ладонь, стал подслеповато разбирать. Боже, а он постарел. Стал похож на высохшего пенсионера, губы с фиолетовым оттенком, в уголках загустела слюна, кожа на шее обвисла.

— У нас тут было! Десять... копейка... держите. Автомат на углу, возле церкви. Не ответит Никита, звоните Максуду... на какую он букву записан... а, на Д, он же у меня по матушке, Джемалов. — Сумалей просмотрел записнушку, нашёл вставной листок с фамилией Максуда, отдал записную книжку мне. — И возвращайтесь как можно скорее! Слышите, не вздумайте тянуть резину, всё мне, этсамое, расскажете. Я беспокоюсь.

Он подхватил в кладовке раскладное кресло, разложил его и сел у двери. Точь-в-точь скептический Вольтер в глубине екатерининской библиотеки.

— Ну, идите, идите. Я жду.

Никита ответил мгновенно, словно дежурил на кухне.

— Это Ноговицын, привет.

— Кто?

— Ноговицын, Алёша. Я вчера...

Дуганков меня перебил.

— Вчера я был на даче. *На даче*, — повторил он с усилением. — *Ты меня не застал*.

Шифроваться было бесполезно; те, кому поручена прослушка, знали всё и даже больше. Но пришлось мне поддержать игру в шпионов:

— Точно, только зря проездил. Ты меня забыл предупредить.

— Извини, так вышло, замотался.

— Бывает. Я тут в гостях у общего знакомого... Помнишь, у которого мы встретились?

— С него-то всё и началось.

— Он мне задаёт вопросы, а я ни сном ни духом. Что это было, кто это был, почему так легко завершилось... Может, появишься? Мы у него, ты знаешь где.

— А не пойти вам обоим подальше… В общем, передай ему, что как-нибудь заеду. Завтра, послезавтра. С отцом разберусь и заеду. И ты мне пока не звони. Знаешь, как в том анекдоте: «Выступает артист без ансамбля. Сам, бля. Один, бля». Всё, мне некогда, физкульт-привет.

Раздались короткие гудки.

Я понимал, что Максуду звонить бесполезно, со мной он разговаривать не станет — я был свидетелем его позора. И всё же для очистки совести набрал. Успел произнести одно-единственное слово: здравствуй. И услышал раздражённые гудки.

Я развернул телефонную книжку Учителя, разбухшую от множества закладок и листочков, правильно засаленную по краям; с любопытством её пролистал. И случайно выронил билет. Трамвайный, давно пожелтевший. На обороте волевым военным почерком был написан номер телефона и указана фамилия: *Базарбаев*. Фамилия была такой литературной, что сама собой запоминалась. Я сунул трамвайный билет в записнушку и помчался назад.

Сумалей сидел на том же самом месте. Желчный, с перевёрнутым лицом. Нервически хихикая, спросил:

— Ну, что там у нас? Что сказали?

Я доложился кратко, по-армейски:

— Мне ничего не сказали. Вам — скажут. Никита заедет. Когда — пока не знает сам. А Максуд отключил телефон.

Учитель даже не пытался скрыть разочарование. Он сухо пожевал губами, что-то прикинул в уме и, не глядя в глаза, подытожил:

— Вот что, уважаемый Ляксей Арнольдович. Давайте этим на сегодня ограничимся. Завтра, там, или когда. Мне надо кое-что обмозговать. Не смею вас больше задерживать.

— Хорошо, — ответил я; из этого дома меня выставляли впервые.

— И вот ещё что. Если что, я сам вам позвоню, из автомата. Вы сейчас под ударом, а мне рисковать не с руки. У меня опять уходит книга в типографию, прям вот на днях. Теперь уже действительно последняя, итоговая. Так что… В общем, держите меня в курсе.

— Как же я буду держать вас в курсе, Михаил Миронович, если мне звонить запрещено?

Почувствовав, что я обижен, Сумалей меня ещё раз приголубил, чмокнул в щёку. Но без особого душевного порыва.

— Если срочно, можете по телефону. Но говорите не прямо! Не прямо.

— До свидания, Михаил Миронович.

— Давайте.

Дверь за мной захлопнулась, и я услышал быстрый проворот ключа.

6.

Муся была недоступной и строгой:

— Перед папой заглянем ко мне, поступила новая информация, я должна тебя с ней познакомить.

— Муся, — рассмеялся я, — что с тобой? Ты со мной говоришь, как директор. Та-а-ак, Ноговицын. Опять прогуливаем. Давно родителей не вызывали? А ну-ка пройдём в кабинет.

Но Муся отмахнулась:

— Потом пошутим, мне сейчас не до того.

Пропустив меня вперёд, она велела:

— Садись.

— А стоя послушать нельзя?

— Нельзя. Значит, так, имей в виду. Я встречалась с Федей, два часа назад. Да, встречалась, и нечего мне делать козью морду. Как только ты ушёл, я ему позвонила, он мне назначил в метро.

— На «Киевской»? — пошутил я неосторожно.

— Нет, не угадал, на «Ленгорах», так ему ближе к бассейну. И не перебивай меня, пожалуйста. Я же тебя попросила. В общем, ты тут совершенно ни при чём, история не про тебя, и никакого продолжения не будет. Всё в порядке.

Договорив, она обмякла:

— Котинька, тревога ложная, расслабься.

Ревность стучала в виски.

— А Федюшка всем открывает секреты? Или только тебе, по знакомству? И что взамен потребовал?

Муся надулась, у неё появился второй подбородок.

— Иди ты знаешь куда? Я узнала — я передала. Что с этим делать — или ничего не делать — решай. Папе я всё рассказала, если он захочет, сам тебе объяснит. Следуй за мной, Ноговицын.

Холёный кабинет был завален белыми рубашками, чёрными носками и кокетливыми пёстрыми трусами; на чёрном кожаном диване змейками свернулись шёлковые галстуки, заранее затянутые в толстые узлы; возле кресла сгрудились баулы, саквояжи с медными замочками, окантованные кейсы, из дефицитной сумки «Adidas» торчали перемотанные синей изолентой ручки теннисных ракеток; чемоданы разевали пасти и показывали яркое нутро. По столу были разбросаны плавки и шорты. Похоже, он в Кабуле собирается играть на корте, ходить на светские приёмы и плавать в посольском бассейне?

Виктор Егорович восседал на безразмерном чемодане и пытался защёлкнуть замки.

— Чёрт. Чёрт. Чёрт.

— Папичка, не чертыхайся.

— Попробуй тут не чертыхаться, если это — чёртов чемодан. Алексей, давай на помощь. Садишься и придавливаешь жопой… Жопой, говорю, дави. Не понял: Муся, жопа есть, а слова нет? Паренёк, у тебя недовес. Муся, смени кавалера. В хорошем смысле, говорю, смени. О, закрылось. Ровно то, что доктор прописал; наша девочка любит покушать.

— Папа, не груби.

По-солдатски щёлкнули никелированные язычки; Виктор Егорович сполз со своего огромного чемодана, как бабка с сундука. Сел на диван, закинул ногу на ногу, обнаружив чёрные роскошные носки, длинные и тонкие, как гольфы. Отдельно поражали туфли — востроносые, из мягкой тёмной кожи, с матовыми гладкими подмётками приятного коричневого цвета, без набоек. В таких туфлях на улицу не выйдешь, не прогуляешься по грязному двору — к ним должна прилагаться машина с шофёром.

Я устыдился собственных ботинок, жёваных, со стоптанной подмёткой, и поджал ноги.

— Что я могу сказать по вашему вопросу. Что всё не так хреново, как могло бы быть. Протокол они порвали? Порвали. Вещдоки вернули? Вернули. Говорили про отца, а не про сына? Отпустили всех, подписок никаких не брали?

— Да, отпустили. Нет, не брали. Да, про отца.

— Кассеты? Черепа? Медали?

— Оставили себе.

— Дóбре. Вот что, братцы-кролики. Я тут кое-что пробил по базе — и пока что можно выдохнуть. Хотя, зятёк, полезно думать головой, а не этим самым местом. Ты чего туда полез? Делать тебе больше нечего? Если скучно — посмотри футбол, в кино сходи, поедь на дачу. Да, Мусь, именно поедь. Не поехай же. Но чего теперь. Не ссы, прорвёмся, как говорили в нашем детстве.

— Пап, но я боюсь, — сказала Муся.

— По вопросу сантиментов — не ко мне. Ко мне — по вопросу порядка. Порядок пока не нарушен, всё под контролем.

— Но я не понимаю, Виктор Егорович, — вступил я в их беседу.

— Чего ты там ещё не понимаешь? — Тон его изменился; он заговорил высокомерно, властно, как начальник с надоевшим посетителем.

— Что там всё-таки произошло, у Дуганкова. Никита им неважен, это ясно. Но если пришли за отцом, почему протокол не заполнен? Нас почему отпустили?

— Слушай, парень, меньше знаешь — лучше спишь. Я же тебе говорил — у них наверху напряжёнка, право-левый уклон, нарастание классовой борьбы по мере построения социализма, две собаки дерутся, третья не мешай. Теперь понятней стало?

Я хотел ответить честно — «нет», однако настаивать было неловко.

Жестом опытного фокусника он взметнул рубашку и опустил её на стол. Рубашка легла идеально; ни одной складки, ни одного неудачного сгиба. Несколько рассчитанных движений — и рубашка превратилась в отглаженный младенческий конвертик.

Муся увела меня к себе. И снова стала чужой и далёкой. Пальцы сцеплены, прямолинейный взгляд, официальный стиль:

— Алексей...

— Алексей?! — возмутился я. — Слушаю вас, Марья Викторовна. Что хорошего скажете? Что мы уезжаем на дачу?

— На дачу — это само собой. Я сейчас о другом. Я целый день об этом думала. Только не злись, хорошо?

Она сжала мои руки; ладони у неё были холодные. — Прости, я поступила гадко. Помнишь, ты вышел из комнаты? В день твоего возвращения? Я тогда порылась у тебя в столе. Там же целая пачка, Алёша. Я сунулась в одно письмо, наткнулась на такие вещи...

— Да как же ты могла?! — Я испугался собственного гнева, который поднимался изнутри, как пар от закипающей воды.

— А как ты себе представляешь? Ты приезжаешь в Москву, что-то там несёшь про папину жену, что я должна была подумать? Что?! Но дело даже не в этом.

— А в чём?

— В том, что эти письма — есть. И у меня ужасное предчувствие.

Говорила она так спокойно, с таким сознанием собственной правоты, что гнев мой начал оседать.

— Предчувствие — чего? И при чём тут эти письма?

— Я не знаю. Я — чувствую.

Она выпятила нижнюю губу, округлила второй подбородок и упрямо сказала:

— Ты мне эти письма дашь.

— Я подумаю.

— Ты дашь мне их сейчас. Сегодня. Прямо сейчас.

— Да кто, чтобы мне диктовать!

— Я твоя будущая жена. Или не жена. Всё, ко-тинька, очень серьёзно. Выйди в коридор, подожди там, я переоденусь. Нет, здесь нельзя. У тебя свои запреты, у меня — свои.

7.

Я не то чтобы опасался Мусиной цензуры; просто предпочёл бы скрыть одно письмо, полученное на излёте октября 1979-го.

Этому письму предшествовало некоторое охлаждение в отношениях отцом Артемием. Я честно сообщил, что пообщался с тем церковным старостой; отец Артемий вспыхнул как порох: «Ах, Вы решили с ним поговорить? И Вам совсем не жалко старика? Он под статьёй без срока давности, а Вы к нему — с дурацкими вопросами. А если инсульт? Или инфаркт? И почему не спросили согласия, что за художественная самодеятельность?» Отчасти он был прав. Возможно, я повёл себя бестактно. И мог предупредить отца Артемия. Но реакция была несоразмерно жёсткой; я вяло попросил прощения: извините, был неправ, исправлюсь; получил кисло-сладкий ответ: хорошо. И после этого как будто что-то надломилось; я составлял формальные отчёты, он мне давал дежурные советы. А если подпускал сердечной теплоты, то путался в элементарных показаниях. То он видел Серафима в ближнем Подмосковье («съездили к о. С., недалеко от Лавры; Батюшка спрашивал, как Вы живёте, беспокоился, что причащаетесь без подготовки»). То навещал его в лесной глуши («двое суток в дороге; устали, промёрзли, но отогрелись возле Батюшки и вечером отправились обратно»). То поселял за Уралом («вкладываю камушек, который Вам послал о. С.; камушек уральский, благодатный, вы же больше не боитесь этих слов?»). Задним числом я сообразил, что такие нестыковки случались и раньше: например, Серафим был вывезен из лагеря в новом двубортном костюме, а при этом антиминс ему зашили в телогрею. Только я их либо пропускал, либо не придавал им значения... И эта интонация допроса — руки за спину, лампа в глаза: так о чём вы говорили с Сумалеем, почему не получилось встретиться с Насоновой?..

Я не выдержал и снова накатал сердитое письмо, как тогда, в начале нашей переписки.

19 октября 1979 г.
Москва

Уважаемый отец иеромонах, благословите говорить начистоту. Вы были вольным собеседником, а превратились в гвардии сержанта. Я направляю рапорты, вы отдаёте приказы. Вам предписано рассказать о Сумалее. Что там за фальшивая цитата? Чем он занят? Дайте информацию о Насоновой. Это что, материалы для особой папки? Зачем они вам? Зачем они мне? Разве наша переписка затевалась ради этого?

А то, ради чего она затевалась, пригасло. И разгорается всё реже.

Кстати сказать, о Насоновой. Я чувствую, что Вы меня всё время к ней подталкиваете. Правда ведь? Вам не нравится моя невеста, а мне, чего греха таить, не нравится Насонова, между нами никакой душевной близости — не будет.

Если Вы задумали устроить православный брак, то не надейтесь. И даже православной дружбы между нами не получится. Максимум, что может между нами быть, — книгообмен. Готов делиться с ней литературой и готов принимать от неё книги. И всё.

Мы — чужие. Понимаете? Чужие.

По-прежнему Ваш

А.Н.

В ответ была получена открытка с многоцветным фото Первомая и нахальной олимпийской маркой, на которой в напряжённой позе застыла толстопопая метательница копий.

Алексей, вопросы важные, ответ с оказией. Как в прошлый раз. Ждите звонка. о. А.

На всякий случай я отпарил марку, но никакого тайного послания под ней не обнаружил.

Через две недели меня разбудили звонком: говорите, у вас три минуты. Я ожидал услышать низкий хриплый голос и характерный белорусский говорок, но услышал высокий, тревожный — с южным затянутым «а» и зажимами гласных, здрааасть алксй, звню вам с владимрск области, пдходите к пятому вагону. Назавтра новая посланница, полная, прыгучая, как детский мячик, в долгополой чёрной куртке и сером рязанском платке, быстро сунула очередной большой конверт и растворилась в утренней толпе.

Теперь я не стал торопиться; никаких привокзальных скамеек, никакого дрожания рук. Тем более что вдруг похолодало, накануне выпал первый снег, острый, оскольчатый, радостный. На скамеечке не очень посидишь. Я спокойно доехал до дому, заварил себе крепкого чаю, поудобней устроился в кресле и начал читать.

24 октября 1979 г.
С/х «Новый мир»

Многоуважаемый духовный собеседник.
Дорогой Алексей.
Простите, грех — на мне.
Во-первых, Вы полностью правы, наша переписка потеряла жар, и случилось это исключительно по моей вине. В ней действительно стало появляться нечто армейское, казарменное. Я попытаюсь объяснить причину; не знаю, получится ли, но твёрдо обещаю Вам, что попробую вернуть доверие. Которым очень, очень дорожу.
Во-вторых, о Вашей будущей семье и о Насоновой. Даю вам слово честного человека: никакого сводничества нет. И быть не может. Это в синагоге подбирают женихов с невестами, мы же с Вами не по этой части. Но опять же, это целиком моя забота. Надо было говорить без экивоков.
О чём говорить? Вот об этом:
Да, я не верю в то, что называется земной любовью. Она не прописана в вечности, а всё, что не вечно, — мертво. Поэтому (хотите обижайтесь, но лучше поймите) не принимаю перспективу Вашей предстоящей свадьбы. Всё, что Вы писали о своей невесте, вызывает сильные сомнения. Невеста Ваша, судя по всему, девушка властная. Всё — ровно постольку, поскольку ОНА.

Такие женщины не отпускают от себя — ни к друзьям, ни тем более к Богу. И сами к Нему не идут. Они удерживают Вас на привязи, создают свой собственный семейный культ. Поверьте мне, я женщин знаю. Кстати сказать, на мой вопрос о Вашем запланированном браке Батюшка вздохнул: «Чему НЕ быть, того не миновать». И добавил: «Дух любит до ревности. Пусть помнит об этом».

Но, дорогой мой Алексей, мой Божий человек, навсегда любезный собеседник! Никто Вас не пытается посватать к Анне! В мыслях не было такого! Вот уж кто вне брака, так это она. <u>Чего уж тут скрывать</u>, благодаря отдельным совпадениям (хотя случайностей на свете не бывает) мы с нею тоже познакомились, заочно. Состоим в духовной переписке. Путь Анны — не в семью, а куда — догадайтесь с трёх раз. Поэтому какое сватовство. Побойтесь Бога.

И ещё раз повторюсь: <u>побойтесь</u>.

Относительно Вас и неё я мечтаю совсем о другом. Скажем, о духовной кассе взаимопомощи. Книгообмен вполне годится — для начала. В это воскресенье подъезжайте в храм к отцу Илье, вы мне о нём написали когда-то. Анна будет там же, я позабочусь. Поговорите с ней, прошу Вас. Это важно.

Теперь более сложный и важный вопрос.

А зачем Вам это нужно?

Затем же, зачем и <u>нам</u>.

Нет сомнений, что Вы догадались — о. С. предвидит испытания. Не в священной перспективе, а вот-вот. <u>Близ уже есть, при дверях</u>. Всё начнётся внезапно; может пошатнуться государство, размножатся секты, на окраинах Империи прольётся кровь — так всегда бывает в годы потрясений. Почва начнёт уходить из-под ног. Это не страшно. Ибо сказано в Божественном Евангелии: «Когда же услышите о войнах и о военных слухах, не ужасайтесь: ибо надлежит сему быть, — но это ещё не конец... Это — начало болезней» (Мрк. 13; 7, 8). Катастрофы всегда предшествуют взлёту, потрясения — новому опыту.

Поэтому нельзя бездействовать. Нам нужно успеть — и собраться. В каждом городе, в каждом трудовом коллективе, в каждой школе, в каждом вузе мы обязаны искать людей, способных к подвигу духовной самообороны. Связывать их между собой, сплетать узлы. Закалять. Испытывать. Пока не поздно. «Мы молодой весны гонцы, она нас выслала вперёд!» Хорошие, кстати, стихи.

Вы снова скажете, что это недуховное, армейское. Отчасти нет, отчасти да. Армейское. Да, мы призваны готовить общее Преображение. Значит, мы гвардейцы вечного Преображенского полка. И на Вас возложены особые надежды. Нам нужна Ваша воля. И Ваша готовность...

Звучит-то как торжественно, даже ритм появился: «Нам нужна — ваша воля. И ваша — готовность...» Кстати, не знаете, что это за размер? Не мог он ямба от хорея, как мы ни бились, отличить. Надо было в школе учиться как следует.

Но и Насонова — одна из многих. И другие. Поэтому пишу я Вам так коротко и по-казарменному чётко. Поверьте, хочется о том, о сём поговорить, но время с каждым днём сжимается, мне нужно отправлять десятки писем, это забирает меня целиком. Но, Бог свидетель, я думаю о каждом. И о Вас, мой дорогой и любимый собеседник, прежде всех. Каждый день молюсь. И Вас прошу молиться обо мне, потому что и мне предстоят испытания, которые мне до́лжно принять и отчасти даже подготовить. И Вам предстоят. И другим. И ждать осталось меньше, чем нам кажется.

Письмо сожгите. Предыдущее тоже — в нём было названо земное имя Батюшки, упомянуты другие имена. И вообще не оставляйте никаких следов, вспомните инструкцию, которая была отправлена по поручению о. С.

В заключение передаю подарочек от Батюшки. Каюсь — я вам завидую. Это та самая запонка! Та, которую он получил в момент чудесного спасения! Берегите её.

Пока вы её бережёте, о. С. бережёт вас.

о. А.

Я пошарил в конверте и вытащил запонку из глинистого янтаря. Он был помертвевший, мутный, но если смотреть на просвет, в нём вспыхивала золотая жилка. Похожие запонки были у деда, с короткой латунной цепочкой на впаянном стержне и тонкой овальной пластиной; дед, всякий раз возмущаясь, пропихивал пластину в прорезь манжеты: «Это ж надо было так придумать, вашу мать, ни в какую дырку не пролезет, сами суйте, мне остоипало».

Я спрятал запонку в домашнем алтаре, за иконой. А письмо, слегка смутившее меня, уничтожать не стал. Решил перечитать, обдумать, но забыл.

25 октября 1979 г.
Москва

Дорогой о. А.!

Спасибо за подарок. Тронут.

С каждым новым письмом, с каждой новой запиской у меня сильней становится желание поговорить с Вами лично. Скажите, я могу к Вам приехать? Если да, то какого числа и во сколько? Назначьте мне встречу! Письма письмами, а глаза в глаза всё звучит совсем по-другому. Может быть, то, что меня смущает, — разъяснится. А может быть, нет. В любом случае записываюсь к Вам на приём.

Алексей.

Первого ноября я получил ответ — на издевательской открытке с изображением Лубянской площади.

30 октября 1979 г.
С/х «Новый мир»

Ни в коем случае. Считайте, что меня тут нет. Почему — догадайтесь. А если не догадаетесь — примите как данность.

P.S. На вопросы отвечу письмом.

о. А.

Пятого ноября прошло то злополучное заседание Комитета комсомола, на котором меня завалили, отлучив от будущей Олимпиады. А в воскресенье я встретил Насонову в церкви. Треугольная юбка, овальный платок и рассеянный взгляд. Руки в деревенских варежках крупной неряшливой вязки. Я приветливо (насколько мог) кивнул Насоновой, она демонстративно отвернулась. Но после возглашения отпуста, передвигаясь мелкими балетными шажками, сама подошла и заговорила ровным деревянным голосом, здравствуй, поздравляю с принятием святых Христовых тайн, привет от батюшки Артемия, вот летопись Дивеевского монастыря, вернёшь через неделю, ах, ты читал, ну хорошо, в другой раз что-нибудь ещё найду, а есть ли у тебя духовная литература? Я растерялся, летопись принял («с удовольствием перечитаю»). И ответил: не знаю, я подумаю, ты будешь в следующее воскресенье? — Так часто я не успеваю, давай в начале следующего месяца.

С этих пор мы с ней пересекались ежемесячно. Обменивались книгами и, ничего не говоря друг другу, расходились. А когда встречались в универе, то демонстрировали равнодушие, здравствуйте, Аня, доброе утро, Алёша.

8.

Муся рассортировала письма по датам, дисциплинированно сложила руки, стала читать. (Ей бы очень пошли тонкие тугие косички и белый отглаженный фартук.) Я пытался предложить ей кофе или чаю, она отмахивалась: не мешай. На письме про Насонову вздрогнула и нервно повела плечами. Дойдя до письмеца о христианском браке, повернулась:

— Что же ты ему ответил?

— Ничего.

— Как ничего? Вообще — ничего?

— Мусенька. Ну мало ли что думают монахи.

— То есть он советует — бросай меня, а ты? Не сказал мне ни слова, целовался, лез под юбку, слюнявил язык. И молчал? По-моему, это предательство. А вот ещё отличное, ты не находишь?

Она презрительно скривилась, разгладила листок и прочитала длинное письмо от 15 ноября семьдесят девятого года.

Счастие — понятие не христианское. Нет в Новом Завете ни слова, ни звука о счастье. Тем более о счастье личном, о счастье в любви. Любовь — это долг, взаимное терпение, готовность разделить единый путь и пройти его до самой смерти. Писание не говорит нам о «супружеской любви». Жена да убоится мужа своего. И прилепится к нему, и станут двое как одна плоть. И всё. И никаких там Ваших сантиментов. И половых вопросов.

Не знаю, будет ли Вам это в утешение, но расскажу одну историю про Батюшку. Приехала к нему на днях одна художница, вся из себя такая ищущая, образованная. Всё у неё непросто, как положено у нас, интеллигентов. С прежним мужем развелась, нашла себе нового спутника жизни, как говорится, телевизионного деятеля искусств. Разумеется, тоже в разводе.

Ищут они, значит, Бога, ищут; что уж они там нашли в конце концов, не ведаю, но художница внезапно понесла, и взял её некоторый страх. А вдруг ребёночек родится не того чтоб этого, а ежели он заболеет, а грехи, которые до третьего или четвёртого колена, а виноград, который кушали отцы и всякое такое прочее... Надо бы с отцом ребёнка повенчаться. Чтобы всё по-человечески, по-христиански.

Батюшка даром что строгий, принимает их ласково, слушает, головкой своей седенькой кивает. Хлопает в ладошки и смеётся: вот славно, вот чудесно, вот какой замысел Божий о вас. Какой же это, спрашивают они, замысел? А вот какой. Пригласите в гости ваших бывших, вместе с их новыми семьями, попейте чайку, задружитесь с ними. И потихоньку начинайте просвещать. Время у вас есть — как раз до приближения родов. Потом родите мальчика, здорового, только ножка немного кривая, но мальчику это не страшно...

(Художница перебивает: Батюшка, какой такой мальчик, нам на УЗИ сказали девочка, и снимок есть. — А кто такая эта ваша УЗИ? — Как, вам, Батюшка, сказать... это такая машина, которая смотрит в живот и определяет пол ребёнка, нам по большому блату сделали в НИИ акушерства, у академика Персианинова. — Вот пусть УЗИ тогда вам и советует, — смеётся о. С., я не Иудей Персианинов, я Русак Русаков.)

Так вот. Когда родите, супружеские отношения не возобновляйте. Живите как брат и сестра. И ваших бывших к этому готовьте. Когда они приобретут духовную кондицию, продайте все свои московские квартиры и купите деревенский дом. Один на три семьи. Для баловства разрешаю камин. Молитесь, поститесь, бегите соблазна!

Те, конечно, обомлели, не знают, что и сказать.

А где же мы будем работать? — спрашивает художница, чтобы хоть что-то спросить.

Ты, говорит он художнице, станешь работать на почте. Ты, обращается он к телевизионному деятелю искусств, возглавишь местную радиорубку. И вашим бывшим работа найдётся. В школу, например, пойдут учителями. Или в медпункт.

И что же вы думаете? Всё именно так и случилось. Родился мальчик, с лёгким парезом, левая ножка кривая. Помирились со своими бывшими. Продали квартиры. Поселились в бревенчатом доме на Волге. Приезжают к Батюшке — вместе, Великим постом, а иногда и Рождественским. Счастливы... И готовятся шагнуть на новый уровень. Взять новую высоту, новый вес.

Какую высоту? Какой вес? Об этом — немного попозже. Потому что касается ВАС.

Напрямую.

о. А.

Дочитав, она сложила это длинное письмо, сунула в пачку — как карту в колоду, но снова вытащила и спросила:

— Скажи мне, ты вот это всё внимательно читал?

— Конечно, — попробовал я пригасить раздражение Муси. — Ещё бы мне *это* читать невнимательно.

— Тогда ты видишь, что вот здесь написано? — Муся пальцем ткнула в нужную строчку. — Вот, вот это место. Читай. «На днях приехала одна художница».

— Ну, вижу. И что?

— А тут, смотри, она уже и родила, и ножка у младенчика кривая. Это как? Это у вас, православных, нормально?

Я смутился:

— Муся, это не роман, это письмо. Человек не следит за словами.

— А по-моему, как раз следит. Внима-а-ательно следит. И за словами следит, и за собой, и за тобой. И дёргает за ниточки. Просто здесь случайно просчитался. И ещё в одном месте — вот в этом. «...У академика Персианинова». Да будет тебе, котинька, известно, что мы Персианинову помогали с его «мерседесом», папа справки ему выбивал, чтобы разрешили привезти из-за границы. Кстати, и Высоцкому он тоже помогал, и тоже с «мерсом»...

— Ну так что с того?

— А то с того, что Леонид Семёнович помре. В декабре позапрошлого года. Ты же не хочешь мне сказать, что эта твоя духовная художница носила как слониха?

— Ну, не знаю. Людям надо верить.

— Видишь ли, котя, если люди говорят, что я для тебя не гожусь, я таким людям не верю. И не буду верить никогда, готовься. Ревнивый твой отец Артемий, просто как-то даже странно. Оплетает, следит, не спускает с крючочка... как будто от меня уводит, прости господи.

— Ты же не знаешь всего...

— А это даже хорошо, что я не знаю. Я в эти письма ничего не подставляю. Вижу ровно то, что есть —

невнятные намёки. Мусь, ночью приходи на сеновал. Ага, намёк поняла, приду. Ну котя, ну ты чего, ну не мрачней. Не мрачней, говорю. Вот тебе твои письма, спрячь подальше. Это точно все? Других нет?

— Других нет, — соврал я.

— Нет, значит, нет. Может, скажешь сам, чего ты вдруг вернулся?

— Не скажу.

— Хорошо. Надеюсь, что причина уважительная. А теперь поехали на рынок. Хотела завтра посмотреть финал, завтра наши с венграми играют, но чего не сделаешь ради любви? Отправимся завтра на дачу. Я от вас позвоню — сговориться с подружкой? Наталь Андревна не заругает?

9.

Последний раз я был на рынке в раннем детстве. Потому что рынок — это мамина епархия. Помнил изощрённый запах черемши, куличики из квашеной капусты, пушечные ядра спелых помидоров, курчавую кинзу в ведёрках, мочёные яблоки, перцы; всё вызывает бурную слюну. За изобильными прилавками — девушки с весёлыми нечестными глазами и скуластые невыбритые дядьки. Почему капуста берём, почему яблоки не берём, почему огурцы не берём, почему морковка берём, лук берём, кинза берём. Женщина, проходим, что стоим? Синеглазка! Синеглазка! Рассып-ча-та-я!

Но ничего похожего я не увидел. На рынке поражала мёртвая доисторическая тишина. Никакого смутного роения, никаких обильных запахов застолья, перенасыщенных цветов и медленно гниющих фруктов. Цветочные прилавки — девственно чисты, на фруктовых — горки марокканских апельсинов, ни тебе счастливых краснощёких яблок, ни гранатов со снятыми скальпами, ни целлюлитных раскормленных груш.

Вместо жилистых южанок за прилавками — московские толстухи; в мясном отделе, под плакатом с контурным изображением улыбчивой свиньи (рулька, голяшка, брюшина), скучали совхозные дядьки. Где анатомические туши с синими овальными печатями? Где неподъёмные куски говядины со сколами острых костей? Где баранья корейка свекольного цвета, где светло-розовые свиньи, где раздутые ляжки индеек, где синие удавленники-гуси, где суповые наборы из петушиных голов? Только сало, стыдливо прикрытое тряпкой, да грустные свиные головы с полузакрытыми глазами.

— Это как же понимать? — спросила Муся. И сама себе ответила: — Ах, да.

Мы затарились в соседнем продуктовом магазине: здесь были вполне приличная картошка, немытые пупырчатые огурцы, стрельчатый зелёный лук, даже банки югославской ветчины с аппетитным окороком на крышке, и прекрасная тушёнка, и вакуумный финский сервелат, и иностранный джем в миниатюрных упаковках, и польская мороженая вишня — Муся обещала приготовить украинские вареники.

Попытка проводить Мусю до дому была решительно пресечена: нет-нет-нет, вишню как-нибудь дотащу; завтра утром в полдевятого в центре зала на «Новослободской». Оттуда до вокзала — на троллейбусе. Дача у подружки — по Савеловскому направлению, мы должны успеть до перерыва.

День шестой

24. 07. 1980

1.

В конце июля город выгорает. Утром в метро невозможно дышать. Из вагонов, как шуршащие жуки из спичечного коробка, выползают заспанные пассажиры. Очумело озираются, зевают. Но Муся не умеет озираться. Муся не желает выползать. Она выпрыгивает из вагона, мячиком скачет навстречу, тянет за руку подругу, представляет (Катрин! Прошу любить и жаловать!), протягивает рюкзачок с дорожным термосом, всё сразу! На Мусе голубой просторный сарафан с жамканой оборкой на груди; под мышками расползаются тёмные пятна, есть в этом что-то неприличное, желанное.

Я чинно шаркнул ножкой и склонился к ручке. Но Катрин была не девушкой из первого гуманитарного, а начинающим бухгалтером Внешторга, ей стало неловко. На сильных пальцах было множество серебряных колечек, от примитивной вьетнамской «недельки» до чешских перстеньков с зелёной яшмой и прибалтийских — с желтоглазым янтарём. Запястье тонкое, покрытое приятным золотистым пушком.

Потом мы ехали в медлительном троллейбусе и тряслись в безлюдной электричке; Катрин листала цветные журналы, где на мелованной тонкой бумаге красовались тощие модели в иноземных лифчиках и розовых трусах; изнывая от дикой жары, она всё время промокала крылья носа платком с игривой монограммой и крутила свои бесконечные кольца. А Муся яростно обмахивалась веером и жадно глотала «нарзан».

— Станция Тру-до-вая, — по слогам продиктовал механический голос. — Осто-рож-но, двери за-крыва-ются. Сле-дующа-я останов-ка — платформа Ик-ша.

Бревенчатый послевоенный дом стоял на взгорье. С мансардного второго этажа открывался торжественный вид: скрипят корабельные сосны, свинцовый залив распластан, как бита на рельсах. На даче было газовое отопление, поэтому даже на веранде не пахло сыростью и тиной; пакля в стыках брёвен распушилась и торчала мелкими бородками; в столовой под огромным жёлтым абажуром стоял огромный круглый стол конца сороковых, а родительскую спальню занимала безразмерная кровать, ложись хоть вдоль, хоть поперёк. «Папа у меня не маленький, — почему-то смутившись, объяснила Катька, — приходится всё делать на заказ».

Жёлтые банки с пивом «Золотое кольцо», зелёная бутылка «Цинандали» и покоцанный синий бидон со свекольником были сосланы в гремучий холодильник; туда же положили лук и ветчину. Вареники в дороге разморозились и слиплись, девушки их разлепили и отправили в эмалированную жёлтую кастрюлю; яйца, огурцы и помидоры отправили в корзину под столом: сегодня будет роскошный обед. Но сначала решили сходить по грибы, после чего — искупаться. Нас ждали песчаный пляж, нестерпимые визги счастливых детишек, споры пьяненьких родителей, горячая кожа, подсыхающий и мелко колющий песок.

Дорога вела через поле. В зелёную усатую пшеницу заплетались наглые побеги дикого горошка; нежные цветочки куколя и ядовитые головки васильков приглядывали за колосьями, а на глинистой обочине пшеницу вяло подпирали отцветшие маки.

Я оторвал коробочку от макового стебля, выдернул её сухое рыльце, как выдёргивают пробку из бутылки, плотоядно надорвал сырые стенки. В нагретой норке, поделённой на отсеки, прятались микроскопические семена икряного белужьего цвета. Я понюхал, даже пожевал — ничего похожего на мак из ароматных булочек за восемь коп. Горьковатая жидкая масса, пахнет хлебным грибком и опарышем. Я рассердился и швырнул коробочку в кусты.

Мы вышли в сосновую сушь. Под ногами пружинила хвоя, щёлкали мелкие сучья. «Ну какие могут быть грибы в такую жарищу? Что за странная прихоть?» — ворчал я про себя. «Ой, нашла! Чур, мой, чур, мой! И ещё, и ещё!» — звонко крикнула Муся; не ори, спугнёшь удачу, завистливо буркнула Катрин. Я подошёл поближе, громко засмеялся: Муся гордо держала поганку, серую, чешуйчатую, с едва заметным бежевым отливом. Ножка бледная, с кокетливой подвязкой, шляпка похожа на сплюснутый купол.

— Муся, ты дурочка. Дай я тебя поцелую.

— Сам ты дурак, Ноговицын.

— Ты зачем срываешь мухоморы?

— Какой он тебе мухомор?

Муся, нагло ухмыляясь, срезала ножом кусочек пластинчатой шляпки, медленно поднесла его ко рту, положила на язык и на секунду замерла, наслаждаясь моим ужасом. Сжевала, проглотила, протянула мясистый кусочек:

— На, попробуй! Неужели никогда не ел?

— Я пока не рехнулся. Что ты наделала?!

— Котя, этот гриб называется зонтик. Самый лучший в мире гриб. Лучше подосиновых и белых. А какая из него икра… я тебе буду готовить. Да не бойся, я же опытный грибник, не то что ты. На, ну съешь, ну за моё здоровье!

— Сырой?!

— Милый, запомни, либо гриб ядовитый, либо нет. Сырой — не сырой, не имеет значения. Будешь пробовать или я тебя не уважаю?

Деваться было некуда. Я снял губами серый неопрятный ломтик, трусовато его надкусил. Почувствовал трюфельный запах и должен был признаться самому себе, что это вкусно. Даже очень.

— А теперь смотри сюда, видишь, как они растут? Здесь целый выводок.

Под сосной, поросшей струпьями, прикрываясь зубчатыми опахалами папоротника, белели лохматые шляпки. Их было много, целая поляна. Большие, на тоненьких ножках, напоминали кепки-аэродромы, средние — будёновки с детсадовской пимпой, маленькие были сжаты в кулачки. Я присел на корточки и надломил большую шляпку — гриб старый, нет ли в нём червей?

— Эх ты. Зонтик не бывает червивым. За это его и люблю, — необидно посмеялась Муся.

И голос у неё сделался сдобный, как у хозяйки, только что испёкшей пироги.

2.

Пляж был забит до отказа; в тени на полинялом надувном матраце лежал старик, похожий на патриция, а рядом с ним сидела молодая дамочка и обмахивала от слепней; невдалеке устроились пенсионерки, в сатиновых чёрных трусах и белых застиранных лифчиках. Они распевали хором песни: напрасно, девушки, красивых любите-е-е, непостоянная-а-а у них любо-овь, издалека до-о-олго, течёт река Во-олга, течёт река Во-олга, а мне сим-на-цыть ле-е-ет.

В чёрной воде, как буйки, колебались толстомясые мамаши, ба-ба-се-я-ла-го-рох, под мамаш подныривали дети; страшно выпучив глаза, вдоль берега плыла ничейная собака, скрипели уключины лодок, стрекозы боялись присесть и цеплялись слюдяными крыльями за воздух.

Катя всё делала основательно, с повадками советской опытной хозяйки. Осторожно, чтобы не запутать в волосах цепочку, стягивала через голову сарафан, разглаживала полотенце, растягивалась на нём — вверх плоским золотистым животом. А Муся скинула одежду на ходу (розовый купальник её облегал, как будто она была без всего) и забурилась в горячую воду; мамаши взвизгивали, подаваясь в сторону, мужики отруливали лодку, собака выбралась на берег и, не отряхнувшись, трусовато отбежала в сторону, — а Муся плыла. Через минуту она была уже на другой стороне; не выходя на берег, развернулась и торпедой понеслась за поворот — где залив раздвигался, как надставленные клёши.

Я поболтал в воде ногой, проверил дно, не покрыто ли илом, не склизко ли — и тоже поплыл. Плавал я кролем, неплохо, десять лет занимался в бассейне, на уроках физкультуры получал пятёрки, но куда мне было до Муси. Жалкие потуги, детский уровень. «Вот какая я была, лёд колола и плыла, у меня милёнок был, лёд колол и сзади плыл». Наплававшись и выйдя из воды, я устроился рядом с Катрин (та, прищурив глаза, промурчала: «Приветик»), и солнце начало глазуровать мою спину.

Постепенно я начал задрёмывать: вечером уснул не сразу, утро раннее, в поезде душно, долго ходили по лесу.

У меня было несколько снов, которые снились всю жизнь — и в них ничего не менялось. В одном я медленно планировал на гору, ярко-зелёную, как нарисованный альпийский луг. Опускался в мягкую траву. И сон повторялся. В другом трассирующем сне я всё время видел южный город, где в белых домиках в колониальном стиле — холодные полы из мраморных плит. В третьем путался в гостиницах и должен был переселяться из одной в другую, проходя через подземные бассейны, где гулкие звуки и сумрак... Я плыл сквозь эти сны, как рыба в акватории затопленных судов проплывает мимо кораблей, заглядывает в дыры от иллюминаторов...

Меня обрызгали водой. Я вскинулся — надо мной стояла и смеялась Муся:

— Подвиньтесь, товарищ профессор!

И плюхнулась на полотенце, плотно прижавшись мокрым боком.

3.

Вернувшись в дом, мы разошлись по разным комнатам и переоделись. В зеркале на дверце шкафа отражались смуглые тела с опасной белизной; я отвернулся. Распахнули настежь окна; стекла в деревянных рассохшихся рамах дрожали. Выпарили воду из грибов, зажарили и стали пировать на сквозняке; золотое пиво и зелёное холодное вино, фиолетовый густой свекольник с половинкой яйца вкрутую, плавающей кверху жёлтым пузом, огромная грибная сковородка, скользкие вареники с весёлой вишней...

Под конец не то чтобы серьёзно напились, но захмелели. Мы наспех вымыли посуду (мне велели вытирать и расставлять тарелки) и завалились на гигантскую кровать. Костистая Катька легла поперёк, мы с Мусей — валетом; я видел Мусины плотные пятки, отполированные пемзой, и смешные пальцы на ногах, похожие на черепашьи лапки. Ногти были тёмно-красные, как переспелая клубника. На большом пальце сколупнулся кусочек лака, и это было трогательно, беззащитно. Над нами мелочно зудели комары, под потолком гудели мухи. Попадая на липкую ленту, мухи вздёргивали крылышками, замирали, вздёргивали снова, но уже слабее — и, внезапно смирившись с судьбой, приступали к медленному умиранию. Я снова стал проваливаться в сон, точнее переваливаться через край — как переваливаются через край лодки, но вдруг почувствовал, что солнце сбежало с подушки и по лицу скользнула холодная тень.

Я приоткрыл глаза и понял, что будет гроза: за окном распространилась чернота, по железной крыше начал молотить тяжёлый дождь, заливаясь в открытые окна.

— Мамочки светы, что будет! — сонная Катька нырнула в столовую, захлопнула окно и чертыхнулась.

Муся спешно собирала воду тряпкой — с подоконника, с пола. Молнии фехтовали, гром взрывался над головой, пахло мокрой доской, чернозёмом и почему-то гниющими розами.

— Ух! Похоже, застряли мы тут, — Катька сделала вид, что боится грозы. — Есть идея! Давайте слушать музыку и прятаться под одеялом!

Муся как-то чересчур охотно согласилась, а я испугался, что услышу разухабистую «Бони М», «ra-ra-rasputin, Russia's greatest love machine», Юрия Антонова или Сабрину с цыцками; что они ещё заводят в Плешке? Но услышал шорханье бобин, которое перерастало в бас, гремящий под церковным сводом:

«Ра-азбойника благоразу-у-умнаго-о-о-о...»

Это что ещё такое?

— Кать, откуда плёнка?

— Всё, быстренько под одеяло, нету нас, мы спрятались, — Катька не ответила и накинула всем на головы ситцевое покрывало, сшитое из разноцветных кусочков.

Покрывало было тонкое, сквозь него виднелись сполохи молний. Запахи стали другими; пахло начисто промытой кожей, белым вином, помидором. А грандиозный голос продолжал рокотать; в нём звучал неизбывный восторг, по спине пробегали мурашки. «Благоденственное и мирное житие, здравие же и спасение и во всем благое попечение подаждь, Господи, бóлгарскому народу...» И лунный перезвон колоколов, переходящий в утренний набат.

Но молитвенный настрой молитвенным настроем, а всё же рядом — Мусина нога, тонкая в щиколотке и опасно округляющаяся выше. И под сарафаном те незагорелые участки, про которые страшно подумать. Как не провести рукой по гладкой коже, как не приподнять подол и не продолжить лёгкое движение, хотя рядом Катька, которая не может не заметить? Раньше всё было так просто, так чётко: женщина и мужчина, желание и ответ. А после той незабываемой вечерни, после принятого раз навсегда решения — всё запуталось непоправимо. Я жил одним, а верил в другое, и полюса расходились всё дальше.

Тут песнопения окончились и зазвучали оперные арии. Что-то там из «Фауста» Гуно, уклончивая партия Кончака… Голос был таким же мощным и прекрасным, от колонок расходились звуковые волны, но мурашки перестали пробегать по коже. Муся осторожно повернулась на спину и подвинулась вверх, перед губами оказалась её коленка, крепкая и круглая, как яблоко. Я положил на коленку ладонь, по-змеиному прополз вперёд и погрузился губами в прохладную ямку. (Как-то Муся с намёком сказала: «В правильный пупок должна умещаться унция масла».) Целовал, слегка прикусывая и лаская языком. Муся не отталкивала, но дышала медленно и тяжело.

4.

Среди писем, прочитанных Мусей, не было ни майских, ни июньских. Они лежали в верхнем ящике стола, и слава Богу.

Как только утвердили стройотрядовские списки, я отослал отцу Артемию шутливую открытку: бла-аасловите за длинным рублём, ваш плавающий-путешествующий *Ноговицын*. Прошла неделя, десять дней. Я отправил новое письмо — и снова получил в ответ суровое молчание. Так звучит пустая радиоволна, неприязненно дышит эфир. Посвистывает, пощёлкивает, раздаются лёгочные хрипы.

Двадцать пятого мая пришёл почтальон:

— Товарищ Ноговицын? Телеграммка, распишитесь в получении.

Огорчены зпт надо было сообщить заранее тчк можете понадобиться тчк будьте готовы тчк на связи.

Ни подписи, ни здравствуйте, ни до свидания; мне давали понять, что мной недовольны, я наказан, марш в угол. Я не то чтоб очень огорчился; между нами многократно пробегали искры — и всякий раз гасли; я был уверен, что погаснут они и сейчас. И действительно, за два дня до моего отъезда очередная новомировская порученка — круглое крепкое «о», то ли Вологда, то ли Архангельск — доставила послание *оттуда*. В этот раз отец Артемий почему-то писал от руки, дешёвым разлохмаченным пером; вся страница в мелких брызгах. На конверт была наклеена большая марка; зачем, если почту привозит посыльный?

Май, 28-е, год 1980-й от Р. X.
г. Владимир, далее везде

Здравствуйте, Алексей.

Я полагаю, телеграмма Вас задела. Как нас — Вы понимаете, кого это, «нас» — задело принятое Вами решение. Даже не само решение как таковое, всякое бывает, что поделать, а то, что Вы о нём ничего не сказали. Вы же подавали заявление на стройотряд? Не с бухты-барахты поехали? А почему заранее не предупредили? Поймите, Алексей, с какого-то времени Вы перестали принадлежать себе и только себе; Вы должны понимать — почему. Что касается конкретного сюжета, то поверьте: знай мы об этом заранее, постарались бы Вас отговорить. Кое-что намечено на это лето. Вы нужны были здесь.

Ладно, как вышло, так вышло. Возьмите с собою в поездку ту самую запонку. Пусть она Вам напоминает о Батюшке — и о Вашем, уважаемый Алексей Арнольдович, предназначении.

А в оставшиеся — считаные — часы Вам надлежит проделать некую работу. Более чем ответственную. И не то чтобы совсем безопасную, считаю долгом вас предупредить.

А задание будет такое. Прочитайте Батюшкины тезисы. Обдумайте их как следует. И ярко изложите в форме обращения к новоначальным. Мы сей текст распространим как можно шире, чтобы люди поняли — пришла пора. Объём — не больше двух страниц. Но постарайтесь уплотниться до одной странички.

Слова, повторяю, должны прожигать!

С Богом, дерзайте!

Но при этом Вы обязаны — именно обязаны! — соблюсти строжайшую секретность. Все наброски и черновики пошлите мне. Никаких сожгу, порву и прочее. Мы должны убедиться, что никаких следов не осталось. Завтра утром та же девушка, от которой Вы получили этот конверт, будет ждать Вас возле третьего вагона на Владимир. Электричка отбывает в девять тридцать. Если перепутаете платформу, проспите, не знаю, что ещё, — для меня это будет сигналом смертельной тревоги.

Где искать тезисы — я думаю, вы догадаетесь. Там же, где была инструкция.

о. А.

Так вот для чего на конверте такая роскошная марка — за 32 копейки, нестандартная, с изображением аэрофлотовского самолёта. Я отпарил её, изучил через лупу записку. Ничего принципиально свежего и нового; нас ожидают потрясения, предстоит готовиться, искать, объединяться; мы — будущая Армия Преображения. И лишь одно меня тогда кольнуло — фраза «нынешняя власть безбожна, иерархия на службе КГБ, нам предстоит духовное сопротивление». До сих пор отец Артемий мне писал, что не бывает власти не от Бога; что, какая бы власть ни была, мы обречены ей подчиняться. Впрочем, размышлять об этом было некогда; мне предстояла беготня по магазинам, поиск настоящего брезентового рюкзака, стройотрядовской полувоенной формы, покупка консервов в дорогу и много ещё чего. Так что если садиться за текст, то сегодня.

Получилось вроде ничего. Я перепечатал текст на пишущей машинке, замазал многочисленные опечатки, выправил неточные слова. Черновики, как было велено отцом Артемием, собрал в большой конверт и назавтра отвёз на вокзал, по пути за рюкзаком и стройотрядовским костюмом.

И всю дорогу, долгих трое суток, я вёл с отцом Артемием заочный спор. Отовсюду торчали немытые ноги, жёваные простыни и даже одеяла — непонятно, зачем накрываться в такую жару? По коридору, узкому, как траншея, пробегали возбуждённые студенты. Кто за бутылкой, кто за сигаретами, кто за жрачкой, кто целоваться в тамбуре, кто между делом перекинуться в картишки. А я лежал на боковой плацкартной полке — и молча возражал. Что значит — надо было сообщить заранее? Смог известить — известил. Мне надоел монашеский стройбат, шагом марш на КПП, предъяви патрульным увольниловку; я это терпеть не обязан, идите вы на все четыре стороны.

На третий день нас выгрузили в чистом поле. До горизонта — выжженная плоскость, в центре выгоревшего неба — мёртвое серебряное солнце. Мы забрались в раздолбанные грузовики и поехали в свой шиферный посёлок. Нас поднимали на работу до рассвета; днём возвращали отлежаться, переждать нещадную жару; с четырёх до семи возвращали на поле. Думать стало некогда и незачем. Днём — мошка́, унылая работа, головная боль от недосыпа. Вечером — общественный круговорот. Девчонки строгали салат — из огромных недозрелых помидоров, огурцов и молодого чеснока, заливали мутным подсолнечным маслом, запекали картошку в углях, жарили свежепойманных линей и варили в чёрных котелках уху.

В будние дни выпивать запрещалось, бригадир следил за дисциплиной, но по субботам дозволялось скинуться по трояку и послать дежурных в Сасыколи, километрах в трёх от Чапчачей, где находилось больше сельпо. Дежурные притаскивали водку, молдавскую коньячную сивуху «Стругураш» и кислое местное пиво в бидонах; затевалась вечерняя пьянка, на которую заглядывали пэтэушницы из соседнего строительного лагеря, амазонки в яркой боевой раскраске. На старичков аспирантов им было плевать, но к стройотряду прикрепили малолетних алкоголиков — на трудовое перевоспитание; самый старший был десятиклассником. На этих пэтэушницы имели виды; ради них притаскивали двухкассетник и врубали на полную мощность то «Песняров», то бодрую «Машину времени», то белозубого комсорга Лещенко, то задушевного Булата Окуджаву, то беззаботного Кола-Бельды, увезу тебя я в тундру, увезу к седым снегам, то скалолазочку Высоцкого, то досточтимую шизга́ру, всё вперемешку, как на сельской дискотеке; степь неприязненно гасила звуки.

Постепенно все перезнакомились, передружились; парочки прятались в ночь, чёрную, присахаренную звёздами, а я включал маломощный фонарик и, отмахиваясь от комаров, читал скучнейшее «Добротолюбие». Иногда я стряхивал с себя дремоту, заворачивался в марлевую мантию и тоже уходил из лагеря, один, как можно дальше. По дороге я слышал глухую возню и киношные стоны; постепенно стоны затихали, и наступала царственная тишина. Я оглядывался. Лагерь, освещённый яркими прожекторами, напоминал новогоднюю ёлку в гирляндах; между кукольными домиками двигались игрушки, а вокруг зияла чернота.

Я спокойно опускался на колени. Не повторял заученных молитв, не сочинял своих. Слушал, смотрел и молчал. Сияли тяжёлые звезды. Ухмылялась красно-жёлтая луна. Меленько попискивали комары, трещали наглые цикады, по-пластунски проползал внезапный ветер; вместе с ним ползли степные запахи бахчи, жирных помидоров, кислых минеральных удобрений и сухой земли. И в этот момент наконец приходила молитва. Приходила сама, без усилий. Я чувствовал, что Бог меня слышит, как мама слышит своего безмолвного младенца. По телу разливалась нежность, становилось легко и прохладно, и все вопросы казались ненужными, глупыми.

Вскоре начинали ныть колени. Я поднимался рывком; больно сводило затёкшие ноги; нужно было возвращаться к детской ёлке, в суетливую толпу.

А двадцать первого июня (как раз накануне я увидел покаяние священника Дудко) в отряд из центрального штаба доставили почту.

«Ноговицын, вам конверт, пляшите. Пляшите, пляшите, нефига сачковать».

5 июня 1980 г.
С/х «Новый мир»

Дорогой Алёша! Спасибо. Всё доставлено по назначению.

Батюшка просил Вам передать слова признательности.

А ещё — повторю дословно, сказал: «Как только услышит, пусть сразу увидит; как только увидит — пусть действует быстро. Думаю, можно успеть». Что о. С. имел в виду, не объяснил, но Вы, очевидно, поймёте. Если не сейчас, то после.

Запонку-то не потеряли?

Сердечно (поверьте! истинно сердечно! хотя я всё-таки на Вас слегка сержусь).

о. А.

Фраза «как только услышит, пусть сразу увидит; как только увидит — пусть действует быстро» звучала нелепо; я снова с огорчением подумал, что отец Артемий склонен к стихоплётству, и отчасти понял маму с ее брезгливым чувством стиля, помноженным на строгий нрав сотрудницы бюро проверки. А на следующий день строительство коровника остановилось: смежники не подвезли цемент. Бригадир позеленел от жадности; матерясь, он объявил простой. Кто сразу пошёл досыпать, кто решил устроить постирушки, кто просто завалился загорать на утреннем щадящем солнце. Малолетки подхватили пэтэушниц и потопали в Сасыколи. Я же срезал гибкое удилище, сделал поплавок из винной пробки с витиеватой надписью «Негру де пуркарь», накопал фиолетовых жирных червей и сел на обрыве рыбачить.

Мутная вода была изрыта мелкими водоворотами, как некрасивая кожа — следами от оспы. Бестолковая рыба толкала наживку, поплавок извивался на месте, как будто боялся щекотки; вдруг он зашёлся в падучей, замер на долю секунды — и юркнул под воду. Я почувствовал вёрткую тяжесть на леске, резко потянул удилище; рыба вывернулась в воздухе, как гимнастка, и оборвала крючок. Но клёв был бешеный, неутолимый. Рыбы, металлически сверкая, прорезали глинистую воду; я их осторожно подсекал, изматывал, вытягивал на грязный берег и вырывал крючки из выпяченных губ. Через яркие жабры насаживал рыбу на ветку и укладывал связку в тенёк, подальше от кромки, чтоб не утянуло в реку. Рыба заполошно вскидывалась, потом слабела и безвольно засыпала.

Клёв закончился в одно мгновенье; поплавок бесполо лёг на воду. Я гордо подхватил улов — две связки острозубых окуней, нескольких щурят и двух вполне приличных жерехов. Устроился в теньке за шиферным бараком, выпустил улов в ведро (рыбы всплёскивали и замирали, выпуская слизь), стал чистить острым кухонным ножом. Чешуя стрекотала и разлеталась во все стороны, как конфетти. За внутренности шла осадная война между оводами, осами и мухами.

— Коля-я-ян! Едрёна мать! Ты чё! — услышал я истошный вопль.

Кричали в бараке. Раскалённый воздух был пропитан перегаром, к блевотине подмешивался дух одеколона; малолетки задирали головы, как волчья стая в «Маугли», глядевшая на вожака. Фонарь был сорван, а на крюке висел подросток: горло было перехвачено ремнём, безумные глаза навыкате, лицо начинало синеть. Он хрипел и дёргался, как будто его било током, руки были вывернуты судорогой, как у церебральных паралитиков, штанина мокрая, на земляном полу — пузырчатая жижа.

— Вашу машу, ёкарный бабай, чего стоите? — взревел я. — Стул, стул подтащили, козлы!

Я перерезал солдатский ремень. Тело шлёпнулось в жижу. Я нагнулся и рванул ремень, освобождая горло; малолетка дёрнулся, с хрипом вздохнул — и его вывернуло наизнанку.

Позже выяснилось, что произошло. Малолетки набили рюкзак «Солнцедаром», мутным портвейном и водкой. По жаре прибежали обратно и в первобытном возбуждении слакали весь запас; этого им показалось мало — они пошарили по тумбочкам и полкам, собрали пузырьки с одеколоном, настойкой эвкалипта и «таёжным» антикомарином; слили всё в одну посудину, употребили. Один из них потребовал ещё, ему не дали — он повесился.

Я был потрясён очередной угадкой Серафима. Вот тебе и пародийный амфибрахий:

как только услышит, пусть сразу увидит
как только увидит — пусть действует быстро
я думаю, можно успеть...

Я стал обдумывать ответное письмо; хотелось написать проникновенно, но не сдавая окончательно позиций… К полуночи закончил, утром отослал. А шестнадцатого июля получил очередной конверт. Прочёл — и где стоял, там и сел. Это было похоже на высверк сигнальной ракеты; впервые ко мне обращались на *ты* и впервые *запрещали писать*.

Алексей, возвращайся в Москву. Поверь мне: так надо. Если выйдет, то — прямо сегодня. Если нет, то на первую дату, как будут билеты. Считай, что я, как тот странный человек, передаю <u>приглашение</u>. Поверь, <u>не от себя</u>. Но точно знаю, что <u>нужно</u> вернуться. Время приспело. Писем от меня пока не жди и сам не посылай, но по приезде отбей телеграмму: на месте. Дальше всё уже пойдёт само. А когда начнётся то, что до́лжно (сам поймёшь, не сомневаюсь и верю в тебя, ты созрел, ты готов), пошли ещё одну телеграмму. Неважно какую. Скажем, <u>врачи подтвердили диагноз</u>. Мы тебя сами найдём, не волнуйся. Главное, возвращайся как можно скорее — считай, что это моя последняя воля.

Я взвесил всё — и решил, что должен подчиниться. Мне опять наглядно показали, что моя судьба заранее известна, а воля моя не имеет значения; в «Новом мире», как в далёкой Шамбале, производят знание о будущем. Так что хочется, не хочется, а надо ехать. Я объяснился с бригадиром, утром меня отвезли в Чапчачи, оттуда перебросили на станцию; в раскалённом шлакозасыпном домишке, где было расположено подобие вокзала, я доказывал кассирше, что имею право на билет, прикладывал к стеклу страницу паспорта с пропиской; кассирша куда-то звонила, долго выясняла, что к чему, наконец смирилась и оформила плацкарту.

5.

Первой проснулась Катрин (она была в соседней комнате), бодро соскочила с кровати; Муся услышала, вскинулась, и я очнулся.

За окном было черно — такая темнота бывает августовскими ночами, перед звездопадом. Но в июле — как-то рановато. Старые ходики цыкали; циферки и стрелки были покрыты полустёршимся фосфором, повреждённое время мерцало: четыре утра. Дождь уже закончился, с крыши скатывались тяжёлые капли и с оттяжкой били по карнизу. Говорить не хотелось. Заново уснуть не получалось. Всё, что было несколько часов назад, казалось сказочно далёким. Это не с ними, не здесь. Нарастающее чувство плоти, опьянение телом, сладкий туман. Через некоторое время вдруг осознаёшь, что вы лежите не валетом, а рядом, и язык слаще мёда, и сдобный живот, и руки движутся свободно, и ты скорее чувствуешь, чем понимаешь, что Катрин ушла, а вы вдвоём. А потом ты просыпаешься с дурной туманной головой; что было, чего не было — не помнишь.

Господи. Что же такое-то, Господи. Зачем Ты всё это придумал — и Сам же запретил. Это нечестно. И как с этим жить?

6.

И снова была электричка, и снова был душный вагон, и невыносимо мутный запах лака, и незыблемое солнце в середине неба. Говорить нам было не о чем, каждый молчал о своём. Катрин отрешённо дремала, Муся упорно смотрела в окно, улыбаясь победительной улыбкой, я погрузился в показную мрачность. Я был опустошённым и счастливым, и страшно злился на себя за это счастье. Мне хотелось чувствовать раскаяние, испытывать надмирный ужас, вместо этого я ощущал бессмысленную лёгкость.

В метро мы наспех простились; Муся прошептала на ухо:

— Поспи немного, и я тоже посплю. Позвони мне ближе к вечеру, договоримся.

— Мусенька, о чём?

— О том, что я к тебе приеду. И останусь.

1.

Я вошёл в распаренный подъезд. Вызвал лифт. Жёлтым глазом загорелся указатель этажей.

Господи, какое наслаждение — знать, что через несколько минут блаженный отдых, чай с сахаром, горячий душ. Я поднимусь в родную нищету, брошу на пол грязную рубашку, стяну пропотевшие джинсы «Монтана», словно скину змеиную шкуру, и растянусь на чистой простыне, и буду спать, даже во сне ощущая постыдное счастье, подлую радость. Слишком долго я жил враскоряку; что-то во мне вчера соединилось, как если бы пазы́ вошли один в другой.

А когда проснусь, сгоняю на «Арбатскую», куплю в кулинарии ресторана «Прага» шоколадный торт, круглый, покрытый тончайшей глазурью и пропитанный божественным сиропом. Вечером заварим густо-красный чай, свежий, никаких спитых-вчерашних, и усядемся за кухонным столом. И мама, умирая от смущения, будет фривольно шутить, ибо сразу догадается, что Муся — остаётся.

И снова будет ночь, и будет утро.

Лифт замер на четвёртом этаже. Алая кнопка погасла, жёлтый глаз замигал. Понятно. Застряли. Придётся тащиться пешком, до последней клеточки пропитываясь пóтом.

По пути я сунул руку в раскалившийся почтовый ящик и с удивлением нащупал скользкую открытку. Нервно выдернул, как достают билет мгновенной лотереи; что там — выигрыш, проигрыш, новый билет? На открытке был изображён весёлый Брежнев в золотых стариковских очках, а на обороте кучерявым почерком выведены три коротких фразы, демонстративно рубленные на абзацы.

Врачи подтвердили диагноз.
Не отчаивайся и начинай готовиться.
Сегодня или завтра всё решится.

Настроение скакнуло вниз. Все дни, пошедшие с момента возвращения в Москву, я ждал какого-то сигнала. Всё, что велели, я сделал: сорвался с места, по приезде отбил телеграмму; совхоз «Новый мир» промолчал. И вот теперь, после того, что случилось на даче, после внутреннего переворота (падения? измены? возвращения к себе?), я получаю записку. Ещё вчера она бы показалась откровением; сегодня кажется бессмысленной, кокетливой, провинциальной. «Не отчаивайся — начинай готовиться — решится». Тонкие намёки, быстрые сигналы. Знаем-знаем, мы в курсе. Следим-с. Фразы резкие, как выстрел, а почерк гимназический, жеманный. Уж лучше бы на пишущей машинке с портативным шрифтом…

Впрочем, кокетство там было всегда — на конвертах памятники Ленину, марки к юбилею КГБ,

Леонид Ильич на фоне голубого глобуса. Ну, вы же понимаете, Алёша. Это юмор для своих, для посвящённых. Потому что все мы заодно. «Как здо-о-оро-во, что все мы тут сегодня собрали-и-ись». И бесполезно задавать ответные вопросы: а что же именно решится-то? И почему непременно сегодня? Бесполезно, поскольку ответ очевиден: вслух об этом говорить опасно. А дальше *случится случайно случившийся случай*, и нужно будет подставить готовый ответ в смутные условия задачи. Видишь? Мы знали? Вы — знали.

Хватит. Довольно. Прощайте.

Я собирался разорвать открытку и отшвырнуть её в картонную коробку, куда курильщики бросают скомканные пачки из-под сигарет. Но внезапно промелькнула смутная догадка. Да, так и есть. Открытка не была проштемпелёвана! Значит, снова кто-то приезжал и бросил в ящик... Вот ведь удивительные люди. Гоняют посыльных из города в город. Несколько часов в один конец, чтобы доставить письмо ни о чём.

Как же надоел туман. То прости и прощай и последняя воля, то начинай готовиться — к чему-то, мы не скажем. То не будем писать, то отправим открытку. Православная фельдъегерская связь. Для чего мне приказали возвращаться? Чтобы познакомиться с Никитой и Максудом, посмотреть запретную «Олимпию» и душевно пообщаться с подполковником? Маловато будет, прямо скажем. И всё обещанное ими обернулось пшиком. Всё, кроме одного. Того, что «Батюшка» с Артемием не примут, не признают, потому что это в их пророчества не умещается. Того, что случилось вчера.

Я открыл входную дверь и услышал настороженную тишину, словно кто-то затаился в глубине квартиры. Позавчера, у Сумалея, тишина была какая-то другая; тишина отсутствия, небытия.

— Мама?

Мама ничего не отвечала. А в квартире явно кто-то был. Неровное дыхание, неловкий скрип. Я спросил с усилением:

— Мама?

И трусливо заглянул в большую комнату, она же мамочкина спальня.

Мама, белая как мел, сидела в неудобном низком кресле, напоминавшем инвалидную коляску — и смотрела вперёд не мигая. Дышала она, как тяжёлый астматик после серьёзного приступа. На коленях у мамы лежал телефон, как свернувшийся клубком котёнок. Телефонный аппарат обмотан тонким проводом. Трубка лежит кое-как, в ней противно тюкают короткие гудки, как вода из протёкшего крана. Ту-ту-ту-ту.

Инфаркт? Инсульт? Или…

Я схватил её за руки; руки были тёплые. Стал трясти за плечи — мама повернула голову и бессмысленно взглянула на меня. Взгляд был застывший, словно у резинового пупса.

— Мамочка, да что с тобой?

Мама стала розоветь, губы затряслись, она попробовала заговорить.

— Т-т-т-т. Т-т-т-т.

— Что «т-т-т-т»? — я побежал на кухню, за водой.

Отбивая дробь зубами и проливая воду, мама напилась — и стала по-детски икать. Это её рассмешило. Подавляя икоту и смех, она произнесла обрывками:

— Тебя. Вызывают. К декану.

— Господижбожежтымой. Ну и что?

— На тебя. Пришло. Письмо.

— Какое письмо? Откуда.

— От них. От них. Ты понимаешь, Алёша, от них!!! — Смех перешёл в истерику, она зарыдала взахлёб.

Я стал гладить её по голове, она схватила руку, прижалась губами. Я представил, как всё это случилось. Маму разбудили звонком. Баба Оля со змеиной вежливостью прошипела: с кем я разговариваю? Представьтесь. А, Наталья Андреевна, хорошо. Наталья Андреевна, примите телефонограмму: т. Ноговицыну А.А. предписано явиться на приём к декану т. Ананкину П.Ф. сегодня в 12:00. Записали? По какому вопросу... А вы ему кто? Мать? Вопрос государственной важности. С ним хотят *побеседовать*. Товарищи *из Комитета*. О чём? О поступившем письменном сигнале. Не знаете, где он? А хорошо бы знать. В его интересах прийти. Уж вы, голубушка моя Наталья Андреевна, найдите способ.

Ту-ту-ту-ту.

Сталкиваясь с неприятностями, мама брала телефон и обзванивала всех подруг по кругу: Мила, ты представить не можешь, я так несчастна, так несчастна... Верунчик, ты представить себе не можешь... Ниночка, ты... Как будто заговаривала боль. Но в этот раз она как стояла, так села — и никого из них не набрала.

Что же это получается? Что Сергеев меня обманул? Сказал, что никакого дела не открыли, а сам накатал в деканат. Или *Федюшке* дал поручение. А *Федюшка* Мусе соврал. Но нет ни протокола, ни вещдоков, нет заведённого дела, нет показаний. Нет вообще ничего, сплошная Туманность Андромеды. А при этом сигнал — поступил. И приехали какие-то *товарищи из Комитета*. Так вот о чём меня предупреждал отец Артемий. Вот зачем меня вызывали в Москву. Вот что значили слова — «не отчаивайся и начинай готовиться».

2.

В затхлом безжизненном холле воздух выдышали без остатка. Перед глазами побежали мушки, словно раскололось тонкое стекло и по сколам потекла вода. Жизнь распалась на отдельные фрагменты; сон догнал меня, накрыл волной. Я куда-то шёл, о чём-то говорил, не читая подписал какую-то бумажку, сел за массивный стол в деканском кабинете — и никак не мог сосредоточиться. Словно это происходит не со мной, не сейчас и не здесь.

Напротив, упирая руки в край стола, сидел руководитель Первого отдела Нариманов — огромный, безжизненно бледный старик с тяжёлым изрытым лицом. Нариманова звали *ошпаренным*: если ему возражали, он становился бордовым. За приставной журнальный столик примостился Павел Федосеевич; декану было тесно и противно; он сцепил аристократические пальцы, уставился в пол и молчал. Я снова обратил внимание на то, какие у декана удивительные ногти. Какие чистые, какие крупные, какие нездешние ногти. У пыльного окна, к нам спиной, стоял незнакомый мужчина, светловолосый, коротко остриженный, с опрятной лысинкой, напоминающей тонзуру. Он был в бежевом помятом пиджаке, из плечевого шва торчали нитки. А на отшибе, возле входа в кабинет, на полудетском стульчике сидел доцент Иваницкий.

Разговор был неожиданный и странный; вопреки ожиданиям, никто ни словом не обмолвился о том полудопросе; всё крутилось вокруг Сумалея; вопросы задавал Нариманов, остальные молчали.

Ноговицын, вы являетесь православным верующим? Не понимаю, о чём вы. Ну, церковь посещаете? А почему вас это интересует? Так посещаете или не посещаете? А я обязан отвечать? Хорошо, спрошу другой вопрос. Собирает ли товарищ Сумалей домашние кружки и обсуждает ли на них религиозные вопросы? Нет, не собирает. А почему вы это спрашиваете? Здесь вопросы задаём мы. Я отбивал короткие словесные удары, как в настольном теннисе — летучий шарик. Тынк-тынк. Неправильный отскок. Сопля. Задета сетка. Переподача. Тынк-тынк.

В конце концов я потерял терпение и, подавляя ярость, спросил Нариманова:

— Инвар Викторович, я всё-таки имею право знать. Вы задаёте странные вопросы и до сих пор не объяснили — почему. Хотя мы сидим уже — сколько? Целых двадцать минут. У вас ко мне какие-то претензии? Тогда скажите. А если нет, то у меня последние каникулы, я бы не хотел их тратить так бездарно.

Нариманова кинуло в жар. Он схватил блокнотик в красной лакированной обложке с золотыми правдинскими буквами («Делегату профсоюзной конференции») и стал обмахиваться.

— Здесь пока происходит беседа. По её результатам будет принято соответствующее решение. Итак, сформулирую твёрже: правда ли, что Сумалей Михаил Миронович (Миронович? — переспросил он, зыркнув на декана; тот, не поднимая глаз, кивнул) создал подпольный кружок, в котором вы принимали участие?

О, ставки повышаются. Подпольный. Значит, всё-таки вернутся к делу Дуганкова. Чего ж они позавчера так мялись? Получили новые инструкции? Но почему тогда не вызвали к себе? И что тут делает мужик с тонзурой? И почему Нариманов робеет… клюнет, шумно отскочит, приблизится короткими шажками, снова клюнет.

— Нет, Инвар Викторович. Это неправда.

Рытвенная кожа Нариманова стала венозно-кровавой; он отбросил лакированный блокнот и сильно, как в спектакле про героев революции, стукнул кулаком по лакированной столешнице. Чашка испуганно вспрыгнула. Человек в неаккуратном пиджаке обернулся; глаза у него были крупитчатые, цвета серого намокшего песка, взгляд тяжёлый.

— Аспирант Ноговицын. Советую быть откровенней.

Голос у него был вкрадчивый.

— А кто вы? Представьтесь, пожалуйста.

— Имя Сидоров Иван Петрович устроит?

— А почему не Белкин?

— Остроумничать будете после. Для начала скажите мне вот что. Какие книги вы передавали аспирантке Насоновой Анне Игоревне? Откуда их брали? Если, как вы утверждаете, у Сумалея не было подпольного кружка.

Это было что-то новенькое; Сергеев о Насоновой не говорил. Значит, не теряли даром времени, копали? Но если их действительно волнуют книжки, то почему на «Киевской» не отобрали ничего — ни запрещённого Бердяева, ни рукописный молитвенник? Это же были прямые улики. А теперь выкладывают косвенные. Какой-то бред. Сплошные нестыковки. Детективы братьев Вайнеров и то правдоподобней.

Я наконец-то начал просыпаться; сердце остро застучало в горле.

— Знаете, я бы хотел уточнить. Вы меня допрашиваете, или это просто разговор?

— Вам уже ответили — пока что не допрос.

— То есть я могу не отвечать?

— Можете. Но я бы очень не советовал. Прямо-таки очень-очень-очень.

— А Насонову вы пригласили? — я пошёл напролом. — Пусть она скажет сама. Прямо здесь, в моём присутствии.

Иваницкий вскочил со своего приставного стульчика, как пионер на торжественном сборе:

— Что вы себе позволяете? Как вы разговариваете? Факультет не потерпит! Вы будете немедленно отчислены!

Павел Федосеевич очнулся, скривился, как старый бульдог, выпускающий слюни, и рявкнул:

— Я здесь пока что декан и сам решу, кого отчислить, а кого оставить.

— Конечно, Павел Федосеевич, — Иваницкий немедленно сел, но, привстав на секунду, подвякнул: — По согласованию с большим парткомом.

— С ним, с ним, разумеется, с ним. А с кем ещё? Мы ж дисциплину знаем. И не такие поручения заваливали! Мы в партии подольше вас. Сидите, Иваницкий, не маячьте.

— Спасибо.

— Не за что. Продолжайте, Алексей Арнольдович, мы слушаем.

— А что мне ещё сказать, Павел Федосеевич? Я вправду не знаю. Какие-то книжки. Какой-то кружок. Кто-то донос накатал? Покажите. Если это как-то связано с позавчерашним задержанием, то меня отпустили и книги — вернули. У подполковника Сергеева претензий не было. Тогда в чём проблема?

Павел Федосеевич ответить не успел.

— У подполковника? Какого подполковника? Где происходило задержание? Причина? — как на шарнирах развернулся человек в неаккуратном пиджаке.

— А вы не в курсе? — изумился я. — Вас коллеги ни о чём не предупредили?

— Стало быть, не посчитали нужным.

— Знаете, тогда и я не буду. Потому что… в общем, потому. Позвоните в Киевское районное, Сергееву.

— Нагло, — с одобрением отметил человек.

— А у меня остались варианты?

— Полагаю, что нет.

Человек подсел к столу (Нариманов испуганно дёрнулся) и стал водить карандашом по белому листу бумаги. Дурацкие кружочки, чёрточки, квадраты. И подытожил:

— Хорошо, договорились, поставим этот разговор на паузу. Посмотрим, что мне скажут в Киевском районном. В зависимости от результата мы либо встречаемся завтра… ближе к вечеру, часиков в пять или шесть… ну, либо. Только у меня к вам просьба, — обратился он к Нариманову, и я заметил перхоть, ровным слоем лёгшую на светлый воротник. Перхоть была серая и крупная, словно её нарочно счёсывали.

— Слушаю, — напрягся Нариманов.

— Обеспечьте завтра кабинет получше. Ну, там, чтобы с кондиционером. Знаете, такой — бакинский, на окошко ставят. А то невозможно работать.

3.

Я сидел на подоконнике в сортире, наблюдал за возбуждённой абитурой у фонтана — и пытался понять, что случилось с Насоновой. Вспомнил нашу последнюю встречу, странные реакции, смутные оговорки; то ли что-то с ней тогда происходило, то ли я задним числом подставлял искомое в готовую формулу. Зачем она меня предупредила, что перебралась в Голицыно? Просто так, или чтобы я не стал её разыскивать, когда *узнаю*? И на чём они её поймали, если это правда? И что она действительно сказала *этим*? И где они её нашли? И чем это нам обоим грозит? И нужно ли срочно бежать к Сумалею, переступать через его запрет? И вообще — что теперь будет?

Неожиданно в сортир вошёл тот самый человек в неаккуратном пиджаке, с тонзурой. Увидев меня, улыбнулся, словно не было мучительного разговора:

— Романтически сидите, Ноговицын. Прямо девушка на выданье, а не философ. Книжки только не хватает.

— Книжки все остались у Насоновой, — беззлобно огрызнулся я и поразился самому себе.

Человек в неаккуратном пиджаке хрюкнул:

— Отлично сказано! Я вам тут не помешаю?

— Чувствуйте себя как дома.

— Покорнейше благодарю.

Он с издёвкой поклонился, вытянулся в струнку перед зеркалом, помассировал подглазья, проверил, не застряла ли еда в зубах, достал из портфеля расчёску, длинную, с тонкими зубчиками, и выправил косой пробор. Снял пиджак, отряхнул воротник и пожаловался:

— Просто даже не знаю, что делать. Летит и летит. Всё перепробовал, крапивными отварами, желтками, ребята привезли шампунь из-за границы. Бесполезно. Беда.

Посмотрел расчёску на просвет, сделал контрольный продув и зачем-то назвал настоящее имя:

— А зовут меня Денис Петрович.

— Очень приятно.

Денис Петрович, продолжая изучать своё отражение в зеркале, возразил:

— Это навряд ли. Хотя… Что там у вас случилось с киевскими? Не хотите поделиться?

— Прям так и сказать?

— Прям так и скажите.

— Денис Петрович, а зачем я буду на себя стучать? Вы же не сказали мне, откуда информация про книги.

— Ладно, сам займусь. Тогда до завтра.

— До завтра.

Я возвратился в деканат. Баба Оля, шевеля губами и водя по рукописи пальцем, тюкала по клавишам указательным пальцем. По-ста-но-вили…

— Ольга Семёновна, можно вопрос?

Баба Оля отчеркнула ногтем строчку, отключила «Оптиму» и сочувственно взглянула на меня. Куда девалась вся её неизрасходованная желчь? Тоном воспитательницы произнесла:

— Ты, Ноговицын, с кем там связался, чего натворил? Почему *оттуда* приезжают?

— Это я как раз хотел спросить… А Михаил Мироныча на эту встречу вызывали?

— Вызывали.

— А он что?

— Ваш Сумалей в своём репертуаре. Трубку снял, но молчит. Я говорю: алло, алло — не отвечает. Ну, я на всякий случай всё продиктовала, перезвонила через час, а никого. То трубку не берёт, то потом ту-ту ту-ту. Вы же его знаете. Опытный лис. Может, на дачу уехал, может что. Думаю, теперь до сентября: он же в отпуске, имеет право.

— А что стряслось-то? Вы не в курсе?

— Понятия не имею. Но телега не к нам поступила, напрямую спустили *оттуда*, — сболтнула баба Оля и шлёпнула себя по губам: — Молчи, молчи, молчи.

Но, включив свою машинку, полушёпотом добавила:

— Узнаю что про завтра — позвоню.

— А можно я сам наберу?

— Что, за маму боишься?

— Ей сегодня поплохело.

— Прости меня, Алёша, — неожиданно смутилась баба Оля. — Я же не нарочно. Павел Федосеич наорал... я на маме-то твоей и отыгралась. Ладно, в десять утра позвони. Я уже буду знать.

4.

Я всё-таки решил заехать к Сумалею; запреты запретами, а предупредить его необходимо. Но дверь была заперта, а звонок не сработал. Я постучал, прислушался: ни звука. Неужели и вправду на даче? Дачка у него недалеко, за домиком присматривает местный сторож, зимой протапливает, в августе косит траву. Но Сумалей и дача — вещи несовместные; там до ближайшей продуктовой лавки — больше часа; на велике он ездить не умеет — кто его будет кормить? Если же он не на даче, то где?

Дома я как мог утешил маму, застелил прохладную, божественно шершавую простынку, свернулся на ней калачиком, сам себе бормоча:

— Господи, мамочка моя... только не звоните, умоляю, двадцать минут, полчаса...

И мгновенно уснул.

Проснулся через час, от барабанной дроби круглого будильника. Настроение было хорошее, ясное: сон располовинивает время, утренний ужас сдвигается в прошлое, кажется, всё это было давно и неправда, даже появляется азарт: завтра мы их обыграем! Только странно, что будильник зазвонил. Это значит — заходила мама. Ну конечно. Собраны раскиданные вещи, рубашка, штаны и носки оказались на стуле, потная майка исчезла, её услужливо сменила чистая, заботливо проглаженная утюгом. На краешке стола короткая записка:

«Лёша, тебе звонил М.М. Сумалей. Он просил тебя подъехать к "Дому книги" на Калининском проспекте, в пять пятнадцать. Целую, тефтельки в бульоне, бульон в холодильнике. Буду поздно, папа попросил заехать».

Мама, мама. Ты учила, что обманывать нехорошо. Папа не просит заехать. Никого и никогда. Папа человек самопоглощённый, он допускает до себя, но не идёт навстречу. Значит, сама напросилась — Арнольд, сыночек, армия и всё такое.

5.

«Дом книги» был насквозь просвечен солнцем и напоминал поцарапанный стеклянный куб. Солнечные зайчики слепили. Было ярко, безжизненно, душно; кассирша детского отдела засыпáла, как домашняя раскормленная кошка, вздрагивала, принимала строгий вид, задрёмывала снова. Покупателей было немного; несколько бесцветных мужичков бродили вдоль прилавков и лениво перелистывали книжки. По громкой связи тихим голосом занудно повторяли объявление: «Уважаемые покупатели. Приглашаем вас на встречу с популярным автором…» Только в самом далёком углу, возле коричневой стойки, змеилась усталая очередь. Старики с клеёнчатыми сумками-повозками предлагали книги букинистам; приёмщица, сдвинув на нос очки, быстро взглядывала на обложки и произносила строго, как диагноз: берём — не берём — на комиссию.

Я поднялся на второй этаж, прошёл сквозь лабиринты бесконечных полок (проза, поэзия братских республик, унылая критика), вынырнул в отделе антиквариата. Здесь пахло благородной пылью и поеденной мышами кожей. Известный художник с порочным лицом бдительно пролистывал подшивку «Аполлона», все ли картинки на месте. А в глубине, у витрины с поэзией одиноко стоял Сумалей. Он, видимо, забыл очки и принял позу чтеца-декламатора: выпрямил спину и вытянул руку с помятой брошюркой…

— Здравствуйте, Михаил Миронович.

Сумалей взметнулся, стремительно вернул брошюрку продавцу (тот принял её трепетно, как служка требник) и произнёс неестественно громко, чужим официальным голосом, так что художник оторвался от подшивки «Аполлона» и с интересом посмотрел в нашу сторону:

— Здравствуйте, Алексей Арнольдович, рад встрече с вами, добрый день. Предлагаю посмотреть новинки философии. — И уточнил: — Марксистско-ленинской.

Он схватил меня под руку, словно боясь упустить, и быстрым шагом, подволакивая ногу, потащил в противоположный конец магазина. Заведя в унылый закуток с монументальными скучающими книгами, приблизился ко мне вплотную, так что я разглядел порезы на щеке. Озираясь и придавливая голос, он спросил:

— Вы, разумеется, в курсе?

— Ещё бы, Михаил Мироныч. Я же там сегодня был. Оттуда — сразу к вам. Стучал, звонил...

— Я же сказал вам, не надо ко мне, бесполезно. Я временно переменил локацию. И говорите, пожалуйста, тише.

— Я вроде бы шёпотом. А куда перебрались?

— Да, этсамое, какая разница? Главное, чтоб не застали. Я, этсамое, в отпуске, никому сообщать не обязан... Но вы себе не представляете, как тяжело без книжек. А закладки? А пометы на полях? Сегодня днём прилёг, и, не поверите, приснились. Просыпаюсь, а подушка мокрая.

Сумалей говорил капризно и униженно, беспрекословно требуя — и умоляя:

— Так не должно быть, Алёша! Не должно быть! Ведь это устаканится, скажите мне? Всё это несерьёзно? Правда? Несерьёзно? И никак не связано с позавчерашним?

— Я, Михаил Миронович, не знаю.

Сумалею ответ не понравился.

— Как скажете, Алексей Арнольдович, как скажете. Ну-с, горю желанием узнать подробности сегодняшней беседы.

Пока я говорил, Учитель бдительно следил за входом. В закуток зашёл случайный покупатель — болезненного вида, водянисто-полный, — и Михаил

Миронович произнёс фальшивым голоском начётчика: а вот об этом сильно сказано у Ойзермана… Покупатель, бросив изумлённый взгляд на корешки, это что ещё такое, скрылся. «Ну, продолжайте, продолжайте».

Дослушав, он не сразу успокоился. Улыбнулся скорострельно, словно ужалил:

— Это всё? Это действительно — всё? Вы ничего не пропустили и не утаили, тыскыть?

В интонации Учителя было столько детского и в то же время стариковского, что я ответил ласково и строго, как старший:

— Всё, что знаю, Михаил Миронович, до последней копейки.

Он начал бесконечно уточнять. Кто, по моему субъективному мнению, мог быть автором доноса, как со мною связана Насонова («я такую аспирантку не встречал; а если встречал, то не помню!»), давал ли я кому-то сумалеевские книжки, как толкую обвинение в подпольном семинаре («вы же понимаете, Алёша, что никаких подпольных семинаров я не вёл? вы же это подтвердите, правда?»). Но главное, что он хотел усвоить — и что вытягивал родильными щипцами, — это связан ли донос с моим недавним задержанием? Я честно ответил, что вряд ли. Лицо его разгладилось, он мелко захихикал:

— Мы, сталбыть, имеем дело с разными сюжетами… Хоть какое-то подобие утешения.

По горлу заходил кадык, как если бы, произнеся заздравный тост, Михаил Миронович закинул голову.

— А для меня что утешительного? — не понял я. — Даже если это совершенно разные истории, меня всё равно на защиту не пустят?

— Не пустят, — кивнул Сумалей.

— А дальше что?

— Как это что? — Сумалей посмотрел на меня изумлённо. — Ответ, тыскыть, очевиден. Дальше вы пойдёте в армию. Потом вернётесь. Это же недолго, сколько сейчас служат? Два года? Считай, ничего.

— То есть что значит недолго?

— Да чего ж тут непонятного? — вскинул брови М. М. — Раньше забривали на четыре или пять. И то всё было хорошо. Я, тыскыть, хромоногий, а братец мой служил в Театре армии, знаете, район «Новослободской»? У него была такая милая каморка, кровать железная, никелированная, с шишечками, столик у окошка, стул. Он там декорации придумывал...

— Михаил Миронович! — взмолился я. — Ну какая комнатка, какие декорации? Ваш папа был большим начальником. А я?

Сумалей удивился:

— То есть вы хотите сказать... ну, не знаю, не знаю. — И, загораясь от собственной мысли, продолжил: — Нет, вы не можете себе представить, какое это было время. Не заботиться о пропитании, думать, вести разговоры... А что ж мы, так и будем здесь стоять? Не хотите прошвырнуться? Марш-бросок по книжным?

И я зачем-то согласился.

— Мы быстро, туда и обратно!

Ловко подволакивая ногу, Сумалей сбежал по лестнице и устремился в сторону Кремля. Он был как пёс, натягивающий поводок: вскинутая голова, целеустремлённый взгляд. Вперёд, вперёд! Мы проскочили сахарную церковь с зелёными безжизненными куполами («и ни церковь, ни кабак, ничего не свя-я-я-ято»), миновали диковатый особняк в наркотическом индийском духе, просвистели «Военторг». Пробежали мимо дряхлого Манежа и засиженного психодрома, где по старой памяти тусили хиппи; помчались к Лубянке. Туда, где на крохотном пятачке между памятником первопечатнику Ивану Фёдорову и магазином «Книжная находка» нарезали круги спекулянты: «Что ищем? Имеется миньон Высоцкого. Записи Никитиных. Бичевская. Булгаков».

Мы совершали молчаливую пробежку; Михаил Миронович не задавал вопросов, я, соответственно, не отвечал. Лишь перед самым входом в «Книжную находку» Михаил Миронович внезапно замер, словно сделал охотничью стойку, и спросил меня:

— Алёша, вот скажите мне как на духу. Вы думали когда-нибудь о смерти?

Вопрос был таким неуместным, что я растерялся и просто кивнул.

— Нет, не знаете вы, что такое смерть. Это когда просыпаешься утром и думаешь — сегодня? или завтра? и зачем? для чего всё это было? Никакого смысла. Вроде потом рассосётся, а вечером снова. Проснёшься с утра или нет? А если не проснёшься, то когда тебя найдут? Через день? Через два? Через десять?

Он пожевал губами и добавил:

— Вот поэтому я не запираю дверь.

Я снова не нашёлся, что ему ответить. Среди прочего и потому, что дверь он не запирал никогда — даже пока была жива Анна Ивановна. Во мне смешались чувства жалости, ненависти и презрения; на меня ему было плевать, но в этом детском страхе перед надвигающейся смертью было что-то милое, ничтожное и беспомощное.

— И вы знаете, я, кажется, придумал! — энтузиастически воскликнул Михаил Миронович.

— Что же вы придумали? — опешил я.

— Как мы будем вас спасать.

У меня отлегло от сердца. Значит, я ошибся — и он думает не только о себе. Захотелось прижать старика, чмокнуть его в складчатую щёку. Но сделать это было невозможно. Всё равно что брать на ручки и тискать помойного кота: зашипит, расцарапает, спрыгнет.

— Присядем, — указал Сумалей на скамейку и тоном влюблённой курсистки продолжил:

— Армия, шмармия, это всё такая ерундистика, вы себе не представляете, Алёша, время пролетит, и не заметите. А вот если вам личное дело испортят — кирдык. Значит — что? Значит, нужно сделать так, чтобы вас исключили иначе. Не за книжки, не за эту самую Насонову. Вы понимаете меня?

Он хлопнул себя по колену и восторженно повторил:

— Понимаете?

— Нет, Михаил Миронович, совсем не понимаю, — уныло ответил я, почти догадавшись, что он мне сейчас предложит.

— Да что же тут неясного? Судите сами.

Сумалей достал из карманов две пачки — сигареты и папиросы, покачал их, словно взвешивая, какая подходит для этого случая, и выбрал толстую тугую беломорину. Хищно сплющил гильзу, затянулся. И, выпуская через ноздри дым, стал неторопливо растолковывать, как репетитор объясняет сложную тему туповатому абитуриенту:

— Над вами нависла угроза. Так? Большая угроза. Так? Значит — что? А? Значит — вы сами подставьтесь. Я вам точно говорю, подставьтесь.

Он замолчал, ожидая встречного вопроса — как же именно подставиться, профессор? — и, не получив прямой подачи, с неудовольствием продолжил сам:

— Вы хотели спросить меня — как? Поясняю. Завтра, на комиссии, сделайте, тыскыть, заявление. О том, что вы подделали цитату. Ну ту, которую, вы помните?..

— Ту, которую вы...

— Нет-нет, никакого «которую вы». Это не я, это ваша идея! Осознали, каетесь, желаете исправить. Ну, пропесочат, ну, объявят выговор. Зато под монастырь не подведут. Научная недобросовестность, нечистоплотность, я не знаю, что они напишут. Не антисоветчина, не книги, будь они неладны, не этот ваш чёртов кружок!

— Хорошо, Михаил Миронович, я взвешу, — ответил я безвольно и чуть не заплакал.

Я слышал серный запах старческого пота, въедливого одеколона, назойливого табака — и понимал, что это всё в последний раз и больше этих запахов не будет. Мы расстаёмся навсегда. Омерзительное, мёртвое слово.

— Некогда взвешивать. Надо действовать незамедлительно. И хотите, я вам помогу? — Он опять приблизился вплотную; я попытался отодвинуться, мне был неприятен этот запах, но Михаил Миронович схватил меня за плечи и притянул к себе. — Хотите? Я сегодня позвоню Ананкину и просигналю? Мы с ним старые приятели, хотя бывало разное... но это в сторону. Мол, только что узнал от вас и потрясён? Покаюсь: процитировал за вами, не проверил...

— Спасибо, Михаил Миронович, не надо.

— Да почему не надо-то? Почему? Вы не бойтесь, никаких документальных подтверждений. Только устный сигнал?

— Вы же прячетесь от них, какой звонок?

Сумалей охотно согласился:

— Это верно. Это да. Это вы правы. Тогда давайте сами, без меня. Договорились? Вы ошиблись, вы раскаялись, вы хотите признаться. Я тут ни при чём! Ни сном ни духом! До свиданья, Алексей Арнольдович! До встречи после службы!

Я не сразу понял, про какую службу речь (мне почему-то показалось — про церковную). Но, поняв, что он прощается со мной до возвращения из армии, ответил безжизненно-вяло:

— До свидания, Михаил Миронович.

Сумалей загасил папиросу о камень, смял окурок и выщелкнул в урну. И, потрепав меня по плечу, направился к метро.

6.

Я приказывал себе подняться. Муся заждалась звонка, она не знает, что ей думать. Я приказывал себе подняться — и не двигался с места.

Над перегревшимся асфальтом колыхался раскалённый воздух. Машины робко огибали статую Дзержинского — и на Кировской резко увеличивали скорость. Люди ровным потоком стекали в метро. Возле «Детского мира» стояла толпа — значит, выкинули олимпийский дефицит. Время шло. А я всё сидел на чугунной скамейке. Мысли путались — и мне не подчинялись. Михаил Миронович! Да как же так. Что скажут в киевском районном отделении этому... Денис Петровичу. Вызовут Насонову на завтра? Как жаль, что с ней не объяснишься. Неужели всё-таки Афганистан. Что будет после? И что это значит — погибнуть? Что осталось от несчастного Билала, где его бедное тело, где его цинковый гроб?

Ответов не было, тревога нарастала. И в какой-то момент я взмолился. Мимо привычных молитв, мимо церковных уставов. Как будто бы я провалился в колодец, ухватился за цепь и отчаянно кричу из черноты — в просвет. Господи! Поговори со мной! Мне больше не с кем посоветоваться, а я не понимаю, что случилось. То есть вообще не понимаю — ничего. Если захочешь объяснить — объясни, можно потом, я готов подождать. Но всё-таки есть вещи поважнее.

Я никогда не забуду, как встретил Тебя. В том пустом, обезлюдевшем храме. Ты встал рядом со мной, я почувствовал Твой жар — и Твой обжигающий холод. Сразу — и холод, и жар. Мне было очень хорошо, спокойно и как-то надёжно. Помнишь, на горе Фавор апостол стал свидетелем Преображения и растерялся. И ляпнул первое, что пришло в голову: давай поставим здесь палатку и останемся. Вот и я бы поставил палатку, чтобы никогда с Тобой не расставаться. Ради этого я принял всё — церковь, исповедь, батюшек, матушек, злобных бабок, гладкошёрстных мужиков, старцев, шмарцев и фигарцев, эту взрывчатую смесь небесной глубины и деревенской дикости. Я принял посты и молитвы. Я отказался от женщин. Я больше ни с кем не дружу, я один.

И вот я спрашиваю — для чего всё это было? Чтобы остаться с Тобой? Но разве я теперь с Тобой? Я как будто в комнате со множеством зеркал, и во всех отражаешься Ты. Но где же Ты сам? Я не вижу. Я не понимаю, как найти Тебя. Я чувствую, что я в трясине, но не знаю, как в ней оказался. И как вылезать из неё — тоже не знаю. И кому я могу доверять. И почему мне не стыдно за то, что случилось на даче. Ведь это нарушение Твоих заповедей? Или заповеди — о другом?

Тут я почувствовал, что вместо книги Иова получается ещё одно письмо отцу Артемию, — и выпал из молитвенного состояния. Стал глазеть по сторонам, и в эту самую секунду ярко-красный «Запорожец» врезался в белую «Волгу». Взвизгнули тормозные колодки, раздался хлопок, звякнули битые фары. Водители вышли и встали друг напротив друга — молча, мрачно. Владелец «Волги» был в расклёшенных джинсах и грузинской кепке; другой водитель — приземистый, мужиковатый, в рубашке навыпуск и мятых штанах с пузырями. К ним немедленно подъехал новенький американский «форд», раскрашенный в гаишные цвета; из «форда» выползли весомые гаишники, а вслед за ними вылез парень в штатском. Опытный кавказец сгорбился, ссутулился и, не дожидаясь дополнительных вопросов, приготовил паспорт. Парень в штатском сделал быстрое движение — и паспорт оказался у него в руках. Он пролистал документ, вытянул сиреневую новую купюру, с издёвкой показал кавказцу; тот сдёрнул кепку, промокнул залысину. Парень кивнул ему: садись в машину. Колхозный шофёр «Запорожца» не мог поверить в собственное счастье. Он лебезил перед гаишником, чуть ли не заигрывал с ним, как с красоткой, кажется, даже начал рассказывать байки; гаишник молча писал протокол.

И вдруг меня осенило — ни с того и ни с сего: та церковь, что возле Дзержинки, находится минутах в десяти отсюда, мимо Политеха, поворот на улице Архипова… И ноги сами понесли меня туда. Зачем, я в тот момент не очень сознавал; это был вечер наитий, спонтанных решений; авария произвела на меня дзен-буддистский эффект: хлопок учителя, я эвам веда, первая пришедшая на ум ассоциация…

Вечерня только-только начиналась; сегодня служил не блеющий дедушка, а другой священник, помоложе. У священника была неряшливая редкая бородка, отчего его оплывшее лицо казалось вялым. Из бокового входа в золотой алтарь выходили какие-то люди; услужливая бабушка передала через моё плечо записку; служка, сознающий собственную значимость, принял. Звуки плескались — гулко и глухо, как в крытом бассейне. Вот отворилась внутренняя дверь, ведущая в церковный двор. Староста вошёл и огляделся. Сейчас он был похож на старичка-лесовичка, не хватало только бороды лопатой.

Изучив оперативную обстановку, староста вступил на солею. Вновь окинул прихожан своим недобрым взглядом и, кажется, пересчитал по головам.

Я спрятался за угол (староста меня заметить не успел). И осторожно наблюдал из малого придела, как староста прошёл в алтарь, аппетитно чмокнув ангела на двери, как вышел, уже в золотом стихаре, поставил высокие белые свечи — Николаю Чудотворцу, преподобным Сергию и Серафиму, великомученику Пантелеимону; отперев почерневший ковчежец, напоказ, торжественно и отрешённо, приложился к частицам мощей; возвратился в алтарь, чтобы взять серебряное блюдо, поклонился православному народу, получил покорное благословение священника и вышел на сбор подаяний. И тут я наконец-то понял, что я буду делать — и зачем вернулся в этот пенсионный храм.

Молящихся, по случаю июля, было мало; как только староста дошёл до малого предела, я внезапно сделал шаг ему навстречу и встал по стойке смирно. Староста меня узнал и побелел от злости, но латунное начищенное блюдо с жёлтыми рублёвками, зелёными заманчивыми трояками и одной избыточной десяткой — не допускало суеты, обязывало быть солидным и суровым.

— Что тебе опять от меня надо? — беззвучно спросил староста. — Будешь хулиганить, вызову милицию!

— Вызывайте, — так же беззвучно ответил я. — Есть один вопрос, пока не получу ответа — не отстану.

— А если получишь — отстанешь?

— Отстану.

— Точно?

— Точней не бывает.

— Тогда после службы у домика причта.

— Буду ждать.

— Но отстанешь.

— Отстану.

— Денежку-то положи, а то смотри какой. Вот та-а-ак.

Вернув себе величественный вид, староста продолжил шествие.

Во внутреннем дворе сверкала клумба, только что политая из шланга; сам шланг, свернувшись кольцами, змеился рядом, розы пахли болгарским вареньем, трясли дурацкими кудряшками гортензии, могильной горкой прорастали георгины, слишком ранние в этом году... На деревянной дачной лавочке сидел мужчинка в ситцевом халате и с удовольствием докуривал бычок. На меня мужичок посмотрел, оценил — и решил не бояться. Вдруг он взметнулся, как школьник, пойманный директором в сортире, спрятал бычок в кулаке и проглотил дым.

Я оглянулся — через порог переступал сердитый староста, уже переодевшийся в цивильное, с соломенной шляпой в руке. «Шляпа-то у него откуда? Неужели хранит в алтаре?»

Староста зыркнул на дворника, как бродячий пёс на дамскую болонку; дворник мгновенно слинял.

— Ну, чего тебе надо? Быстро говори, пока отец Геннадий не явился, явится — замолкнешь, понял?

— Понял, понял. Вы мне только объясните, как вы сумели его отпустить?

— Кого я сумел отпустить?

— Ну, отца Серафима. Вы же его отпустили?

— Я? Отпустил? Ты чего? — староста от изумления едва не поперхнулся: — Как я мог его отпустить?

— А как же отец Серафим оказался на воле?

— Ты это, думай, чего говоришь. На какой он воле оказался? Я сам на него оформлял документы. Самолично! Вот этой рукой!

— Документы на что?

— На снятие с довольствия. По факту смерти. Выбыл он, понимаешь ты, выбыл?

— Значит, вы его не выпускали?

— Я что, похож на психопата?

— Не очень.

— Вот и катись отсюда. Колбаской, так сказать, по Малой Спасской. Такую поговорку знаешь? И вали.

7.

Как-то это было слишком. Чтобы разом и конец академической карьеры, и нарушение седьмой заповеди, и предательство Учителя, и вскрывшийся обман отца Артемия. В том, что это был обман, сомнений у меня не оставалось; зачем он сочинил историю про освобождение и откуда знал о том, что староста начальствовал в ГУЛАГе, — я тогда ещё не понимал.

Но чем хуже становилась ситуация, тем спокойней и решительнее — настроение. Я холодно думал, уверенно действовал. Для начала отзвонился Мусе; мягко, но безоговорочно остановил её капризный монолог: значит, были веские причины, нет, по телефону не скажу, я сегодня сам к тебе приеду, буду не позже восьми. По пути к метро зашёл на телеграф, где стояла очередь «завей верёвочкой», в основном из бабушек-пенсионерок. Они держали заготовленные бланки, как прошения, обеими руками; умоляли злобную телеграфистку: девушка, пересчитай, у меня двенадцать слов, а не тринадцать, я не миллионщица. Одна старуха, не сумев договориться, покорно вернулась за письменный стол, макнула в синюю чернильницу перо — и замарала два последних слова, «целую» и «мама».

Я начал заполнять шершавый бланк.

«Отец Артемий!»

Стоп. Какой такой отец Артемий? Телеграмму заберёт Соколова М.С. Я смял зеленоватый бланк и выбросил в корзину.

«Уважаемая Мария Сергеевна = вскл = вы мне всё же написали = зпт = спасибо = как вы и говорили = зпт = у меня серьёзная проблема = тчк = необходимо срочно посоветоваться = зпт = счёт на часы = тчк = можно послезавтра к вам приехать = зпт = или позвонить на почту = во сколько = впрс = Ноговицын».

Востроносая телеграфистка, взглядывая на круглые настенные часы (до закрытия осталось шесть минут), пересчитала знаки, осуждающе взглянула на меня и самовольно сократила текст: убрала «уважаемая», «всё же», «серьёзная», поджала длинную формулировку «необходимо срочно посоветоваться» (получилось, что «нужен совет»), глубоко задумалась, не обнаружила резервов и спросила:

— Как будем посылать, с оплаченным ответом?

— Да, конечно, — обрадовался я, потому что сам не догадался. — Спасибо вам большое.

— Вежливый какой нашёлся, — почему-то обиделась тётка. — С вас два тридцать восемь. Бланк с цветочком брать не будем?

И сама себе ответила:

— Не будем. Вот если похороны или юбилей, а так-то что.

8.

В метро был африканский воздух; чёрный ветер свистел из тоннеля, девушка придерживала край короткой юбки, мне не хватало кислорода. Я был обязан доложиться Мусе — и сразу её успокоить, чтобы ужас не проник в неё, не угнездился. Пусть новость до неё доходит постепенно, пусть растворяется, как горькое лекарство. Это всё моя мистическая дурь; Муся этого не заслужила. Но слова приходить не хотели. Голова была пустая, гулкая. В ней отзывались перестук колёс, гудение подземного самума; перед глазами стоял Сумалей, который гасит папиросу о подошву и его костлявая спина, когда он уходит в метро.

Однако объясняться с Мусей долго не пришлось. Она подхватила меня на пороге, обняла прохладными руками, долго не хотела выпускать. Приотпустив, но до конца не разжимая рук, спросила:

— Всё нехорошо?

— А как ты догадалась?

— Я такая.

Мы лежали на кровати, Муся перехватывала руку, отводила — не сегодня, сегодня нельзя, я сегодня к тебе не поеду, теперь послезавтра, Наталья Андреевна рассердится — нет, она будет довольна — почему — нипочему.

— Нет, а всё-таки? — Муся посмотрела на меня опасно опьяневшими глазами, и я готов был согласиться на всё. — Почему она будет довольна?

— Потому что мальчик бросил эти штучки, стал нормальным мужиком.

— А ты что же, их бросил?

— Нет, не бросил.

— И как же ты теперь на исповедь? Вы же там должны перечислять грехи?

— Не знаю.

— Я тебя потом помучаю вопросами. Дети за что умирают? Почему они страшно болеют, зачем?

— В церкви говорят, что это за грехи родителей.

— Тогда твой Бог напоминает мне бухгалтера. Так сказать, товарищ по профессии. Приход, расход, баланс, квартальные отчёты. Вот этих, маленьких, тёплых — за что? За то, что два каких-то взрослых идиота что-то там такое замутили? Или вот мы с тобой вчера... что же, наши дети тоже за это заплатят?

— Не знаю, — буркнул я и отодвинулся.

— Нет уж, ты не отодвигайся, ляг обратно. Ближе. Ещё ближе. Вот так. Это, котинька, только начало. Я потом спрошу и про войну, и про дебилов, и про рак. Ты на стену полезешь, готовься. А пока мне интереснее другое.

— Что именно другое?

— Сколько у нас будет детей? А внуков? Я хочу сначала девочку. Девочке можно будет заплетать косички...

Она замолчала, закрыла глаза и, похоже, слегка задремала. Я потрогал губами её гладкую кожу над локтем. Принюхался. Муся пахла антоновкой, сентябрьским теплом, свежескошенной травой.

Она очнулась. Сонно посмотрела на меня.

— Котя, а какой я буду в старости? А ты? У тебя будет живот? А лысина? У твоего папы есть? Значит, и у тебя не будет. А сколько мне исполнится в двухтысячном? Ужас! А в десятом? А в семнадцатом? Двадцатом? Я же буду старуха, мне ничего не будет нужно...

Я стал собираться домой; она, не вставая с кровати, сказала:

— Котя, я чего-то засыпаю. Просто сил нет, свинцовая тяжесть привалила. Ты дверь захлопни, ладно? Очки на столе, не забудь... Слушай, только что сообразила.

— Насчет чего?

— Насчет очков. Люди с плохим зрением видят жизнь совсем не так, как люди с хорошим.

— О, Муся! Ты стала философом, — съязвил я. — Это просто сионская мудрость.

— Почему сионская? А, ладно, мне всё равно. Ты не понял, Ноговицын. Человек, который плохо видит, он всё время вглядывается, понимаешь? Ему кажется, что от него что-то скрывают. Поэтому он везде находит причины. А люди без очков и так всё видят.

На прощание она меня окликнула:

— Котя, скажи, а я загадочная?

— Нет, ты просто плохо воспитанная.

— Хи-хи. Остроумно. До завтра, родной.

9.

Я боялся, что мама встретит меня в коридоре, глаза округлятся от ужаса; сыночка, ну что там происходит? Но ни одно окно сегодня не горело; дом был словно обесточен, непроницаемое чёрное пятно на фоне матового неба. Как же быстро стало темнеть; скоро наступит дождливый изменчивый август; где я буду осенью, никто не знает; то ли вмешается Виктор Егорович (я же теперь из блатных), то ли для меня наступит жаркая ташкентская зима, как и было обещано Игнатием, я тоже научусь пускать дракончика, а потом приеду в краткосрочный отпуск…

Слишком резко ускорилось время, слишком быстро пролетает жизнь.

На кухонном столе я обнаружил мамину записку. «Сыночка, готова скумбрия! Кажется, в этот раз получилась! Такая, как ты любишь! Попробуй!»

Среди маминых роскошеств просолённая скумбрия занимала почётное первое место; чуть сладковатая, как дефицитная исландская селёдка в винном соусе, она припахивала морем, водорослями, крупной солью; я с детства обожал её — и сколько было на тарелке, столько и съедал. Я достал эмалированную мисочку — мамину любимую, со сколом, тёмным, как родимое пятно; намазал маслом свежий белый хлеб, нарезной за 13 копеек; отслоил ножом от скользкой шкурки сиренево-красную мякоть, сытными кусками выложил на бутерброд, добавил три колечка репчатого лука и, запивая слабым чаем, слопал. Попытался сам себя остановить: ночью обопьёшься, завтра будешь опухший, не вышло; сделал ещё бутерброд. И ещё.

После трёх стаканов чая пот катился градом; надо было срочно привести себя в порядок. Я наскоро почистил зубы порошком, сунул полотенце под холодную струю, быстренько обтёрся и с наслаждением нырнул под простыню.

Сил читать молитвенное правило не оставалось, но и сон ко мне не приходил. Я ворочался, считал слонов, представлял, что тело раскрывает чакры, а от головы к стопам течёт энергия. Вставал, наливал себе воду из чайника, хлюпал, ложился и снова вставал.

Не выдержав, я потянулся за транзистором: ну-ка, что там происходит в мире? Поставил его на живот, вытянул антенну, длинную, как школьная указка, сместил рычажок на короткие волны. Радио сипело и мигало; расфокусированными голосами дикторы начитывали новости. В польском Люблине продолжаются беспорядки, вызванные повышением цен на основные виды продуктов, рабочие требуют отставки правительства. Произведены аресты, задержания, но манифестации остановить не удалось. (Поляки, подумал я тогда, — наивные. Как будто что-то можно изменить; советская власть неизбывна.)

Я сместил мерцающую стрелочку. Сквозь помехи пробился старческий, но властный и свободный голос: «Яко Твоя держава, и Твоё есть Царство, и сила, и слава». Голос гудел неожиданно близко, словно я был прямо в алтаре, за спиной усталого священника, и церковный хор звучал из отдаления, как подголосок: «Господи, воззвах к Тебе, услыши мя…» Кто-то закашлял, священник торопливо перелистывал страницы, что-то громко прошептал диакон («с начала начинай, не то»), щёлкнула воском свеча.

Я лежал под мятой простыней, тяжёлый транзистор давил на живот, за окном ругались пьяные придурки, ты, бдь, меня уважаешь, а в темноте зудели комары. Служба шла в далёком лондонском соборе — думаю, её передавали в записи, но ощущение было, как будто она происходит сейчас; ужасы последних дней мягчели, отступали, исчезала свинцовая тяжесть. Но вот вечерня окончилась, я перескочил на следующую частоту и попал на позывные радио «Свобода». Та-та-та́ — та-та-та́ — тата́та. Сделал чуть погромче — и окаменел. Примятый несоветский голос сообщил: «Умер бард и актёр Владимир Высоцкий».

Я не был яростным поклонником Высоцкого: не прорывался на домашние концерты, не переписывал слова в тетрадку и не выпрашивал у одноклассников бобины. Вообще, катушечный магнитофон мне подарили слишком поздно — когда я перевёлся на дневной; в школе я слушал пластинки и покупал их на Калининском проспекте, в магазине «Мелодия». На первом этаже царила толчея; спекули смотрели жадными глазами, мельтешила покорная очередь. То выкидывали новый диск Тухманова, и в тесных колонках метался кокетливый голос: «Вот стою, держу весло, через миг отчалю, сердце бедное свело скорбью и печалью». То продавали пластинку стихов Евтушенко в исполнении автора: «Я на пароходе "Фридрих Энгельс", ну а в голове — такая ересь, мыслей безбилетных толкотня. Не пойму я — слышится мне, что ли, полное смятения и боли: "Граждане, послушайте меня..."» Но у Высоцкого своих «гигантов» не было, только разноцветные миньоны производства Апрелевской фабрики, — поэтому в «Мелодии» его не продавали.

Когда мы собирались в общежитии, наши краснодарские красотки заводили группу «Скорпионс» или ставили попиленные диски Фредди Меркьюри; танцевали мы под медленную лабуду, в лучшем случае под молодую Стрейзанд; накачавшись плодово-выгодным или «Агдамом», начинали петь возвышенного Окуджаву: «Ель, моя ель — уходящий олень, зря ты, наверно, старалась, женщины той осторожная тень в хвое твоей затерялась». Если нас охватывал порыв свободомыслия, то к нашим услугам был Галич — «Смеешь выйти на площадь?». На площадь выходить никто не собирался, но мурашки по коже бежали.

А Высоцкий... не то чтоб Высоцкого слушали. Хором его не споёшь, танцевать под него невозможно. Но этот разорванный голос звучал отовсюду. Из распахнутых кунцевских окон, из несущихся вдаль электричек, из дешёвых советских кассетников, из дефицитных «Грюндигов» начальства, из комнатки общежитского коменданта. Он был незаметен, как бывает незаметен воздух; им дышали, им подпитывали жизнь.

Новости закончились; дикторша предупредила, что вместо передачи «Советский союз: события, проблемы, суждения» выходит специальный выпуск памяти Высоцкого.

> *он не вышел ни званьем ни ростом*
> *ни за славу ни за плату*
> *по канату по канату*
> *натянутому как нерв*

День был муторный, сложный; сил размышлять о Высоцком у меня не осталось. Последнее, что я успел подумать: «Вот и всё; обещанный спектакль не состоится».

И уснул.

1.

Утром мама не вышла на кухню. Дверь в её спаленку была приоткрыта.

— Ма-а-ам, а ма-ам, — постучал я. — С тобой всё в порядке?

— Да, — ответила мама мёртвым голосом.

Это значило, что у неё мигрень. В такие дни мама брала отгулы и лежала на тахте, закутавшись в колючий плед. Чтобы выпить едкий цитрамон, руки нужно было отделить от тела и медленно сдвинуть подушку. Переждать нахлынувшую боль. Приподняться и сесть. Долго смотреть не мигая. Дождаться точки нового покоя, распрямиться и, не поворачивая головы, нашарить упаковку цитрамона. На ощупь выковырнуть жёлтую таблетку. Приставить кружку к губам и словно бы высосать воду, потому что запрокинуть голову — выше человеческих сил...

Я заглянул; вопреки ожиданию, мама полулёжа изучала фотографии.

— В четыре утра ослепило, — произнесла она всё тем же мёртвым голосом. — Но как будто стало отпускать. Тьфу-тьфу-тьфу, чтоб не сглазить. На работу я сегодня не пойду, я им уже позвонила; вот, решила альбом полистать. Сядь со мной, погляди, какой ты был.

Я покорно сел и стал смотреть знакомые картинки. Я, голый, на коврике. Мама в спортивном костюме на станции Правда. Через две страницы будет папа в тренировочных штанах, ловко оседлавший мотоцикл с коляской. Самодельный катер, склеенный из эпоксидки. Испуганный заморыш в школьном пиджачке, в руках — клочковатые астры.

Про вчерашнее мама упорно молчала; мне даже показалось, что она как-то рада мигрени; если болит голова, можно не думать о новом, о страшном.

— Мам, если всё нормально, я пойду?

— Иди. Бедный дедушка, как он тебя любил. Просто сиял, когда тебя видел.

— Тебе не нужно ничего?

— Поставь на всякий случай воду. И цитрамона принеси. И грелку, если тебе не очень трудно. А это мы в парке Софиевка, помнишь? Она ещё пишется странно, латинская «ï» с двумя точками, как «ё», ты поверить не мог.

— Помню, мама. Да, кстати, скумбрия была отличная, я слопал всю, тебе ничего не оставил.

— Я рада, — монотонно ответила мама и перевернула толстый лист фотоальбома.

2.

Баба Оля была необщительна. Подошла к телефону не сразу, пробурчала, что встреча назначена в пять и что нужно готовиться к худшему. Строго-настрого предупредила: «Главное, не вздумай опоздать, Павел Федосеевич не в настроении». И, не дожидаясь моего ответа, отключилась. А я почувствовал предательскую слабость: баба Оля просто так предупреждать не станет. Значит, что-то ей стало известно, но что?

И, подчинясь внезапному порыву, решительно набрал отца Илью.

Я услышал изломанный голос; то ли батюшка додрёмывал, то ли чувствовал себя не лучшим образом:

— Дааа. Я на проводе.

Я стал невнятно бормотать: вы когда-то меня окрестили, помните... мне скоро защищаться, но поступил донос... первый отдел... подозрения... по телефону всего не расскажешь, а можно...

Отец Илья дослушал с отстранённым вежливым вниманием («да... угу... хм»):

— Как вы говорите? Алексей? Очень приятно. Знаете, я не уверен, что смогу сегодня. Понимаете...

Я не дал отцу Илье договорить.

— Отче! Если бы можно было отложить до завтра, я бы отложил. Но не могу. У меня решается вопрос жизни и смерти, в прямом смысле слова. Сегодня, в пять вечера. До этого мне нужно с вами обязательно поговорить. Я не отстану, простите.

И замер в ожидании словесной оплеухи. Но вместо этого услышал резкое, отрывистое:

— Ладно. Выезжайте прямо сейчас. Вы же были у меня? Знаете, где я живу?

— Не был, но знаю.

— Откуда? А впрочем, неважно. Буду ждать вас... скажем, через два часа. Успеете? Прекрасно. Но вы знаете, — интонация стала просительной, — тут ещё такой вопрос, вы не привезёте мне бутылочку коньячку? Мне нужно для здоровья, я простужен...

Я про себя улыбнулся.

— Конечно.

— Лучше бы грузинского…

— Да-да, пять звёздочек, синяя этикетка.

— Откуда вы знаете? А, догадываюсь. Но это только если вам нетрудно…

— Уже приготовлена, батюшка. С прошлого раза стоит. Газету с программкой купить?

— Пророчествуете, молодой человек? — отец Илья закашлялся от смеха. — Хорошо, воспользуюсь вашей неслыханной милостью, прихватите для меня «Советский спорт». Но только если будете возле киоска. А специально ходить покупать — и тем более ездить — не надо.

3.

Я трясся в моторном вагоне; было душно, и хотелось пить. Я старался не смотреть на дяденьку напротив, который вытянул в один глоток бутылку «Жигулёвского», выдохнул и, не теряя даром времени, опорожнил другую. Застыл, прислушался к себе. Кажется, полегчало…

От платформы дорога петляла; жёлтые торцы пятиэтажек прикрывались чахлыми деревьями, как банными распаренными вениками, из трещин в асфальте пучками торчала трава, под грибом в песочнице сосредоточенно бухáли алконавты, в цветниках, высоко задирая зады, копошились начинающие пенсионерки. На балконе дерзко прокричал петух, но испугался самого себя и захлебнулся.

В подъезде пахло кошками и чем-то густым, неприятным; бетонные ступени были выщерблены, стены в белом курчавом грибке. В ответ на звонок бесшабашно сбрехала собака, на неё прикрикнули из глубины квартиры — и дверь широко распахнулась:

— Проходите, не стесняйтесь.

Отец Илья был в домашней линялой рубашке, клетчатой, с коротким рукавом, и в неопрятных летних брюках с большими пузырями на коленях; меня поразили драные сандалии и неровно стриженные ногти на толстых волосатых пальцах ног. Это не вязалось с образом священника, пророчески гремящего с амвона или хотя бы отдыхающего в доме причта. Да, затрапезного, да, с яичным желтком на губах, но уставшего не от жары и бытовых проблем, а от напряжённой долгой литургии. Снова, как холодная ладонь за шиворот, поползла предательская мысль: может, зря я сюда заявился?

Собака вежливо прокашлялась: км-хм-гм. И широко зевнула. Я огляделся: тесный коридор, две комнаты, санузел совмещённый, кухня крохотная. Изнутри квартиры дверь была обуглена, а край стены и потолок — в несмываемой каменной копоти; так вот откуда в коридоре этот жирный запах...

— Да, мы немножко погорели год назад, — смущённо пояснил отец Илья, — ну это ничего, не страшно, слава Богу, вовремя заметили.

— Ага, не страшно, не тебе ж чинить, — высунулась в коридор немолодая низенькая женщина с грубым болезненно-нервным лицом. — Для этого у нас имеется обслуга.

— Нюся, доченька, починим, — стыдливо отвечал священник. — Пойдёмте в залу.

— Починим, — проворчала Нюся, — уже год живём как на вокзале. Хоть бы попросил кого-нибудь из прихожан. А то — бутылочку не привезёте, благо-

словите, Батюшка, программку, а как по-настоящему надо помочь, так сразу выясняется, что некому.

— Починим, деточка, починим, — увещевая сер-
дитую дочь, повторил отец Илья.

— Да-да. Кто починит, а кто ничего не заметит,
ах, куда оно всё подевалось, надо же, какая благодать, господь саваоф, творяй чудеса.

Дочь ногой толкнула дверь, ведущую в санузел,
резко повернула кран; вода ударила в пустое ведро.

Отец Илья стыдливо съёжился и поспешил ныр-
нуть в гостиную, которую он по-южному назвал за-
лой. За нами, бодро цокая когтями, направилась
дворняга. Я нагнулся и попробовал её погладить,
та неуклюже огрызнулась, робко вильнула хвостом
и спряталась в комнату неласковой поповны.

— Ну её, — сказал отец Илья, — дурацкая она собака, сама не знает, чего хочет.

— Нечего было брать, — прокомментировала
Нюся, наматывая старое кухонное полотенце на де-
ревянную швабру. — Взял бы терьера, с медалью,
или бобика от Муравьёвых, был бы другой коленкор.

В гостиной на кресле-качалке сидела старуха
с мутными глазами и непонятно чему улыбалась.

— Это мамочка, — нежно представил отец Илья
и пригладил старухе волосы. — Мамочка, как ты?

Старуха не ответила, но подняла невесомые руки,
нащупала ладонь отца Ильи и молча прижала к щеке.

— Мамочка давно уже не видит и не говорит, зато
она всё слышит, да, мамуся? Ничего, мамуся, отды-
хай. — Он усилил голос, как подкручивают звук у ра-
диоприёмника. — Ко мне пришли, мы побеседуем
на кухне. Ну отпусти, отпусти, я недолго.

Старуха послушно опустила руки и стала медленно качаться взад-вперёд, как отдыхающая в примор-

ском санатории пенсионерка. Давно не мытое окно было настежь открыто; за ним шелестела берёза и бликовали стёкла соседнего дома.

Дворняга пересилила свой страх и возвратилась; глаза она скосила, так что выступили синеватые белки́, да и в целом вид она имела покаянный и растерянный.

— А-а-а, — наставительно сказал отец Илья, — будешь знать, как пустобрёхать. Гавкать умеет каждый дурак, а ты попробуй выражаться содержательно. Ладно, полежи, проветрись.

Собака послушно легла возле кресла-качалки и раскинула задние лапы, как цыплёнок табака на сковородке. Было видно, что она пытается не бить хвостом, но совладать с собой не могла; хвост напрягался и вздрагивал.

— Проходите на кухню, я пока надену униформу.

— А можно я воды попью?

— Что за вопрос. Вода у нас пока что есть. Там над раковиной гостевая кружка, не ошибётесь.

И вправду, ошибиться было невозможно: в шкафике на полосатом полотенце стояли тонкостенные, с нежно-синим узором, невесть откуда взявшиеся в этом жалком доме мейсенские чашки; рядом с ними беззаконно притулилась кружка. Походная, с обколотой ручкой. Я налил её до краёв, выпил в два глотка. Налил ещё. И взмок, словно меня окатили из шланга. Схватил валявшийся на табуретке зачитанный «Советский спорт» — футбольная таблица высшей лиги была почиркана химическим карандашом, какие-то нолики, крестики, пометы, восклицательные знаки — и стал обмахиваться, как бабка на скамейке.

В углу иконостас — с огромной храмовой иконой посредине, непомерной для пятиметровой кухни:

одутловатый коричневый лик Вседержителя с отрешённым задумчивым взглядом. Рядом — пророк Илия и целитель Пантелеимон с серебряной ложкой в изысканных пальцах. Тёмная Казанская, светлая Владимирская, золотистая Нечаянная Радость. В общем, обычный набор. Лишь на одной иконе, неприлично новой, проступали неожиданные лики — убиенный русский царь с растерянным лицом, великие княжны, испуганный наследник. Перед образом царской семьи, на кружевной салфетке, пожелтевшей, как лежалый сахар, стояла высохшая крепкая просфора. На нижней полке калачиком свернулась новенькая епитрахиль. Расшита она была неаккуратно, из ткани вылезали золотые усики. И мерцала тихим светом синяя лампада, как звёздное небо над морем.

На противоположной стене была повешена большая самоструганая полка; на ней громоздился угольный утюг, с сердитой головой писателя Толстого на месте крышки. Я представил, как откидывается голова Толстого, из нутра вырывается дым, олицетворяющий мучения ересиарха, и тихо рассмеялся. Вот бы Сумалею показать; рядом с пушкинской чернильницей смотрелось бы неплохо.

В остальном всё было тесно и убого; самодельный стол из ДСП, пластиковая серая панель, годами не белённый потолок; в стены въелся скользкий запах тёмного хозяйственного мыла. Вот уж кто настоящий нищеброд, с особенным сочувствием подумал я. И почему-то пожалел не батюшку, а собственную маму. Пашет, пашет всю свою раздробленную жизнь, и такой ничтожный результат…

Отец Илья вошёл в потёртом выцветшем подряснике, с тяжёлым бронзовым крестом на внушительной цепи. Как военные, переодевшись в форму, из разъевшихся кургузых мужичков превращаются в суровых офицеров, так он из тощего неряшливого полудеда преобразился в аскетичного красавца. Даже голые пальцы в потёртых сандалиях заставляли вспомнить о святом Франциске. Он вытянулся в струнку перед алтарём, высоко воздел промытые душистым мылом руки — медленно, как дирижёр на репетиции. Начинаем с четвёртого такта, поехали.

Перекрестился широко, торжественно, словно задавая ритм оркестру, и начал:

— Боже, милостив буди мне грешному...

Голос его постепенно густел, в нём стали появляться просверки, как седина в смоляной бороде. Тот, кто выбежал *тогда* из алтаря и упёрся подбородком в крест, разумеется, не мог носить разношенных сандалий и неровно обкусывать ногти щипцами, заискивать перед суровой дочерью, тем более — униженно просить бутылочку грузинского, пять звёздочек, синяя этикетка, пробка-бескозырка. Но это был именно он. Тот же отрешённый вид, та же непреклонная решимость.

— Да приидет царствие — Твоё, да будет воля — Твоя...

Завершив затяжную молитву, отец Илья присел за столик, узловатым пальцем указал на табуретку. Опустил глаза. Слушаю, что там случилось. Он не перебивал, не поторапливал, не помогал вопросами. Даже не кивал. Нюся строго прокричала: «Я ушла». Отец Илья не среагировал; он все так же сидел, не открывая глаз; мне почудилось, что собеседник дремлет. Я нарочно запнулся, но тот приободрил:

— Продолжайте.

Договорив, я посмотрел на старые часы с кукушкой (крыло зацепилось за дверцу, кукушка застряла, однако часы продолжали работать). Мне казалось, что прошло не меньше часа, однако мне хватило двадцати минут. Я успел рассказать обо всём, только ничего не сообщил о Мусе. Хватит с меня бесполезных советов, люби, не люби, живи, не живи; обойдёмся как-нибудь без посторонних. В воскресенье я схожу к отцу Георгию, словом и делом, и блудным помышлением, и, ничего не уточняя, смою перед Богом смертный грех. А потом повторю его снова.

Отец Илья открыл осоловелые глаза, посмотрел со скрытым недоверием, переспросил:

— Это всё? Больше нет ничего на душе? Вы не спешите отвечать, взвесьте.

— Я думаю, что это всё.

— Точно всё? Вы уверены? Ладно. Тогда помолимся, узнаем Божью волю.

Отец Илья зажёг большую самодельную свечу из воска, рифлёную, как вафельная трубочка. Широко перекрестился, снова сел — и растворился. Осторожно тикали часы. Плавилась и щёлкала свеча. Оса стучала головой в стекло. Я заметил, что под батареей развалилась дымчатая кошка; кошка равнодушно лизала лапу, свёрнутую в кулачок. А отца Ильи как будто не было; он «потонул в тумане, исчез в его струе, став крестиком на ткани и меткой на белье».

Я попробовал зажмуриться и повторить знакомые слова, как повторяют упражнения на турнике. Господи, милостив буди мне грешному... Взбранной воеводе победительная... И по множеству щедрот Твоих очисти беззаконие мое... Но после того, что случилось вчера, я словно разучился говорить готовыми словами. Молитвы проворачивались, как старый ключ в замке, не отпирая двери. Ну что же это такое, Господи. Ну почему Ты мне не хочешь отвечать?

— Вы уверены, что больше нечего сказать? Есть что-то на уме? Подумайте, — внезапно вынырнул из забытья священник.

Я ухватился за уклончивую формулу.

— На уме — ничего.

— Хорошо, — подытожил отец Илья. — Тогда Господь вам подскажет, что делать.

Не такого ответа я ждал. Не за такой банальностью тащился на окраину. Тоже мне домашний духовидец.

— То есть я приду сегодня в кабинет начальства, и дело как-нибудь само уладится?

— Надеюсь, что да, — подозрительно легко согласился священник. — Вы просто Ему не мешайте.

Из гостиной донеслось какое-то тревожное кряхтение; отец Илья насторожился, попросил прощения — и вышел. Там он начал грохотать, бегать из гостиной в ванную и обратно, стучать железной крышкой бельевого бака, снова чем-то скрипеть...

Стало страшно жаль потраченного времени. И ещё ведь обратно тащиться в такую жару.

Отец Илья вернулся, суетливый и расстроенный, пахло от него солоновато-кислым, детским; он долго, как хирург, намыливал над раковиной руки, скрёб ногтями кожу, смывал и снова мылил:

— Простите меня, маме как-то резко похудшело, все запасы марли извели... Недолго ей уже осталось. Вот мамы наши... растят нас, растят, вырастят, а тут непроницаемая старость. — Он вздохнул, махнул рукой. — Ладно, это разговоры в пользу бедных. Всё, проехали. Итак, о чём мы с вами?

— О сегодняшнем вечернем разговоре.

— Да, так вот. Господь вам подскажет, что делать, но при двух непременных условиях. Первое условие — вы для себя решите, что для вас в этой жизни главное и на что вы готовы пойти. Осталось несколько часов, я верно понимаю? Подумайте как следует.

— Да как же я решу? Если я не смог решить за несколько лет? — полуобиделся-полуизумился я.

— Так вот и решите, — твёрдо возразил отец Илья. — А ещё — запомните простую вещь: в этой жизни Бог на первом месте. Не прозрения, не тайны, не профессия, не родственники, не друзья, не деньги, а Бог. Если Он у вас на первом месте, то и остальное — будет на своём.

Ну-у, разочарованно подумал я, здравствуйте, пожалуйста. Приехали. Снова советы бывалого. Спасибо, батюшка, усвоили урок духовной арифметики. Дважды два четыре, пятью пять двадцать пять.

Я предпринял самую последнюю попытку — и по-другому сформулировал вопрос:

— А кто тогда такой отец Артемий?

— Не знаю, — с небесной улыбкой ответил Илья. — Не знаю и знать не хочу. По-моему, есть вещи поважнее. Например, почему началась ваша переписка.

— И почему же она началась? — Я старался избежать ехидства, но не вышло.

— А потому, что вам она была нужна. Вы о ней мечтали — вы её и получили. — Отец Илья заговорил решительно, почти жестоко: — Вы хотели, чтобы вам разгадывали тайны. Как, знаете, пасьянс раскладывают. Хотели? Вот Господь вам и послал ответчиков.

— То есть это были жулики?

— Да почему обязательно жулики? Это были те, кого вы сами попросили.

— Но откуда они знают про меня? Заранее? Про то, что будет? Они мне столько открывали...

— А что они такого вам открыли? — резко усмехнулся отец Илья. — Что машина вас не переедет? Или что вы церковь чудом не спалили? Тоже мне, нашли преступника. Это же не церковь, это склад. Сгорит — и сгорит. Невелика потеря.

— Ну ничего себе. А как же священное место? — во мне заговорил ученик (пускай и бывший) Сумалея; не для того я слушал курс про философские аспекты урбанизма, чтобы презирать церковную архитектуру.

— Как вы сказали? — усмехнулся он. — Священное место? А что это значит? Капище, что ли? У христиан где служат, там и церковь. Бывшая церковь — стоячий мертвец, мертвецов мы хороним.

— Радикально. Но хотя бы отец Серафим настоящий?

— Понятия не имею. А почему это вас волнует?

— Ну как это — почему? Мне же важно, с кем я разговаривал — с живым человеком или с фикцией?

— Ты с ним не разговаривал. Ты разговаривал сам с собой, — отец Илья внезапно перешёл на «ты».

— И старца Игнатия не было?

— Полагаю, что был.

— А что он мне сказал?

— То, что ты готов был услышать.

Я не для того настаивал на этой встрече, чтобы получить типичные советские отписки: ваше обращение рассмотрено, благодарим за проявленный вами интерес, сообщаем, что письмо перенаправлено по адресу... Поэтому я раздражался всё сильнее.

— А что я был готов услышать?

— Ну я же сказал: без понятия. С тобой же говорили, не со мной. Прокрути разговор в голове, попроси открыть тебе смысл, если будет нужно — Бог откроет. Просто Богу — не шепчут, Богу кричат.

— Так я разве не кричал?

— Получается, что не кричал.

— Ещё как кричал!

— Значит, не о том кричал. О чём кричал — о том тебе и прошептали. Впрочем, сам решай. Тебе виднее.

4.

Дав понять, что разговор окончен, отец Илья решительно надел епитрахиль и стал затягивать завязочки на поручах, как хозяйка начинает собирать посуду, намекая засидевшимся гостям, что время позднее, пора бы и честь знать.

— Напоследок должен вам задать один вопрос. Во время исповеди происходит примирение — Творца с Его творением. Господь вас простит. А вы прощаете Бога за то, что он допустил неприятности? И, возможно, в будущем ещё попустит, посерьёзней. Вы — Его — прощаете?

Я ошарашенно ответил:

— Да, прощаю.

— Тогда и аз, свидетель недостойный, властию мне данной прощаю тебе, чадо, все твои грехи, вольные и невольные, яже делом или помышлением, разумием или неразумием... Целуйте Евангелие. Теперь крест. Благословляю вас принять решение самостоятельно и нести ответственность за это!

5.

Возле двери отец Илья засмущался, стал кхекать, тяжело вздыхать. Приманил собачку, потрепал её за шкирку. Но почему-то дверь не отпирал. Я вспомнил, что не передал ему коньяк, густо покраснел и протянул бутылочку, стараясь не глядеть в глаза. Так неопытный водитель в первый раз протягивает трёшку старому гаишнику.

— Ага, ага, — обрадовался батюшка. — Большое человеческое спасибо. Я, знаете, слегка простужен, мне сегодня нужно полечиться. Кажется, я это уже говорил, простите старика. Ну, не смею больше вас задерживать, а если что — звоните.

Дверь закрылась, ключ провернулся в замке, но вдруг провернулся повторно. Высунулся отец Илья.

— Алексей! Если что-то забыли мне сказать, не забудьте на ближайшей исповеди! И отдельное спасибо за бутылочку.

6.

На электричку я, конечно, опоздал. Пришёл на станцию, а на пустой платформе — ни одной живой души. Над раскалившимся покрытием дрожал горячий воздух, асфальт покрылся рытвинами, как фурункулами, недовольные голуби у мусорного бака тюкали клювами, как курочки в детской игре. Ко-ко-ко, ко-ко ко-ко, не ходите далеко. Я изучил расписание, вздрогнул. Ну такого же не может быть. Свежей краской были замазаны пять электричек подряд, следующая через два часа.

— Как это понимать? — спросил я у кассирши.

— А нечего тут понимать, — она огрызнулась. — Перерыв, ремонтные работы.

— Но по расписанию, на стенде…

— Тю, — не дала она договорить. — Вспомнила бабушка, как была девушкой.

Я отправился на ближайшую автобусную остановку, поспрашивал местных бабок — оказалось, что добраться до конечной станции метро не так-то просто, нужно будет пересесть на Третьей Силикатной, оттуда до промзоны, от промзоны пятнадцать минут… Так я к пяти не успею. И вдруг, как в чудесном видении, вдалеке появилось такси. «Волга» медленно ехала по разбитой бетонке, игриво качая боками; я обрадовался зелёному огоньку и чёрным шашечкам, как мальчик новогоднему подарку, стал махать руками: сюда, сюда! На такси я успею не то что к пяти, на такси я успею заехать на «Сокол». Нет, ну что за чудеса! Нечаянная радость! Чтобы днём на рабочей окраине вдруг обнаружилась свободная машина…

Бабки, говорившие наперебой, ах, деточка, да ты садись на пятый, потом с шестого перейдёшь на третий, сразу же меня возненавидели и замолчали — ишь ты, барин какой, на такси, пять рублей, а попробовал бы с нашей пенсии…

— Не курите? — спросил меня толстый водитель и вытянул зубами сигарету из дукатской пачки. — А я курю. Я, знаете, оригинал. «Яву» явскую не уважаю. А дукатскую «Приму» — люблю. Настоящая махорка, горлодёр. И вообще я мужчина принципиальный, если что не по мне — обязательно правды добьюсь. А вы?

— А я беспринципный, — буркнул я.

— Это вы зря, — затянулся водитель и выбросил спичку в окно. — Едем-то куда?

— На «Сокол». Знаете бобровский дом?

— На «Со-о-окол»? — радостно переспросил водитель и выразительно взглянул на счётчик. — Мне везёт. А за политикой как, следите?

— Не особо.

— И это напрасно. Ну, хотя бы анекдоты любите?

— Люблю, — пришлось ответить, чтобы отвязаться.

— Ну во-от. Помните, как в этом анекдоте?

И понеслось — про Брежнева и Пельше, про сиськимасиськи и женитьбу чукчи на француженке, про Чапаева и грязные носки, про мыло банное «По ленинским местам». Рассказав очередную байку, водитель первым хохотал и спрашивал: ну как, смешно? Я машинально буркал «да, конечно», пытаясь параллельно думать: мне же было велено решить вопрос о главном; безуспешно.

Наконец, устав от анекдотов, водитель перешёл к серьёзным темам и понизив голос, доверительно спросил:

— А говорят, что у Брежнева жена — еврейка. Никогда не слышали об этом?

— Нет, не слышал. А какая разница?

— Что значит: какая разница? Какие вы странные вещи говорите… Нет, ну что за музыку передают. Говно сплошное. По радио просто нечего слушать. Ваще.

— Да, тут про Высоцкого не скажут.

— Уважаете Высоцкого?

— Уважаю.

— И я. Настоящий мужик. Особенно эта мне нравится: ска-ла-ла-зачка моя — гуттапер-чивая…

— Тоже еврей, между прочим, — злорадно засмеялся я.

— Не надо так шутить, — обиделся водитель.

— Я не шучу. А вы знаете, что он умер?

— Высоцкий умер? — водитель отпустил руль, машина вильнула. — Когда?!

— Вчера.

— По вражескому радио сказали? Не, ну ё-моё, ну ёжкин кот, ну что это такое. Горбатишься с утра до вечера, а главного-то и не знаешь. Точно говорю, они его убили. На-вер-ня-ка.

— Кто же эти они?

— Они — это *они*. Сами должны понимать.

7.

К счастью, Муся оказалась дома. Но встретила меня насторожённо и почти испуганно:

— Проходи в столовую, я сейчас.

За столом, покрытым бежевой парадной скатертью, сидел незнакомый подросток лет пятнадцати, неряшливо постриженный под ноль, в серой линялой рубашке навыпуск и грубых рабоче-крестьянских штанах. Перед ним на фарфоровой белой тарелке лежал кусок дефицитного торта «Птичье молоко», в резной хрустальной вазочке разноцветной горкой высились конфеты «Белочка», «Трюфель» и «Мишка на Севере». Почему-то несколько конфет лежали отдельно, на краю стола. Мальчик дожёвывал торт и держал наготове заранее развёрнутую «Белочку». Увидев меня, он мигом запихнул конфету в рот, промычал: жастуте, — и торопливо запил молоком. Над губой образовались белые усики. На стакане остались шоколадные следы.

В глубине квартиры раздались звук спускаемой воды и торопливые шаги. Видимо, до моего прихода Муся стеснялась сходить в туалет. Что же за парень такой, если она его стыдится?

— Знакомьтесь, Алексей Арнольдович, это Коля, — сказала она как чужая, учительским голосом. — Мы с Колей в Лужниках познакомились, правда, Коля?

— Правда, — подтвердил подросток, успевший дожевать и торт, и «Белочку». — Тётя Муся провела меня на лёгкую атлетику. Хотите конфетку? — Он с простодушной и хитрой улыбкой протянул мне шоколадный трюфель.

Я отказался:

— Не хочу, спасибо, — но подросток сделал огорчённое лицо, и пришлось согласиться.

Коля просиял от счастья и немедленно всучил мне невесомую обёртку; конфеты внутри не было.

— Попались, попались!

— Старый детсадовский фокус, — обиделся я.

— Коля, посиди тут, мы сейчас вернёмся. — Муся посмотрела на меня со значением; мы прошли в её комнату.

— Это что ещё за юное дарование? — прошипел я сердито. — Где ты его откопала?

Она прижала палец к губам.

— Тс-с, говори шёпотом. Он не должен услышать. Ни в коем случае, понимаешь?

— Да куда уже тише?

— Понимаешь, сегодня атлетика — Олизаренко и Слупеняк...

— Кто?!

— Неважно. Ты их не знаешь. В спорте это примерно как... не знаю кто. Как Гегель и Кант.

— Ха. Ха. Ха.

— Не перебивай меня, я же тебя не перебивала? — окрысилась Муся. — В общем, подхожу с друзьями к контролёру...

— С друзьями — это с Феденькой?

— Иди ты. А там толкутся эти пятеро. Пострижены под ноль. Одеты сам видел как, смотреть стыдно. И бросаются к прохожим: а вы нас не проведёте? Мы из детдома, у нас денег нет. Кто огрызнётся, кто руками разведёт. Они к следующему: тяф-тяф, меня, меня! Просто слёзы наворачиваются. — Муся сглотнула комок. — Я своих ребяток грабанула, забрала контрамарки, а этих ласковых телят — провела. И один ко мне так прилип, так прилип, под ручку нежно берёт, прижимается, в глаза заглядывает… «А вы меня домой к себе не сводите? Я так люблю домашнюю еду». Тяф-тяф, тяф-тяф… — Глаза у неё округлились.

— Телята не тяфкают. По крайней мере, мне об этом в школе рассказывали.

— Ты же не грубый, Котя, тебе не идёт, прекрати. Я не могла ему отказать. Вот, привезла, покормила.

В дверь деловито постучали, с хорошо рассчитанным укором. Муся вскинулась, испачкала платок потёкшей тушью и торопливо отворила дверь.

— А куда вы ушли? — Коля выдерживал правильный тон: извиняющийся и слегка обиженный. — Я уже соскучился. О, какая у вас прекрасная комната. Вы в ней одна живёте? А можно я посижу за вашим письменным столом?

— Конечно, — растерялась Муся и сама отодвинула стул. — Вот, располагайся… — Она уже почти произнесла «и чувствуй себя как дома», но осеклась.

Колю уговаривать было не нужно. Он с удовольствием устроился на стуле, правую ногу поджал под себя, побарабанил пальцами по оргстеклу, повторяя чьи-то жесты: то ли завуча, то ли директора.

— Когда я вырасту, у меня будет точно такой же стол, — сказал он жалостливо и самоуверенно. — И точно такая же комната. И кровать такая же.

И полки. Какая замечательная у вас квартира, если бы я жил в такой, я бы учился на одни пятёрки!

Муся побледнела. Мальчик изучил содержимое ящиков, вывалил ручки из ажурной карандашницы, каждую открыл, закрыл, развинтил, вынул стержень, подёргал пружинку, почиркал на клочке бумаги. И пересчитал сокровища.

— Ого, целых шесть ручек и четыре карандаша. Два простых и два цветных! Как вам везёт! А эта ручка почему лежит отдельно? — спросил он голосом профессионального лишенца. — Толстенькая, с рычажками. Разноцветными... Зачем они?

— Вот видишь, нажимаешь на один, появляется зелёный стержень, — объяснила Муся дрожащим голосом. — Нажимаешь на другой — красный. Попробуй.

Коля проявил сноровку опытного нищего. По очереди надавил на каждый клапан, проверил стержни: много ли пасты осталось. Довольный результатом (потому что пасты было ещё много, особенно красной и синей), он подвёл итог:

— Прекрасная ручка! Слышал про такие, но не видел. Как жаль, что у меня такой не будет никогда... Вам её из-за границы привезли? Да? Из-за границы?

— Ты можешь взять её себе, — растерянно сказала Муся.

— Правда, что ли? Вот эту ручку? Разноцветную? Из-за границы? Но она же, наверное, очень дорогая?

— Ничего, мне ещё привезут.

— А точно привезут?

— Точно-точно.

Коля посмотрел внимательно и благодарно:

— Какая вы хорошая. Вы себе не представляете какая. — Он сунул ручку в наружный карман, зацепив за край блестящим клипом, и потянулся к этажерке с потёртыми жёлтыми мишками, разлохмаченными куклами и другими детскими сокровищами Муси:

— А это у вас что?

Из горы безделушек Коля безошибочно выбрал японский фонарик размером с маленькую зажигалку.

— Это вот такой фонарик? Никогда таких не видел. Разве такие бывают? Можно выключить-включить? Как ярко светит.

Разумеется, фонарик оказался в его кармане. И перочинный ножик с перламутровой отделкой. И несколько стеклянных шариков с цветным отливом. И колода засаленных карт со стереоскопической картинкой на рубашке. И невесть откуда взявшаяся пачка привозной жевачки. Карман непристойно раздулся.

— А это что у вас? Ой, это деньги? — Коля деловито взял купюры, развернул, разгладил их ладонью, пошуршал. — Целых восемь рублей!

Вдруг, словно испугавшись самого себя, он решительно отбросил деньги в сторону.

— Нет-нет, вы не подумайте, я не какой-нибудь воришка!

— Не бойся, мы так не подумаем.

— А можно я возьму себе два рубля? Или три? В то воскресенье мы сходим в «Сластёну» с ребятами. Нам хватит как раз пломбир с карамелью и воду с сиропом. Можно?

— Ну конечно.

— А вы меня к себе ещё возьмёте? — Коля мне напомнил обезьянку, которая карабкается по голому стволу: нащупает нарост, зацепится, повисит, нащупает другой, и так всё выше, выше. — В те выходные? Нас отпускают по субботам в два, а в воскресенье в одиннадцать. А пацанов можно взять?

Муся уже собиралась сказать «ну конечно», но я решительно вмешался в разговор:

— Если мы с тётей Марией будем в Москве, то сводим тебя в кафе-мороженое, позвони мне в четверг, запиши телефон. — Коля для начала сделал неприятное лицо, но потом решил, что лучше согласиться, и, гордо щёлкнув чёрным рычажком, записал телефон на тетрадном листке. — А насчёт ребят, — добавил я, — нет, Коля, этого не будет. Извини. Пацанов твоих мы не потянем.

— А почему? — Коля собрался заныть.

— Потому, — решительно ответил я, и Коля, почувствовав силу, кивнул. — Ты уже большой, ты должен понимать. У нас своя жизнь, тебе нелегко, но…

— А я…

— Ты. Уже. Большой. Позвони мне, вот тебе ещё пара двушек. Может быть, что-то и выйдет. А сейчас извини, нам пора.

8.

Как только за Колей захлопнулась дверь, Муся разрыдалась. Краска совсем потекла, глаза покраснели, у неё стало некрасивое несчастное лицо.

— Ты его прогнал! Прогнал!

— Нет, я его не прогонял. Я просто поставил границы, и он прекрасно это понял. И принял.

— Я не знаю, что делать! Это так несправедливо, так подло! Почему они такие бедные? Зачем? Почему я не могу им помогать? Почему не могу их пустить?

— Муся, он давит на жалость.

— Ты жестокий.

— Может, и жестокий, но лучше лишнего не обещать. Мы ему честно сказали, что можем для него сделать, а чего нет.

Муся зарыдала ещё громче, ещё отчаянней. Потом легла вниз лицом на кровать, уткнулась в подушку и вообще заревела белугой. Я погладил её по голове, потрепал плечо.

— Не жми, мне больно! — прорыдала Муся.

— Прости, я не хотел. Мусь, я пойду. В пять у меня разбирательство.

— Иди!

— До двери не проводишь?

— Нет!

9.

Заседали сегодня в парткоме. Со стены смотрел печальный Ленин, в короткономом шкафике сияли кубки, а на сапожном гвоздике висел бордовый вымпел с жёлтыми кистями. Врезанный в окно кондиционер сипел, громко выдувая воздух через грязные пластины, как немолодой астматик выдыхает через ноздри, густо заросшие волосом.

Войдя в партком, я остолбенел. За бесконечно длинным полированным столом восседала Евгения Максимовна. Одета она была строго, не по-летнему — длинная коричневая юбка и трикотажный дорогой пиджак. На лацкане застыла юркая бриллиантовая змейка; на золотой цепочке висели модные часики. Евгения Максимовна старалась лучезарно улыбаться, но вместо вежливой приязненной улыбки обнажались неровные острые зубки. Когда мы познакомились, она показалась пожилой; сегодня словно бы помолодела.

Господи, как же она изменилась. Была весёлая хабалка, стала полноценная начальница. Каким ветром её сюда занесло? Что она делает в университете? И где же тот, с тонзурой, в пиджаке, Денис Петрович?

— Здравствуйте, — выдавил я и осёкся, не понимая, как себя вести — то ли, не скрывая нашего знакомства, обращаться к ней по имени и отчеству, то ли сделать вид, что вижу её впервые.

— Приветствую, товарищ Ноговицын, — холодно ответила Евгения Максимовна, — присаживайтесь. Мы скоро начнём.

И, не представившись, уткнулась в папку с документами.

В остальном картинка мало отличалась от вчерашней. Нариманов нацепил очки-хамелеоны с дорогими дымчатыми стёклами и стал похож на карточного шулера. Сидел он за столом, рядом с Евгенией Максимовной; Иваницкий снова занял место возле двери; Павел Федосеевич устроился подальше, в старом кресле. Мне предложили стул на возвышении, рядом с флагштоком. Я так и не ответил — сам себе — на роковой вопрос о *главном* и не знал, на что я готов, а на что не готов. Но при этом ни стеснения, ни страха, ни азарта не испытывал; только обжигающее любопытство. Тревожиться имеет смысл, когда ты можешь что-то изменить; если обстоятельства, как стёклышки в калейдоскопе, складываются помимо твоей воли, тебе остаётся одно: с интересом следить. Какая неожиданная комбинация. Повернём калейдоскоп ещё раз. Восхитительно.

Беседа всё никак не начиналась; Евгения Максимовна тянула время. Тяжело прокашлявшись, поговорила с Павлом Федосеевичем про смерть Высоцкого («Какая потеря!»), Нариманову пообещала раздобыть билет в Большой, на «Дон Карлоса» («В рамках олимпийских Дней театра»), проворчала, обращаясь к Иваницкому: вот *из-за таких историй* приходится работать по субботам. А меня она как будто бы не замечала.

В семнадцать двадцать, строго взглянув на часы, Евгения Максимовна сказала:

— Итак, товарищ Ноговицын, предлагаю познакомиться, меня зовут Евгения Максимовна, я представляю контролирующие органы. Вчера, как мне докладывали, с вами побеседовали. Не всё удалось прояснить. Остались некоторые вопросы.

Эти мёртвые слова она произнесла безличным тоном. Так вот она откуда; ясно-ясно. Контролирующие органы. Что ж, отличные у друзья у Виктора Егорыча. Я заложил ногу на ногу, чуть откинулся назад, руки скрестил на коленях, как Пастернак на той известной фотографии. Не знаю, что из этого получится, но я буду стоять на своём. Без хамства, вежливо и твёрдо, как учили.

Она подождала моей реакции; не дождавшись, продолжила:

— Предлагаю кратко подвести вчерашние итоги. Вы, Ноговицын, опровергаете факт передачи запрещённой литературы аспирантке Насоновой?

— Опровергаю.

— И опровергаете, что получали книги от неё?

— Опровергаю.

— А также вы опровергаете тот факт, что в квартире вашего научного руководителя проходили заседания религиозного кружка?

— И это я опровергаю, — я старался говорить с улыбкой, без волнения; даже вежливо кольнул:

— Кстати, факт — это то, что доказано. Предположение не может быть фактом.

— И вы совсем не опасаетесь последствий?

Перед ней лежали длинные тетрадные листы, повёрнутые тыльной стороной; она положила на них руку, то ли ради удобства, то ли на что-то намекая.

— А чего я должен опасаться? Я же ничего не совершал. То есть вообще — ничего. Я законопослушный гражданин, антисоветской агитацией не занимался…

— …И статья 191 прим не про вас? — ухмыльнулась она; я, разумеется, вспомнил Сергеева.

— Конечно.

— Хорошо. Мы вас, что называется, услышали. Теперь попробуем продвинуться вперёд.

Кондиционер внезапно всхрипнул и забился в падучей: дверь отворилась, в партком вошёл Денис Петрович. В руках у него была тёмно-зелёная папка с розовыми детскими тесёмками. Обвислая, полупустая. Не поздоровавшись ни с кем, он попросил Евгению Максимовну (я отметил, что они знакомы) выглянуть с ним в коридор. Есть, как говорится, темка. Та недовольно пожала плечами, но всё-таки вышла.

В кабинете повисла неловкая пауза.

— Ноговицын, хотите воды? — неожиданно для всех спросил меня Ананкин.

— Спасибо, Павел Федосеевич, хочу, — ответил я, хотя пить мне совершенно не хотелось.

— Иваницкий, налейте, — приказал Ананкин барским тоном.

Растерявшись, Иваницкий выполнил приказ. Расшатал прикипевшую пробку в графине, небрежно плеснул воды в стакан. И с пристуком поставил на стол. Мол, налить я налил, а подавать не обязан.

Я воспользовался случаем и подошёл к столу — мне хотелось разглядеть бумаги, лежавшие перед Евгенией Максимовной. Это были листы из тетради в косую линейку; с изнанки проступали буквицы, насквозь пробитые машинкой. Промелькнула смутная догадка, но я её обдумать не успел; в партком вернулись Денис Петрович и Евгения Максимовна. Он выглядел самодовольно-победительным, она растерянной и недовольной.

— Имеются новости, — сказала она. — Прошу всех садиться.

Я вернулся на место. Евгения Максимовна продолжила; теперь она обращалась лично ко мне, как бы игнорируя собравшихся.

— Во-первых, та беседа с вами, в Киевском районном, не имела и не будет иметь продолжения. С этим я вас поздравляю. Но есть и во-вторых. Всё обстоит гораздо хуже, чем мы могли предполагать. Гораздо. — И она отхаркнула в платок мокроту.

Меня прошибло пóтом — несмотря на рыкающий кондиционер. Только не поддаться панике. Только не утратить главную опору — внутреннее тихое спокойствие. Не сорваться ни в наглость, ни в страх.

— Я весь внимание, Евгения Максимовна. Я слушаю.

— А куда вы денетесь. Конечно, слушаете. Вы так говорите, Ноговицын, будто у вас есть выбор. — Евгения Максимовна порылась в густо-синей сумке, вынула пачку «Кента», ловко выщелкнула сигарету. — Итак — и заранее предупреждаю, что это ещё полбеды. Денис Петрович встретился сегодня с Насоновой Анной Игоревной. И переговорил с ней. Так, Денис Петрович?

— Так, так, — злорадно и весело кивнул тот.

— И каков результат? Доложите.

Денис Петрович отодвинулся от Евгении Максимовны, чтобы дым его не задевал.

— Насонова решила проявить гражданскую сознательность. Нам передан перечень книг, которые вы получали от неё и приносили ей. Ответственная девушка. — Денис Петрович взял глумливый тон: — Представляете, она записывала всё: автора, название, выходные данные, дату получения и передачи. Формуляры составляла. Как в библиотеке. Всем бы брать с неё пример... Вот из вас, Алексей Арнольдович, библиотекарь не получится. А жаль. Хорошая должность, не пыльная. Лучше — только на кухне. Но кухня, боюсь, вам не светит, кухня — исключительно по блату. — Он явно издевался надо мной и подначивал Евгению Максимовну; видимо, она пыталась возражать, и его это взбесило.

Кровь застучала в висках; я приказал себе, как дрессировщик молодому зверю: тубо.

— Ровным счётом ничего не понял. Какие книжки, почему вы решили, что это мои? Может, сняли отпечатки пальцев?

Денис Петрович положил на стол бумаги, как в конце игры выкладывают козыри.

— Нет, отпечатки мы пока не проверяли. Но в некоторые книги были вложены листочки. А на листочках имелись разнообразные заметочки. И Анна Игоревна все эти заметочки не просто сохранила, но систематизировала и расписала.

— И что с того?

— Заметочки-то — ва-а-аши, — кокетливо пропел Денис Петрович, как дети тянут гласные в дразнилках, и лицо у него стало вредное-вредное.

— Определили на глазок? Или экспертизу провели?

— Зачем же, просто посмотрели ваше заявление в аспирантуру, тут никакая экспертиза не нужна. *Пока* не нужна. А когда дойдёт до главного, конечно. Вызовем почерковедов — вы не беспокойтесь, всё сделаем в лучшем виде. И спешить нам вроде некуда, вот закончится Олимпиада — и приступим…

Он вынул из зелёной папки двойной разлинованный лист: судимости, награды, пребывание на оккупированной территории… И квадратный листок с торопливой заметкой: «Розанов о революции. Россия слиняла в три дня. Ср. у Солженицына в Марте». (Дурак ты, Ноговицын, и телёнок; как же можно было оставлять следы…) Показал мне, скривился в издевательской ухмылке, спрятал.

И тогда я перешёл в атаку.

— И правильно, Денис Петрович, поддерживаю вас обеими руками. Оставим экспертизу на потом. Но Евгения Максимовна сказала — «это полбеды». А что же настоящая беда?

Я случайно взглянул на декана и заметил, что Ананкин грызёт свои большие ногти — как любитель косточек из супа выгрызает мякоть из-под жилки, смачно, азартно.

— А ещё, — просияв саблезубой улыбкой, почти любовно ответил Денис Петрович, — а ещё был передан конверт… а в том конверте, вы не можете представить…

Он снова потянулся к папке.

— Твою же ж мать! — внезапно вскинулась Евгения Максимовна и загасила недокуренную сигарету. — Твою же ж мать. Так. Вот что. Вышли все из кабинета. Как в том кино — господа, все в сад! Мне надо кое-что ему сказать.

— Но… — вскинул брови Денис Петрович.

— У нас с ним отдельная тема. Вы понимаете, о чём я? *Отдельная.* — Денис Петрович как-то по-новому посмотрел на меня, Нариманов стал алее вымпела, у Иваницкого округлились глаза, Ананкин перестал терзать свои ногти и потемнел лицом. — Марш в коридор, я всех позову, когда надо будет.

Декан, тяжело поднимаясь со стула, смерил меня презрительным взглядом, как предателя. Так вот оно что… Ты, стало быть, якшался с этими… понятно.

10.

— Я, конечно, дико извиняюсь. Но скажите, Ноговицын, откровенно: вы мудак? — Евгения Максимовна промяла сигаретку, откинула серебряную крышку зажигалки «Zippo».

Я от души рассмеялся; мне сразу полегчало.

— Что вы, Евгения Максимовна, я умный. Вы даже себе представить не можете какой.

Зажигалка выбросила пламя; кончик сигареты вспыхнул огненной пчёлкой.

— Судя по сегодняшнему поведению, не очень. И по тому, что я сейчас скажу, — тем более. Курнуть не хочешь? Правильно, не надо. — Она затянулась. — Ты, блядь, родственничек хренов, извини за матерное слово, что творишь? Сам по уши в говне, я тут извиваюсь и верчусь, как уж на сковородке, а ты воззвания решил писать?

— Евгения Максимовна, — я растерялся. — Послушайте, Евгения Максимовна. Какие воззвания?

— А вот, пилять, какие.

Она открыла папку, принесённую Денисом Петровичем. Резко, почти грубо выдернула из неё конверт и словно выпотрошила его. Зло, не скрывая ненависти. Но прежде чем она подвинула ко мне бумаги — словно бы размазывая их по столу, — я окончательно понял, в чём дело. Как-то мгновенно, в дуновение времени, выстроилась полная картина: что, к чему, от кого и откуда; я словно бы увидел паука, распространяющего убийственную паутину, и себя, запутавшегося в ней. И захотел стать маленьким, беспомощным, ни за что не отвечающим. Мама, мама, прикрой. Я не хочу ничего видеть, ничего знать, забери меня отсюда, я буду тебя слушаться. Тетрадные листы в косую линейку с рассыпчатой мелкой машинописью — это тоже в голове не умещается, но это ладно, с ними можно позже разобраться. Но содержимое конверта… Это были те черновики, которые я переслал отцу Артемию перед отъездом в стройотряд.

«Мы должны убедиться, что никаких следов не осталось».

— Не желаешь ознакомиться? — с презрительным сочувствием спросила Евгения Максимовна.

Я, теряя внутреннее равновесие, отказался.

— Это у вас тоже от Насоновой?

— От неё. От кого же ещё. Одного я, пилять, не понимаю. Хотя на самом деле многого: с какого бодуна ты это накатал? Это же пурга и бред? Или хотя бы рукопись не сжёг. Помнишь у Бориса Леонидыча? Ты же любишь Пастернака? Я заметила. «Не надо заводить архива, над рукописями трястись»? Ой, как точно сказано, не надо… А вот чего отдельно не пойму — какого лешего она тебя сдала? Всего как есть, с потрохами. Записочки твои-то ладно, фуй бы с ними. Ну, дура, ну, обосралась от страху. А ты идиот, оставляешь следы. И ладно картотека вашего книгообмена. Но это-то — зачем? Мы же об этом ничего не знали? Зачем она тебя сдала, скажи ты мне на милость?

— Это вы меня спрашиваете? — уныло отбрыкнулся я. — Ничего я ей не отдавал! Ни конвертов, ни воззваний. Ничего! Заметки на листочках — да, сглупил. Было дело. Но вот это вот — не знаю. И про донос тоже слышу впервые.

— Совсем интересно. Дело пахнет керосином, тебе грозит пятёрочка — не двушечка даже! Пятёра! — а ты ей ничего не отдавал.

— Не отдавал.

— Тогда откуда у неё?

— Не знаю. То есть знал бы, всё равно бы не сказал, но в данном случае — правда, не знаю.

Евгения Максимовна задумалась. Глаза у неё мелко бегали, губы кривились; она была похожа на кассира из сберкассы, который пересчитывает мелочь. До чего-то она досчиталась, тряхнула головой, вернулась к разговору.

— История поганая. Я тут припомнила, что были сводки по провинции. В прошлом, кажется, году и позапрошлом. В Риге, если я правильно помню, в Воронеже, в Свердловске и где-то в Сибири. То ли в Томске, то ли в Новосибе. Поступают анонимные сигналы на студентов, а те никого не выдают... Вы секту, что ли, основали?

— Нет.

— А что тогда творится? Ты мне можешь объяснить? Мне лично? Не для Комитета?

— Я не знаю.

— Почему-то верю тебе, хотя не должна бы. Но если не знаешь, тогда рассуждай. У вас есть общие знакомые? С этой, как её, Насоновой?

— Конечно.

— Кто?

— А это важно?

— Не, ну ёлы-палы, что такое. Как я тебя отмажу, если ты не хочешь говорить?

— А вы отмажете?

— От Насоновой и книжек — как два пальца об асфальт. А от призывов к тайным обществам... посмотрим. Нет, ну всё-таки. Откуда у неё? — Она опять задумалась. — А кста-ати. Кста-а-ати. Ну-ка, посмотри на анонимку. Может, тут какая-то зацепка? Тебе машинка ни о чём не говорит? Довольно странная машинка, прямо скажем. Редкая. Перепаянный шрифт, из трофейных.

И подвинула ко мне листы тем же плоским упорным движением — распластывая их ладонью по столу. Перевернула верхний, предъявила. Блошиная машинопись, прыгучий шрифт...

— Кто бы это был? Какие версии?

Я сумел непринуждённо улыбнуться:

— Нет, Евгения Максимовна, не представляю, кто бы это мог быть.

— Ноговицын, ты же не умеешь врать... Вижу по глазам, что узнал. Хорошо. Ответь мне про другое. Ты парень умный и почти нормальный, ты такого выдумать не мог. Это тебя попросили. Кто?

— Не могу сказать. Честное слово, не могу.

— На допросах всё расскажешь. Лучше мне. Сейчас. А я подумаю, что делать.

— Я же сказал — не могу.

— Блять. Блять. Блять. Что я отвечу Егорычу? Он же спросит — почему не помогла. А как тебе, идиоту, поможешь? Ты же, блин, идейный. Идейный, да? Ты, что ли, этот, адвентист? Свидетель Иеговы?

— Нет, я не адвентист. Я православный.

— Ну, бляха-муха, времена. Я так грешным делом думала, что православный — значит дрессированный, домашний. А тут... Ох, Ноговицын. Хрен с ним, с этим потом разберёмся. Слушай меня, Шарапов, сюда. И запоминай. — Она стала диктовать мне чуть не по слогам, словно я писал за ней диктант. — Ты сейчас при всех признаешь, что у Сумалея *был* кружок. Не религиозный, согласились. Но домашний. Мы запротоколируем. Перечислишь Дуганкова, Насонову и кого там наши повязали, на Кутузовском. Им ничего не сделают, поверь мне. Вы занимались чем-нибудь полуподпольным, неопасным. Например, Сумалей обучал вас политической риторике. Поэтому ты сохранял черновики. Это была учебная работа. Херня, конечно, полная... но хоть что-то. Ты отдал Насоновой, чтобы она...

— Спасибо вам большое... но не надо.

— Почему это не надо?

— Во-первых, Сумалей с Насоновой не связан, он вряд ли помнит о её существовании, какой там может быть кружок. А главное, я не хочу стучать на Сумалея. Не хочу — и не буду.

— Нет, ты всё-таки мудак. Ты что, надеешься его прикрыть? Не выйдет, поздно. Во-первых, он тебя склонил к фальсификации.

— К чему, пардон, склонил?

— К фальсификации. Ты же подделал цитату? Подделал.

Евгения Максимовна смотрела на меня как стервозная кошка, заметившая сыр в руках хозяйки; зрачки у неё сузились, а глаза — расширились.

— А это вы откуда знаете?

— Отсюда, — она почти нежно похлопала по тетрадным листам и повторила злорадно: — Отсюда, отсюда.

Что я мог на это возразить? Примерно полгода назад Сумалей вручил мне свежевышедшую монографию с цитатой из поддельного письма Плеханова: «Подробнее см. небезынтересное иссл. Ноговицына А. А. (Op. cit 115)». Раскаявшись, я тут же написал отцу Артемию; он утешил: хватит убиваться, большевиков фальсифицировать не грех, считайте, что это экспроприация экспроприированного.

Евгения Максимовна продолжила:

— Во-вторых, докладываю по секрету: в сентябре Сумалея уходят на пенсию. Ректор в курсе, Сумалею скоро сообщат. То да сё, торжественные речи, электросамовар под Палех, что там ещё ветеранам труда полагается. Историю с кружком придержим, дадим ему союзного пенсионера, с голоду на пенсии не сдохнет. Цветы, всё такое. Потом немного потаскаем, нервы попортим, но отпустим. Так что вали на него — хоть какая-то польза с паршивой овцы. Ты же многого не знаешь, Ноговицын, а я рассказать не могу. Просто — поверь. Не тот он человек, чтоб ради него отчисляться. Не тот, — повторила она, напирая.

Я ответил ей твёрдо:

— Евгения Максимовна, я всё обдумал. Я это делаю не ради Сумалея, я ради себя.

— Боишься, что потом охомутаем? Я с вас смеюсь. Просто подпишешь бумажку, я сама заполню карточку, *лично отвезу на площадь* и сама же отправлю в балласт. Есть такая картотека, для таких, как ты. Как бы сделали первый шаг, но пропали. Куратора тебе назначим поприличней, я сама поговорю с Базарбаевым, слышал такого?

— Откуда-то слышал, — я с унынием вспомнил трамвайный билет Сумалея.

— Он понятливый мужик, не злой, постоянно с диссидентами работает. Из балласта тебя не достанут, пойми ты. А прикрыться будет можно. Даже на защиту выведем.

— Бумажку о чём?

— Нет, ну мать моя женщина. Непонятливый какой. Думаешь, Пал Федосеич зря волком посмотрел? Он же у нас чистоплюй. Революцией мобилизованный и призванный, кровное, хуёванное, завоёванное. В общем, большевик-затейник. Нас на дух не переносит, а насчёт тебя решил, что всё. Ноговицын скурвился, пошёл стучать.

— Тогда тем более, Евгения Максимовна, — ответил я и ощутил немыслимое облегчение; то решение, которое я должен был принять, идя на эту встречу, пришло ко мне само. — Я вам не сумею объяснить. Просто, если хотите помочь, не мешайте.

И спокойно, внятно, словно долго к этому готовился, изложил Евгении Максимовне свой план, словно бы соткавшийся из воздуха. Я признаю, что подделал документ, но не стану переваливать вину на Сумалея. Каюсь, посыпаю голову пеплом. И сегодня же подам на отчисление. После выходных пойду в военкомат.

— И?

— А вы, если сможете, затянете открытие дела. Эксперты в отпусках, как было сказано Денис Петровичем. Не знаю, как там это делается правильно. Я ускоренно пройду учебку и попрошусь в Афганистан. В эту трудную минуту прошу позволить мне… интернациональный долг… Если повезёт, то парашют откроется.

— А если нет?

— Тогда придётся посидеть, что делать, — я поразился сам себе. — Пройду необходимую закалку.

— Ну, как хотите, как хотите, — покачала головой Евгения Максимовна. — Несчастная Муська. Связалась.

— А что, если счастливая?

Она докурила «Кент» до фильтра, жёлтым ногтем вдавила окурок в цветочный горшок:

— Всяко бывает. Но нет, значит, нет. От Насоновой отмажем, могла бы не сдавать, за язык особо не тянули. Так, спросили просто, для порядку. А она сдала.

— Может, не смогла ослушаться?

Евгения Максимовна скривилась.

— Кого?

— Например, духовника.

— Что за церковные штучки. Мы говорим попроще, почестнее. Кинула — не кинула. Сдала — не сдала. Слегка притормозить попробую, но ничего не обещаю. Тут не только я, — добавила она извиняющимся тоном, — тут ещё и Дениска, он парень говнистый. — В общем, хрен с тобой, золотая рыбка. Сегодня вечером напишешь заявление, завтра издадим приказ, в понедельник марш в военкомат. Как раз объявлен дополнительный набор, пушечного мяса не хватает. Если повезёт — послужишь в армии, не повезёт — звиняйте, Алексей Арнольдович, но срокá там приличные, от трёх до семи.

11.

Павел Федосеевич заперся с Евгенией Максимовной в парткоме; они обсуждали мои перспективы. Нариманов бобиком крутился возле двери, но они его не удостоили; обиженно отклячив нижнюю губу, он медленно пошёл по коридору, а вдруг передумают, выйдут, его позовут? Денис Петрович усвистал, не попрощавшись; Иваницкий растворился в воздухе. Я же поспешил в приёмную декана; мне больше не хотелось с ним пересекаться; он-то думает — меня завербовали... Но баба Оля рассудила по-другому. Она распрямилась как пружина. Взяла меня под ручку и повела в деканский кабинет. Никаких «оставлю заявление». Пал Федосеевич звонил, велел его дожидаться. Будете чаю с мелиссой? Кофе? Есть настоящий растворимый. Сколько ложек сахару?

Ждать, значит, ждать; придётся вытерпеть его презрение. Зато, хотя бы на прощание, я осмотрел деканскую обитель; раньше как-то в голову не приходило. Стол у Ананкина был светлый, лакированный, типичный образец шестидесятых; столешница застелена обёрточной бумагой, края аккуратно подвёрнуты и пришпилены ржавыми кнопками. Тростникового цвета бумага была исчиркана пометами. Сыпью расползались быстрые наброски. «Вторн. Позв. в ЦК», «NB! 13:00 — совещ.», «обещал Н. Н.?», «Политиздат!» Ветвились усечённые конспекты: «своеобр. катег. явлений, обладающих особого рода объективностью, то есть совершенно очевидной независимостью от индивида с его телом и "душой" <...> была когда-то "обозначена" философ. Как *идеальность* этих явлений, как *идеальное* вообще (Ильенков)».

На столе стоял перекидной календарь из коричневой мутной пластмассы, к нему пристроилась машинопись, обтёрханная по краям. Стены были увешаны полками, но не встык, а в шахматном порядке, чтобы книги экономно помещались сверху полок. (Все знали, что Ананкин скупердяй.) На полках стояли подшивки журналов — «Коммунист», «Вопросы философии» и «Новый мир». Шеренгой выстроились Маркс и Ленин.

На металлическом зелёном сейфе стоял недорогой проигрыватель «Вега»; колонки были сосланы на подоконник, где пылились старые засаленные партитуры. Ананкин был весьма своеобразным меломаном: он презирал новейшую классическую музыку, аттестовал Бетховена «глазуньей», а Моцарта «попрыгуньей» и только Баха признавал по-настоящему великим, да и то лишь за исключением клавиров и скрипичных. Вечерами, запираясь в кабинете, он заводил орга́нные пластинки, предпочитая Гарри Гродберга Исайе Браудо. Кабинет содрогался от мощи; уборщицы, зашедшие в приёмную, ретировались.

Дверь отворилась на ленинской скорости; я не успел вскочить.

— Сидите, Ноговицын, не вставайте. Ещё раз добрый день, Алексей Арнольдович, — первым поздоровался декан. — Что, заявление на подпись принесли? Давайте. Я бы с удовольствием порвал, но не могу. Я, в отличие от вас… э, ладно. Вы и так всё поняли, надеюсь. Позвольте пожать вашу честную руку. Евгения Максимовна мне рассказала. Я на ваш счёт заблуждался, простите старика.

12.

Оставалось посмотреть в глаза Насоновой и задать ей несколько простых вопросов. Скорей из любопытства, чем для дела. Что могло случиться — то уже случилось; канва сюжета полностью восстановилась. В тот самый день, когда я получил открытку («врачи подтвердили диагноз»), на Лубянку поступил донос, привезённый, видимо, посыльной. Ясно, что Насонову они предупредили, причём заранее. Поэтому она и вздёрнулась, когда мы с ней столкнулись в церкви и я сказал, что отправляюсь в деканат. Но не сразу приказали передать бумаги; ограничились распоряжением — признайся; в противном случае развязка наступила бы скорее. А сегодня сказали — давай!

Я почти что перестал бояться; это как со смертельной болезнью. Диагноз тебе объявили. Сколько месяцев осталось, знаешь. И всё равно, когда без пятнадцати семь раздаётся звонок и больничная дежурная диктует телефонограмму: «сегодня в четыре часа шестнадцать минут… не приходя в сознание…», тебя накрывает волной, сознание мутится, ты опускаешься на стул и тупо слушаешь короткие гудки. Но во мне росло недоумение. Зачем. Зачем они это сделали. И что за истории в Риге, Воронеже, Томске? И кто такие эти самые Артемий с Серафимом? Сумасшедшие? Трусы? Герои? Не могут же они не понимать, что будет и обратная волна. Сейчас подставляют они, но потом ведь придут и за ними? За их посыльными и порученцами. За жирным служкой. Кстати, в курсе ли старец Игнатий? И при чём тут бедная Насонова?

Где она сейчас, я знал; в первый день подачи документов никого до десяти не отпускают.

Я вышел на «Фрунзенской» и прошёл через сад Мандельштама: там было легко и спокойно. Тяжёлая зеленоватая вода, селезни с приплюснутыми клювами, липы, пахнущие деревенским чаем, тёмно-синее открыточное небо. В тесноватом институтском дворике разило смертью: напротив Ленинского педагогического располагалось здание Второго меда; в полуподвальном этаже, где был анатомический театр, открыли окна, и по двору распространялся запах тления, искусственного льда и формалина. А в старинном корпусе педагогического института пахло холёным покоем. По низкорослому придавленному коридору я выбрался в просторный холл; гаснущий вечерний свет сочился сквозь стеклянную крышу.

Приёмная комиссия занимала безразмерный кабинет с дверями из цельного дерева, имперскими окнами в два человеческих роста; над столами нависали молчаливые сотрудники; им пошли бы нарукавники из чёрного сатина. Сотрудники перебирали папки с личными делами, сухо щёлкали скоросшивателями, оприходовали документы, составляли описи и складывали в шкаф.

— Товарищ, вы куда? Сюда нельзя, покиньте помещение, — шикнул на меня начальник, надзиравший за ними, как пёс за бестолковыми курями.

— Я не по вопросу поступления, — ответил я бюрократически, — я по личному. И не к вам.

Насонова сидела возле приоткрытого окна и затирала карандашную описку; ластик оставлял резиновые катышки, она их неловко сдувала. Услышав мой голос, она не подняла глаза, только стала тереть ещё быстрее.

— Аня, ты можешь отойти на пять минут?

— Куда она пойдёт? Никуда она не пойдёт, — со змеиным шипом возразил начальник. — Нам бумаги сегодня сдавать.

— Я почти закончила, Иван Семёныч, — ответила Насонова и, по-прежнему не поднимая глаз, сказала: — Ещё две папки обработаю, и всё. Подожди в коридоре, это максимум четверть часа.

В коридоре было красиво: на полу разноцветная плитка, арочные переходы, белые колонны, жёлтые простенки, вычурная лестница спиралью и словно бы зависший в воздухе балкон. Насонова вышла — в белой авангардной кофте и прямоугольной чёрной юбке, в руках брезентовый рюкзак. Смотрела она по-прежнему в сторону.

— Возвращаешься за город?

— Почему возвращаюсь? — удивилась она. — Или ты про рюкзак? Нет, я просто с ним хожу, так удобней. Здесь многие тоже смеются.

Видимо, она внезапно вспомнила о нашей встрече в церкви; начала оправдываться, ты не подумай, я тогда не соврала, просто переехала к другой подруге... Она говорила с таким неуклюжим смирением, что сердце у меня дрогнуло:

— Аня, забудь, это же неважно. Ты случайно не проголодалась? Может, пойдём, перекусим? Пельмешка во дворе закрыта? А столовая ещё работает?

— Сегодня да. Но я там никогда не ела, — с покорным равнодушием ответила Насонова.

Столовая была ужасна. Тёмная, придавленная, тесная. Пахло кислой тушёной капустой, хлоркой, желудёвым кофе и мясной подливой; на прилавке были выставлены образцы горячих блюд — окаменевшая печёнка в коричнево-грязном поддоне, разваренная толстая сосиска, похожая на распухший ошпаренный палец.

— И это всё? — спросил я усталую тётку в замызганном фартуке.

Тётка ответила злобно:

— Что осталось. Не хочешь — не ешь, и вообще мы закрываемся.

— Я не голодная, пойдём на улице поговорим, — прошелестела Насонова.

— Там вонь.

— Но не хуже, чем здесь.

Выйти мы не успели: пыль припала к асфальту, о землю ударили крупные капли. Пришлось развернуться — и в холл. Мы встали возле гипсовой фигуры Ленина, от подножия которого тянулась красная ковровая дорожка, пересекая весь огромный вестибюль; вдруг в одну секунду почернело, и на стеклянную крышу обрушился град. Градины злобно долбили стекло; казалось, что крыша расколется. Но град продолжался недолго; наступила очередь ливня. Прибежали заполошные уборщицы, поставили эмалированные тазы, в них потекло ручьями; было в этом что-то банно-прачечное, неуместное.

Насонова заговорила первой.

— Ты хочешь спросить, почему я дала показания?

— Как ты догадалась? — усмехнулся я, но сам себя притормозил. — Да, Аня. Конечно, хочу. Только давай по порядку. Как всё это было? Тебе позвонили, вызвали? Кто именно звонил? Что именно сказали? Как объяснили, откуда они знают? Почему ты призналась? Мне важно знать всё, любую подробность.

— Всё я тебе не скажу. Отвечу только про себя, — всё так же тихо и безлично отвечала Анна.

— Аня, я видел донос, — я перешёл в наступление. — Я сразу узнал этот шрифт. Сразу. Вчера ещё мог сомневаться, строить догадки, даже думал на тебя, прости, а сегодня — сомневаться в чём? Настучали на меня и на тебя *оттуда*, это медицинский факт. А тебе зачем-то переслали все улики. И приказали их отдать. Я прав? Ты понимаешь что-нибудь, скажи? Я — нет.

Анна стала покрываться краской, густо, быстро, от шеи к щекам и от острых скул — к несоразмерно маленьким ушам с детскими серёжками. Она стала нервно теребить цепочку; рядом с крестиком болталась янтарная запонка. С латунным гвоздиком и тонкой овальной пластиной. Насонова перехватила взгляд, смутилась окончательно, затолкала цепочку за ворот.

— Это не просто так, ты не думай, это православная реликвия, — стала она бормотать и сорвалась на выкрик: — Не мучай меня, ну пожалуйста, не мучай меня. Я не могу по-другому, понимаешь это, не могу? — В голосе послышался надрыв, душное предвестие истерики. — Что ты хочешь? Чтобы я призналась? Вот тебе, я признаюсь, да, я доносчик, стукач, кто угодно, кто хочешь, только больше не мучай меня, это нечестно!

Она заплакала, сухо, без слёз. Стояла и безвольно содрогалась, как ребёнок, выплакавший слёзы, но ещё себя не дожалевший.

— Послушай, Аня, — я попытался взять её за локоть, она отшатнулась. — Аня, что значит «нечестно»? Это же моя жизнь, а не твоя. А вы в неё решили поиграть. Хорошо, я понимаю, ты в своём праве — ты решила пойти напролом. Но меня зачем было втягивать? Тебя сломали? Но на чём? Скажи мне.

— Никто ничего не ломал. Ты ещё спасибо скажешь… И никакие не вы, а я, — жалко бормотала Анна.

— Да кончай ты ерунду молоть. Тебе что, наваляли письмо и велели сдаваться? Или с почты позвонили, с вами будут говорить, три минуты. Но почему, почему, чёрт возьми? Они хоть что-то объяснили?

— При мне — не чертыхайся, — выдавила из себя Насонова.

— Ах, какие мы, простите-извините. Чертыхаться это грех. А меня подставлять — не грех?

— Прости меня, — лепетала она, — но ты же не знаешь, как лучше, а Батюшка знает, что это не страшно, это как лечь на операцию, ты бы сам не решился, но ты прокалишься, как глина в печи...

— Значит, так они тебе объяснили?

Она молчала и кусала губы. Теребила цепочку. Капли расшибались о воду в оцинкованных тазах, уборщицы шваркали тряпками.

— Когда они с тобой познакомились? После того, как я им написал о тебе? После поездки к Габиму?

— Нет. Я переписываюсь с ними года три-четыре. И про тебя писала. И про ту поездку. И про сгоревшее поле писала. И фотографию твою отправила. Ту, помнишь? Скользкую ещё такую, из японского фотоаппарата.

— То есть они знали от тебя...

— Что знали?

— Неважно. Значит, ты тоже была у Игнатия? Служка взял адрес? Потом получила письмо?

— Ударь меня. Хочешь? Но не спрашивай больше. Я должна через это пройти... я пройду... Там теперь вся моя жизнь, у меня другой не будет. У тебя-то — ещё может быть...

Насонова всхлипнула, набрала воздуху в лёгкие, задержала дыхание и выпучила глаза, как лягушка с раздувшимся зобом. Аню было очень жалко, и в то же время — до боли смешно. Я подумал, а не рассказать ли ей про старосту, но почему-то решил, что не надо.

Эпилог

ДЕВЯТЫЙ ДЕНЬ

27. 07. 1980 / 28. 07. 1980

ДРЕВНИЙ ДЕНЬ

27.07.1980-28.07.1980р

1.

Было без чего-то семь. Снаружи настойчиво пахло соляркой, перезревшими июльскими цветами, закипевшим кофе. Оранжевое солнце растекалось по асфальту. Толстый голубь, похожий на сытую курицу, клокотал у детской карусели, за ним внимательно следил мохнатый кот.

Из подъезда вышла Агиля; одноцветное тёмное платье, под мышкой свёрнутый в рулон ковёр, на голове — траурная чёрная повязка. Агиля повесила ковёр на турник и стала избивать его пластмассовой хлопушкой. Ковёр вихлялся и выбрасывал серые бомбочки пыли. За Агилёй с балкона наблюдал Мансур; он лузгал семечки и старался сплюнуть шелуху подальше. Как только мать закончила с ковром, он спустился к ней с огромным чёрным ба́ком. Они стали развешивать мокрые простыни. Так сосредоточенно, с такой самоотдачей, словно в жизни нету ничего важнее, чем пахнущее мылом свежее бельё.

Город ещё не проснулся; далеко разносились случайные звуки. Вот громко поставили чашку на блюдце, вот застонала ржавая пружина и в соседнем подъезде пушечным выстрелом хлопнула дверь, вот, стариковски вздыхая, проехал вонючий «Икарус», вот вдалеке пронеслась электричка, буйный посвист ударил по стёклам, испугался самого себя и захлебнулся; снова стало сонно, безжизненно, пусто.

Вчера я вернулся без сил; мама не вышла встречать; я не стал к ней заходить и беспокоить — если вернулась мигрень, то мама приняла феназепам и отрубилась.

Верхний свет в моей убогой комнате был выключен, но пылала настольная лампа; по стенам расползлись бесформенные тени. На моей кровати, положив кулак под голову, спала Муся. Я сел на стул напротив и стал смотреть на это полное, спокойное до безразличия лицо, на крестьянские крупные губы и спортивные плечи. Мы не должны были встретиться; встретившись — понравиться друг другу. И всё же мы пересеклись. Как странно. Во сне она поскуливает и тонко, чуть заметно всхрапывает, а после пробуждения потянется и скажет: «Котя».

— Ко-о-отя.

Муся резко вскинулась и села на кровати. Упёрлась в стену затылком. И несколько секунд расслабленно смотрела на меня. Окончательно очнувшись, нагло улыбнулась и притянула меня за ремень.

— Иди-ка сюда.

Через несколько минут оторвалась и засмеялась:

— Ты ищешь мягкое? Тогда зачем тебе бока? У меня есть кое-что получше. Вот, потрогай.

А ещё через минуту (хотя мы были с ней одни и никто нас подслушать не мог) прошептала мне на ухо:

— У меня ещё не до конца *прошло*. Ты крови не очень боишься?

А потом мы лежали на узкой кровати и болтали — вперемешку обо всём. О важном, неважном, пустом и серьёзном. Я рассказал о своих злоключениях, она — о своих. К ней вечером зашла Евгения Максимовна. Муська, ну это полный пиздец. В лучшем случае Афганистан. В худшем — Лефортово, камера предварительного заключения. Бросай его, пока не поздно.

— А ты ей что?

— Говорю, сама решу.

— И?

— Что «и»? Какие у меня были варианты? Я собралась, взяла такси и поехала к тебе.

— Маме моей ты всё рассказала?

— Нет, не всё, про тюрьму и суму не сказала. Что я, по-твоему, дура? В общем, мы поплакали, пообнимались, и она сама сказала: оставайся.

Муся оперлась на локоть и посмотрела сверху вниз, как старшая.

— Муська, я тебя недооценивал.

— Ты много чего недооценивал.

— Не обижайся.

— Да чего там обижаться, я про себя и так всё знаю. Да, я не умею быть умной, зато умею быть счастливой… А ты не умеешь, но я тебя научу. Котя!

— Что?

Какое у неё прохладное плечо, с выступающей оспинной блямбой.

— Понимаешь… Я уже договорилась, и не спорь со мной. Завтра в девять тридцать, на шоссе Энтузиастов, нас встречают. Мы поедем в этот самый совхоз «Новый мир».

Я поперхнулся.

— Во Владимирскую область? Для чего? У меня последний вольный день, потом военкомат, траншею роем от забора до обеда. Еще в загс мы должны забежать, заявление оставить. И ты предлагаешь убить этот день? Что ты хочешь узнать? Зачем они это сделали? Так ведь они не скажут.

— Есть у меня одна догадка...

— Какая догадка? О чём? Тебе что-то нашептала Евгения Максимовна? Если да — то что? И кстати: вы что же, дружите с чекистами?

Муся посмотрела на меня незамутнённым взглядом.

— Мы дружим с соседями, котя. И я сама себе Евгения Максимовна. Я же сказала — мне нужно проверить. И не тебе сейчас мне запрещать. Они писали про меня, про нас, а ты меня не защитил. Всё, котинька, не будем ссориться. Завтра убедюсь... убежусь... какой же запутанный русский язык, как я иногда понимаю папу... Так что я пока что в ванну, потом ещё один разок — и баиньки.

— Кто же это за нами заедет? Твой Федя?

— Нет, не Федя. — Муся противно хихикнула. — Хуже, чем Федя. Долматов.

— Почему это хуже? И куда уже хуже? И кто такой этот самый Долматов?

— Потому что с Федей у меня ничего не было и не будет. А Долматов... мы с ним много лет назад, на первом курсе, изучали Камасутру. Я у папы в дальнем ящике нашла. Он, оказывается, озорной парниша, мой папахен. Да не хмурься ты. Ах, тебе слово «парниша» не нравится? Ладно. Я словам переучусь, как скажете, мой господин. Что, и господином называть нельзя? Ну ты, Ноговицын, и зануда! Короче, мы с Долматовым тогда перепробовали всё. А потом нам стало скучно. Ну по крайней мере мне. И мы с ним разошлись, как в море корабли.

— Не поеду я с твоим Долматовым.

— Договорились.

— О чём?

— Ты поедешь со мной. А я — с Долматовым.

2.

Я выскользнул из комнаты. Встал под раскалённый душ. Кровь приливала, крохотная ванная клубилась, зеркало мгновенно запотело. В коридоре я почувствовал блаженную прохладу: сквозняк скользнул по мокрым волосам, по телу пробежали мурашки. Скоро вернётся дневная жара и дышать станет нечем, но какая разница, что будет после?

Я устроился за письменным столом, подтянул к себя папку с едва различимым экземпляром диссертации, предназначенным для бесконечных почеркушек. Состоится защита, не состоится, а работу я доделаю — назло. Выверю каждую букву. Отдам перепечатать набело, переплету. В той самой типографии Литературного музея, где работает великий переплётчик Лёва, по совместительству крутой библиофил. Это он переплетал Бердяева, который так понравился Сергееву. И, как нетрудно было догадаться, сумалеевского Гоголя.

А потом — я это понимал уже тогда — навсегда расстанусь с любомудрами; прощайте, милые сентиментальные стишки, шеллингианские мотивы в публицистике Давыдова, учёные записки областного педа, сто сорок первый раз к вопросу о вопросе. «Прощай, философия, прощай, молодость, прощай, Германия», как было сказано в «Охранной грамоте» у Пастернака.

Через час я завязал тесёмочки на папке, сложил в ажурный металлический стакан разбросанные ручки и кохиноровские карандаши — жёлто-золотые, мягкие, с острыми игольчатыми грифелями, провёл ребром ладони по поверхности стола — она покрылась слоем рыхлой пыли.

Громко заскрипела старая кровать; Муся потянулась, простыня сползла.

— Муся, поднимайся, завтракать пойдём!

Она приоткрыла один глаз, скорчила недовольную рожицу и, ещё раз потянувшись, пропела:

— Не вставай, не утро, не доброе, воскресенье бывает так редко!

— Будем считать, что сегодня суббота.

— А она ещё реже!

— Тогда прикрой срамные части тела.

— Что это в них срамного? Ноговицын! Ты чего? Сиськи, что ли, никогда не видел? — она откинула простыню.

— Муся, что ты со мной делаешь, — сказал я и безвольно пересел на кровать.

— Нет-нет-нет, — решительно ответила она. — Я по утрам не люблю, и зубы ещё не почистила, во рту ночные кошки, и вообще, мне надо пописать! Ой, Ноговицын, мы с тобой испачкали простыню. Куда у вас бросают грязное бельё?

Не стесняясь своей наготы, Муся отправилась в ванную. Прокричала через всю квартиру:

— А какое полотенце?

— Свежее возьми, в шкафу. — Я ответил тихо, чтобы не тревожить маму, которая забаррикадировалась в спальне.

— Не слышу!

— В шкафу! — пришлось усилить голос.

— Лучше ты принеси.

Вернувшись к комнату, она велела отвернуться (зачем, если только что была голой?) и оделась. Застелила постель, попросила принести сырую тряпку и протёрла стулья и стол.

— Какая ты хозяйственная.

— Ничего я не хозяйственная. Не дождёшься! Ненавижу эти швабры-мабры.

— А зачем же тогда…

— А затем, что надо жить по-человечески. Мамочка тебя избаловала, а со мной всё будет по-другому. Ты, Ноговицын, морально готовься. Будешь ходить в магазин за продуктами, я своими золотыми ручками картошку отбирать не стану. И в готовке будешь помогать. И в стирке. Зато я обожаю гладить мужские рубашки, мне нравится запах, он такой горячий, чистый… Всегда будешь как с картинки.

«В Кабуле. Или Когалыме. А в Москве — если оттуда вернусь», — подумал я, а вслух сказал:

— Но это же несправедливо?

— Несправедливо — что?

— То, что я буду и работать. И бегать в магаз. А ты бездельничать и мной помыкать.

— И насчёт работы — тоже всё изменится. Окончится Олимпиада, и устроюсь.

— К папичке?

— К Евгении Максимовне. Шучу. Я же не ты, у меня профессия нормальная, бухгалтера́ везде нужны. А это что тут у тебя?

Я не успел её остановить — и она отворила алтарь. Вежливо сместила занавесочку, долго изучала и, ничего не говоря, закрыла дверцу.

Тогда я подошёл и, тоже молча, положил в карман янтарную запонку. Пока ещё не понимая, для чего.

3.

Потом мы семейно позавтракали. Я приготовил омлет, нежный, воздушный, как делает мама. В правильном омлете белого и жёлтого должно быть поровну! Заварил густого чаю (две ложки на чайник плюс ложка на чашку — я выучил Мусины правила), она отрезала тоненькую дольку от целлюлитного абхазского лимона.

— Может, выдавить хочешь?

— Нет, — ответила она серьёзно, даже строго, — я теперь его выдавливать не стану. Пока у нас не будет лишних денег, надо экономить. Я уже учусь.

Она заставила меня помыть посуду и (это было подчёркнуто особо) вытереть насухо, а ножи и вилки разложить на полотенце.

4.

Из дому мы вышли полдевятого; я успел услышать, как спускают воду в туалете. Бедная мама. Терпела. Ждала. И стеснялась.

На «Кунцевской» было пустынно; помимо нас в вагоне ехала бабуся с круглым упитанным внуком, который обгрызал по кругу булочку с повид-

лом; внук доверчиво взглянул на Мусю и предложил ей:

— Хочешь повидло слизать?

Мы пересели на «Киевской»; от станции «Марксистская», поразившей меня своей лабораторной
чистотой, доехали до остановки «Шоссе Энтузиастов»; эту станцию построили недавно, полугода
ещё не прошло — здесь не выветрился запах мокро-
го цемента и некрасивого прессованного мрамора;
пузатые приземистые своды стояли на низких опо-
рах, как гигантские декоративные слоны.

Долматов ждал нас возле поворота на Балашиху.

Голубая старая «четвёрка», мигая аварийкой,
стояла возле овощного; худощавый рыжий парень
(широкие плечи, самоуверенный пацанский взгляд)
сидел на дефицитном ящике из-под бананов и курил.
Сигарету он держал щепотью. «Ну, Мусенька, и вку-
сы у тебя, — неприязненно подумал я. — Один кавалер другого хуже». И сам себе ответил за неё: «А как
же ты, Ноговицын? Ты ведь тоже в её вкусе?»

Долматов выщелкнул недокуренную сигарету,
она торпедой улетела на дорогу. Небрежно сунул
мне руку: «привет»; исполнив неприятный долг, со-
средоточился на Мусе. И понятно стало, что им дви-
жет, почему он так легко ломает планы и соглашает-
ся везти нас к чёрту на кулички. Потому что он смотрел на Мусю, как наказанный ребёнок на пирожное.
Обещали? Отобрали? Обманули? Может, всё-таки
передумаете? Вернёте?

— Ну что, поехали? Мусьён, ты будешь штурма-
нить.

— То есть мне садиться впереди?

— А то.

5.

«Мой адрес, — выпевал весёлый комсомольский голос, — мой адрес не дом и не улица, мой адрес Советский Союз». И о чём они там говорят, на переднем сиденье? Разобрать сквозь песню было невозможно. А песня состояла из набора слов что-то вроде: «Волнуеца сееердце, сердце волнуеееца, в далёкий торо-пи-цца путь...»

— А помнишь того физкультурника?

«Слышишь, время гудит — БАМ! На просторах крутых — БАМ! Это колокол наших сердец молодых!»

— И как, ты счастлива?..

Сухая ревность стучала в виски.

Москва осталась позади. Просвистели дачные посёлки, где пропалывают сорняки, проверяют колченогие теплицы, постоянно кричат друг на друга и полощут детишек в корытцах. И начались однообразные пейзажи — с пыльными берёзками, присевшим на корточки ельником и отяжелевшими пшеничными полями. Как же не хватало этого в степи; как же будет не хватать в Афганистане. А сейчас — невыносимая тоска; одно и то же, одно и то же. Белые стволы с неаккуратными заплатками. Жёлто-зелёные ели. Ровные поля.

— Муськ, а чего мы там забыли?

— Надо кое-что проверить.

«Барабан был плох, барабанщик — бог».

— А если поподробнее?

— Неважно.

«Письма неж-ны-е — очень мне — нужны — я их вы-учу — на-и-зу-сть».

— Ах ты, японский городовой, кто же так тормозит.

«Мир не прост, совсем не прост, нельзя в нём скрыться от бурь и от гроз».

— Значит, не скажешь?

— Не скажу.

— Узнаю друга Мусю.

— А то.

«Всё, что я зову своей судьбой, связано, связано только с тобо-о-ой».

6.

Через три часа мы свернули на убогую совхозную дорогу и выбрались к речке-вонючке. Проехали мимо разрушенной церкви и притормозили возле старого, давным-давно не крашенного домика. Небритые толстые доски внахлёст, бледно-зелёная краска, рамы в трещинах. Стандартная сельская почта, она же телеграф и телефон.

Долматов остался курить у машины, мы с Мусей вошли.

В помещении было просторно, окна распахнуты настежь, на подоконник по-хозяйски опустила лапу молодая ель, пол промыт до проплешин, сияет стекло телефонной кабинки, на домашних полочках цветочные горшки, идеал подмосковной хозяйки. На прилавке под чистым стеклом — толстые пачки конвертов с первомайскими букетами, победными салютами и вечным Лениным; веером были разложены открытки к Новому году, Женскому дню и ноябрьским. На одной открытке я заметил Брежнева, весёлого и сытого, в золотых очках. Здравствуйте, товарищ генеральный секретарь. Где-то мы с вами встречались — недавно. А вот и поблёкшие марки — знаменитый космический цикл, уносящийся в небо Гагарин, отдельно — партийные съезды, вожди, юбилеи.

— Слушаю, — сказала жизнерадостная тётя с халой — волосами, счёсанными в кокон и политыми суровым лаком; я сразу узнал этот голос («товарищ Ноговицын, с вами будут говорить»), но ответить не успел: Муся сунула голову в окошко, арочкой прорезанное в оргстекле. Толстый край был грубо обработан рашпилем; пахло горячей пластмассой.

— Здрасьте. Как вас по имени-отчеству? Вера Фёдоровна, мы к отцу Арсению, — скорострельно выпалила Муся. — Не подскажете, как его можно найти?

Тётя с халой сделала большие глаза:

— Отца? Какого такого отца?

— Ну какие бывают отцы, — растерялась Муся. — Я не знаю, мы же с вами советские люди… Попа́, там. Или монаха. Котя, правильно я говорю? Так это называется? — Муся на секунду высунулась из окошка.

— Почти. Только он не Арсений. Он Артемий.

— Товарищи, последнего отца Артемия отсюда до войны отправили.

— А кто же забирает письма для него?

— А что тут можно забирать? Никто.

Муся разогнулась и беспомощно взглянула на меня. «Но как же ты ему писал?» А не надо было, Муся, лезть вперёд. Я склонился к окошку:

— На самом деле нам нужна Соколова. Эм. Эс. Я сам ей письма посылал. И телеграммы, до востребования.

— А, это. Марья Сергевна. Она из городских, не наша. И живёт не здесь. То ли в Дудине, то ли в Коноплёве. Приезжает на своём «уазике», такая вся.

— Какая?

— Такая. — Почтальонша поджала губы, втянула щёки. — Когда сама приезжает, когда присылает кого. Все строгие такие, в чёрном. Говорят по телефону — уезжают.

— А много ей пишут?

— До фига и больше. Вон.

Почтальонша вынула из сейфа пачку неразобранных конвертов, для убедительности даже потрясла; сверху лежала моя телеграмма.

— А почему не доставлено?

— Это ж до востребования. Наше дело — получили и храним. Складирую уже неделю.

На все вопросы почтальонша отвечала кратко, словно ей не хватало дыхания: два-три слова, пауза, два-три слова, пауза. И вдруг она свернула с этой скучной темы и заговорила о своём, о девичьем, с интонациями вечной запятой, без обрывов, пропусков и узелков; так шелкопряд тянет свою бесконечную слюнку. Она одна, а сёл четыре, денег мало, а работы много, все пишут, пишут, а ты развози. Речь была сплошной, как ливень. И прекратилась тоже, как внезапный дождь, в одну секунду:

— А. Вспомнила. Ей наши мужики дрова кололи. Выйдете из почты, первый дом направо, Сеня.

Жестом опытного молотобойца она стала штамповать поступившую почту.

7.

Сеня оказался мужиком из породы «упрямый-говнистый»: тощий, жилистый, с огромным непослушным кадыком. Он привычно выматывал нервы и разыгрывал вечную сцену «а я вам них-хера не должен». Я старался говорить запанибрата, на чужом простонародном языке, твою же ж мать, египетская сила, харе кобениться. Сам понимал: звучит неубедительно, как будто я зачитываю вслух чужие карточки с цитатами из классиков. На чекушку Сеня соглашаться не желал, даже от зелёной трёшки отказался.

Муся мягко меня отстранила, смерила Сеню презрительным взглядом и с царственным высокомерием произнесла:

— Чекушка. Одна. Не хочешь, как хочешь. Найдём без тебя.

Сеня тут же присмирел:

— Тогда плодово-выгодное. Две.

— Чекушка. Не хочешь — не надо.

— Нет-нет, я чего. Магазин через улицу.

8.

В машине Муся оглянулась и наставительно произнесла:

— Котинька, запомни раз и навсегда: с народом не надо вихляться. Ты либо барин, либо крестьянин, и то и другое годится. Но барин должен говорить по-барски, а крестьянин по-крестьянски. Если ты притворяешься, ты проиграл.

— Слушаюсь, ваше величество.

9.

Коноплёво стояло на взгорье. В старой части, над прудом, чёрные дома врастали в землю, с крыш сползал кургузый чёрный толь, окна вылезали из орбит. В новой красовались довоенные домишки — с подчёркнуто прямыми спинами, как молодящиеся дамочки на каблуках. Натужно кудахтали куры, мелочно мекали козы, равнодушно брехали собаки, в густой бородатой траве стрекотали кузнечики. На поле, примыкавшем к лесу, грохотал обезумевший трактор; он ровно, медленно, неумолимо, словно совершая бесконечный круг почёта, ехал по кромке гречишного поля — зелёного, припудренного белым. Непонятно, для чего он это делал; посевные закончились в мае, а до сбора урожая было ещё далеко.

Отворилась калитка ближайшего дома, и вышла женщина размытых лет, ей могло быть сорок лет, и пятьдесят, и шестьдесят: гладкое оплывшее лицо, то ли выщипанные, то ли облезлые брови, линялое серое платье; она спокойно посмотрела на приезжих, отвернулась.

— Опять надрался, — произнесла она, не обращаясь ни к кому, без гнева, раздражения или иронии; просто констатировала факт.

— Здрасьте, — ответил я, но тут же пригасил натужную простонародность: — Здравствуйте. Мы из Москвы, нам нужно найти Соколову, зовут её Марья Сергеевна, вы нам не поможете?

— Вот чего ему неймётся? — продолжила она. — Зарплату платят, хозяйство есть, а он гоняет.

Растерявшись, я повторил:

— А где Соколова живёт?

— Вот пойми его.

— Это, что ли, ваш муж?

— Где уж нам уж выйти взамуж. Во, гляди, гляди, пошёл на поворот. Зараза.

Муся попыталась подключиться к разговору; безуспешно. Женщина смотрела в одну точку и говорила исключительно сама с собой:

— Нет, и кто ему только налил. И что, так и будешь гонять? Пока трактор не заглохнет. Тьфу.

Не сумев её разговорить, мы заглянули в сельпо. Здесь, на фоне бронебойной батареи водочных бутылок, жестяных пирамид из консервов (кильки в томате и «Завтрак туриста»), стеклянных банок кабачковой икры и полиэтиленовых пакетов с жёлтым сахаром и вермишелью, пухлых кирпичиков серого хлеба, спичечных коробков и чёрного перца горошком, возвышалась солидная баба, лет тридцати с небольшим. Губы были раскрашены алым, рысьи стрелки рассекали опухшие веки.

Меня и Мусю потеснил Долматов; он покровительственно улыбнулся:

— Такие люди — и без охраны.

Ой, внутренне напрягся я, сейчас она ему покажет. Но женщина сверкнула золотой коронкой:

— Чего-то некому нас охранять.

Слово за слово, она разговорилась; мы узнали всё, что было нужно.

Соколова появилась в Коноплёве года три или четыре назад. Приехала на стареньком «уазике», покрашенном военной краской. Высокая, вдовий платок, некрасивое чёрное платье. Бабы встретили её спокойно: плоскодонка, ни кожи ни рожи, хули бы её и не пустить. Дом она сняла за двадцать в месяц. Недёшево. Ни с кем особо не знакомилась, так, здрасьте-здрасьте, кто, откуда, я с Москвы, а по профессии, художница, и где ж картины, книжный график, это кто такой, для книжек рисую картинки, понятно. Огорода своего не завела, картоху покупала у соседей, не жидилась. А зачем, если денежки есть. Почтальонша из совхоза говорила, Соколовой каждую неделю поступают переводы. Бывают квитки на сто четырнадцать рублей, четыреста семнадцать, на пятьсот, один раз чуть ли не на тысячу, но кто проверит. Почтальонша женщина неискренняя. Но вот же у людей работа — чиркай карандашиком, а денежки текут.

Часто отлучалась? Нет. Летом и зимой моталась в город. За картонками-карандашами-красками. Ещё иногда отлучалась в Ильинское, это тридцать километров к югу; как зачем, постоять литургию. Нет, священник не Артемий. И не отец Серафим. Батюшку зовут Илларион, он из нерусских. Говорит непонятно. И к тому же ещё и глухой. Приезжали к ней священники? Монахи? Нет. Она мужиков не пускала. А вот письма в основном от мужиков. Откуда знаем? Почтальонша говорила.

Где живёт? Налево, налево, направо, Трудовая, номер восемь. Только не живёт, а жила. Заплатила до конца сезона и свалила. Как говорится, в неизвестном направлении.

10.

Господи, что за дорога. Рывок, провал в колдобину, гранатомётный выброс пыли, страдальческий скрежет металла о камень. И снова — внезапный нарост полотна, угол сорок пять градусов, клацают зубы. Влево-вправо, влево-вправо, вперёд-назад. Ничего-ничего, утешал себя я; сейчас пробуравимся к трассе, должно полегчать.

Но Муся ждать не собиралась, Муся желала общаться. Она вцепилась в спинку кресла, повернулась ко мне и то ли дружелюбно, то ли со злобой сказала:

— Ну. Хотя бы теперь ты понял?

— Что я должен был понять?

— Что тебе писала женщина, а не мужчина? Никакого Артемия не было. Я сразу догадалась.

— Я, Муся, ничего не знаю. Я знаю только, что попал в историю.

— А я — знаю. И как ты только сразу не заметил.

Вдруг Муся подалась назад, машину основательно тряхнуло, и я влепился виском в стекло. Правую бровь рассекло, раздался неприятный хруст, и стёкла вылетели из очков. Долматов выругался матерно и приказал:

— Вылазьте осторожно, ноги не сломайте, мы в кювете. Кажется, будем чиниться.

11.

Несколько часов ушло на поиск трезвых мужиков, готовых (и способных) вытащить машину из кювета; ещё полтора провозились с колёсами — мы воткнулись в крупные осколки трёхлитровых банок, резину пропороло до ступицы. Одно колесо заменили легко — у Долматова в багажнике была запаска; где взять другое, было непонятно, на «Жигулях» коноплёвцы не ездили. В лучшем случае на «Запорожцах». Или шкандыбали до автобуса пешком, четыре километра. Ближе к ночи «Жигулёнок» обнаружился у агронома из соседнего села; мы к половине третьего утра закончили ремонт и решили, что не будем суетиться, отправимся утром. Спать в салоне было невозможно; мы расстелили одеяло на земле, побрызгались вонючим антикомарином и легли вповалку.

Долматов и Муся уснули мгновенно — глубоким пролетарским сном. Им не мешали комары, зудевшие над нами, их не будили ошалевшие кузнечики. А я почему-то не спал. Пересохшая земля казалась каменной; от неё поднималось тепло, и дышать было трудно. Я старался не ворочаться. Лёг на спину, уставился в небо. Небо выгорело напрочь, стало туманным и блёклым, слабо светили белёсые звёзды. Без очков я видел только очертания созвездий, словно кто-то смешал акварельные краски и разлил их по мокрой бумаге.

Но чем хуже я видел, тем отчётливей думал. Это хорошо, что Муся настояла на поездке; мы словно отмотали всю историю назад и восстановили с самого начала. Стало ясно, что клиентов к Соколовой направляет жирный служка; Соколова разминает их, как пластилин, и осторожно начинает вылеплять фигурки. Ты будешь у нас порученкой. Ты умником. Тебя мы назначим героем. И похоже, что они действительно поверили в *преображение*. Странные люди, конечно. Я понимал, что эта жизнь с её Олимпиадой, финским сервелатом, сельдью иваси и «Завтраком туриста», Брежневым на юбилейной марке и Дзержинским, никогда не сможет измениться. Как йоги бесконечно тянут слово оммммм, так тянется мутное время. Что было, то и есть. Что есть, то и будет.

Я вспомнил, как привёл очередную новую знакомую в тот самый полукруглый зал на Моховой; на просцениум вышел известный кавказский философ, полуопальный, поэтому модный. На нём дорогие протёртые джинсы, заграничный пуловер ночного нездешнего цвета. В руке — раскуренная трубка. Распространяется приятный запах вишни и сандалового дерева. Говорит философ медленно, тяжеловесно. Произносит вальяжные фразы и после каждой ненадолго замолкает, как бы с удивлением разгадывая собственную мысль.

Он движется словесными кругами вокруг избитой максимы Декарта — «мыслю, следовательно, существую». То приближается вплотную, то уходит очень далеко. Все знают эту формулу, звучит приятный баритон философа, но никто не пробует её осмыслить. Мыслить — осмыслить, это же не просто тавтология. Философ красиво подходит к столу и звучно выбивает пепел. Эхо колотится в стены, словно пытаясь прорваться наружу. Но давайте вспомним товарища Сартра, его «Бытие и ничто». Мощная развёрнутая пауза. Все лихорадочно пытаются вспомнить. Философ достаёт кисет, тянет кучерявые соломки табака, заботливо пристраивает в трубочную чашу, стальным стерженьком разминает — и возвращается к начатой фразе. Что значит мыслить? Это значит знать. Но не в том убогом смысле, о котором говорится в афоризме Бэкона. Знание ни в коем случае не сила; знание, наоборот, бессилие, потому что, обладая им, ты только сознаёшь своё ничтожество. И пустоту. Именно из этой пустоты ты мыслишь, словно кричишь из окопа: спаси меня, спаси, я погибаю! Меня нет, я не существую!

Филологическая девушка теряет нить. Философ напоказ раскуривает трубку. Из трубки вырываются сигнальные дымки. Снова ярко пахнет вишней и сандалом. В зале трепетно шушукаются. Какая запретная тема. Какой молодец.

Но слишком часто мы в ответ не слышим ничего. Наша мысль отправляется в космос и возвращается к нам. В ту глубину опустошения, изнутри которой мы кричали к Богу. Опять-таки прошу прощения за тавтологию. Но почему мы перестали слышать голос Провидения, а Провидение не хочет слышать нас? Попробуем размыслить. Мыслить — осмыслить — размыслить. И начать существовать. Философ медленно раскачивает руку с трубкой, как ловкий диакон качает кадило в ожидании команды настоятеля; над трубкой повисает лёгкий дымный след.

Представьте двух незнакомых людей. Они разделены непроницаемой стеной. Перед каждым на столе клавиатура и узкая бобина с телеграфной лентой. Первый пишет послание, полное смысла и боли. Почему я один. Почему ты мне не отвечаешь. Почему я не могу прийти к тебе. В это время за стеной на телеграфной ленте отображается бессмысленный набор значков. Дыр бул щыл. Бобэоби. Муломнг улва глумов кул амул ягул.

Приходит очередь второго собеседника. Я не знаю, что ты хочешь сказать, печатает он. Почему ты пишешь непонятно. Почему ты просто не встанешь и не придёшь ко мне, чтобы мы были вместе. Теперь у первого вращается бобина. На плотной ленте — непонятные значки. Циферки, буквицы, чёрточки, плюсы. «Хо-бо-ро. Хут, хорун, хизык».

У них не совпадают кодировки. Между ними — стена.

Трубка гаснет. Но философ этого не замечает. Он останавливается в недоумении. Что же можно вывести из сказанного? Куда последовать за собственными мыслями? Как выйти на прямую Бога? Как победить бессмысленные знаки? Е-у-ю. И-а-о. О-а.

Первое что я услышал ранним утром, был Мусин требовательный голос:

— Просыпайся, котя. Будешь завтракать?

— Буду!

12.

На обратном пути мы молчали. Долматов обеими руками вцепился в руль, зернисто оплетённый разноцветной проволокой, и упрямо смотрел на дорогу. Спина напряжена. Голова как набалдашник, ввинченный в железо. Глаза поднимаются к зеркальцу, скашиваются влево, вправо, шея не вращается, он словно врос в сиденье. Полный вперёд. Больше он не совершит ошибок, больше не завалится в кювет. Муся опустила голову; лицо её не отражалось в зеркале заднего вида; грустит она или просто задумалась — я не понимал.

День, по существу, ещё не начался; за открытыми окнами было безжизненно вялое утро; пахло горячим железом и мятым асфальтом. Трассы пустые, светло. Я смотрел на дорогу и видел сплошные размытые пятна, жёлто-зелёные, синие, серые, их рассекали чёрные фонарные столбы, просмолённые, как шпалы. Как же было неудобно без очков. Как скучно. И ещё это чёртово радио. Соловей российский славный птах. Миллион, миллион, миллион алых роз. И прочая уклончивая полупьеха.

Я попытался прилечь, додремать. И почувствовал, что в грудь воткнулось что-то острое. Пошарил в кармане, вытащил мутную запонку. Сколько их навыпускали, интересно? И когда? В конце пятидесятых? При Хрущёве? Склад они, что ли, ограбили, чтобы каждому хватило в армии преображения…

Я открыл окно; воздух дал мне жаркую пощёчину. Я с размаху вышвырнул запонку.

— Ты чего это кидаешься? — обернулась Муся; всё-таки она поглядывала в зеркальце.

— Просто так, ничего, вычищаю карманы.

Муся ничего мне не ответила, но я почувствовал её обиду. Конечно, нужно было объясниться, однако что я мог сказать? Типа выбросил запонку, вытеснил память? Не слишком серьёзно. Я и сам тогда не очень понимал — зачем я это делаю. Нужно было прожить ещё четверть века, увидеть последствия давних событий, чтобы понять, от чего я пытался избавиться. Звучит, наверное, уклончиво и даже туманно, но не стану погружаться в объяснения; жанр, напророченный мне Сумалеем, свободен от занудных расшифровок. Как сказал, так сказал, и довольно.

13.

Нас тормознули у въезда в Москву. Здесь был установлен передвижной блок-пост с двумя ленивыми и сонными милиционерами. Один был похож на узбека, другой на якута; видно было, что обоих вызвали в «столицу нашей родины» на помощь; они наверняка надеялись увидеть Кремль, а их отправили за Кольцевую. Милиционеры повертели в руках документы, сличили фотографии, проверили прописки. С любопытством изучили ссадину.

— Помахались, что ли, с кем? Нет, не помахались? А чего тогда? Авария? Бывает.

И с нескрываемой завистью подняли ручной шлагбаум. Вам-то в город. Вам-то интересно. А мы тут плавься на солнце.

— Долматов, — нежно попросила Муся, — ты не высаживай нас на своих Энтузиастах, довези до Кунцева, тебе не трудно. Всё равно столько времени на нас уже потратил.

— Что с вами делать, — хмыкнул Долматов. — Любая прихоть за ваши деньги, фрау мадам. — Пересёк двойную сплошную и решительно поехал через центр.

Мы свернули на пустынное Садовое кольцо и от безлюдных набережных устремились вверх. Но очень скоро вновь притормозили. Вдоль трассы вытянулись ровные шеренги сахарных милиционеров, на тротуарах, плотно, плечом к плечу, стояли любопытные с цветами; они не умещались в оцепление и трепыхались за его пределами, словно сеть с кишмя кишащей рыбой. Внезапно дунул лёгкий ветерок; на мгновение стало полегче дышать. Смутившись своего порыва, он утих, но было ясно, что окрепнет и вернётся.

До меня дошло:

— Сегодня же Высоцкого хоронят! Друзья, обождите, я быстро.

— Мы с тобой, — отвечала мне Муся. — Долматов, можешь здесь машину парковать? Рискнёшь? Тогда пошли все вместе.

За оцепление нас, разумеется, не пропустили, зато мы просверлились сквозь толпу и оказались рядом с похоронными автобусами. Всё пространство перед театром на Таганке и на множество кварталов вверх было забито людьми. Они гроздьями висели на пожарной лестнице, стояли на крышах табачных киосков; многие плакали. Кто-то молча, а кто-то навзрыд.

С той стороны оцепления раздавали листочки, отпечатанные под копирку; один из сахарных милиционеров потянулся: «А мне?» Человек инженерного вида ответил: «Но вы же, извините, из милиции!» Милиционер покраснел.

— А что, — спросил он с обидой, — милиционеры, по-вашему, не люди?

— Люди, — с удивлением ответил инженер и протянул сержанту листок папиросной бумаги.

Тот схватил её и развернул. Губы его шевелились. Что там, что? — нетерпеливо спрашивали из толпы, но сахарный милиционер не отвечал. Дочитав, он бережно свернул листок, спрятал в нагрудный карман. И только после этого сказал застенчиво:

— Не толкайтесь, пожалуйста. Это последние стихи Владимира Семёновича. Домой в Краснодар повезу, это же наша история.

В эту самую минуту раздался вопль:

— Несу-ут!

Все подались вперёд, но тут же схлынули, как волны.

Над головами белой лодкой плыл заваленный цветами гроб. Толпа аплодировала. Гроб приближался к автобусу. Люди не желали отставать, задние ряды давили на передних; плечом к плечу, ещё тесней, ещё сплочённей, чем когда-то в Переделкине, у старца. И даже плотнее, чем в церкви на Пасху.

— Володя, прощай!

Остро пахло едким по́том, кладбищенскими душными цветами и универмаговским одеколоном. Воздух колебался от тяжёлого совместного дыхания. Беспощадное солнце палило. Ветерок не спешил возвращаться. И всё-таки тоска не подступала, лишь нарастало сладостное чувство ожидания, словно прошлое уже ушло, а новое ещё не наступило. Было в этом что-то ветхое, индийское — как на фотографии в цветном журнале «Индия» или в репортаже «Клуба кинопутешествий». Грязный Ганг, погребальный челнок, загорелые люди, прекрасная и всеживая смерть.

18 марта 2014 — 19 марта 2018

Оглавление

В романе процитированы строки из стихотворений и текстов песен:

М. Анчарова («Стою на полустаночке»), Е. Блажеевского («Ворота — настежь. В доме плач…»), А. Булычёвой («Носики-курносики»), Ю. Визбора («Милая моя»), А. Вознесенского («Танец на барабане», «Миллион алых роз»), А. Волохонского («Под небом голубым…», версия Б. Гребенщикова), В. Высоцкого («Кони привередливые», «Утренняя гимнастика», «Диалог у телевизора», «Охота на волков», «Письмо в редакцию телевизионной передачи "Очевидное невероятное"», «Моя цыганская», «Натянутый канат»), А. Галича («Петербургский романс», «О том, как Клим Петрович…»), Л. Гинзбурга («Песенка студента», вольн. перевод с лат.), Л. Дербенёва («Всё, что есть у меня»), Ю. Дмитриевича («В лунном сиянии»), Н. Добронравова («И вновь продолжается бой» — в соавт. с А. Пахмутовой, «Мы верим твёрдо в героев спорта», «Птица счастья»), Е. Евтушенко («Граждане, послушайте меня»), С. Есенина («Не жалею, не зову, не плачу…»), Ю. Кукина («За туманом»), А. Макаревича («Пока горит свеча», «Три окна», «Чёрно-белый цвет»), А. Межирова («Убывает время»), О. Митяева («Как здорово»), С. Михалкова и Г. Эль-Регистана («Гимн СССР»), Б. Окуджавы («Песня о московском муравье», «Прощание с новогодней ёлкой», «Дежурный по апрелю»), Л. Ошанина («Течёт Волга»), Б. Пастернака («Гамлет», «Ночь»), М. Пляцковского («Песня оленевода»), Р. Рождественского («Песня о БАМе»), Д. Сухарева («Брич-Мулла»), В. Харитонова («Мой адрес — Советский Союз»), О. Чухонцева («Однофамилец»), В. Шаинского («Через две зимы»), И. Шаферана («Ромашки спрятались»), F. Farian, F. Jay, G. Reyam (H.-J.Mayer) («Rasputin»).

Литературно-художественное издание

Архангельский Александр Николаевич

БЮРО ПРОВЕРКИ

Роман

18+
Содержит нецензурную брань

Главный редактор *Елена Шубина*
Ответственный редактор *Дана Сергеева*
Младший редактор *Вероника Дмитриева*
Художественный редактор *Константин Парсаданян*
Корректоры *Надежда Власенко, Ирина Волохова*
Компьютерная верстка *Елены Илюшиной*

f http://facebook.com/shubinabooks

VK http://vk.com/shubinabooks

Подписано в печать 28.03.2018. Формат 84x108/32.
Печать офсетная. Усл. печ. л. 21,84.
Тираж 3000 экз. Заказ № 3067/18.

Общероссийский классификатор продукции
ОК-005-93, том 2; 953000 — книги, брошюры

ООО «Издательство АСТ»
129085 г. Москва, Звездный бульвар, д. 21, строение 1, комната 39
Наш электронный адрес: www.ast.ru
E-mail: astpub@aha.ru

«Баспа Аста» деген ООО
129085 г. Мәскеу, жұлдызды гүлзар, д. 21, 1 құрылым, 39 бөлме
Біздің электрондық мекенжайымыз: www.ast.ru
E - mail: astpub@aha.ru

Қазақстан Республикасында дистрибьютор және өнім бойынша
арыз-талаптарды қабылдаушының өкілі «РДЦ-Алматы» ЖШС,
Алматы қ., Домбровский көш., 3«а», литер Б, офис 1.
Тел.: 8(727) 2 51 59 89,90,91,92, факс: 8 (727) 251 58 12 вн. 107;
E-mail: RDC-Almaty@eksmo.kz
Өнімнің жарамдылық мерзімі шектелмеген.

Отпечатано в соответствии с предоставленными материалами в
ООО "ИПК Парето-Принт", 170546, Тверская область,
Промышленная зона Боровлево-1, комплекс №3А,www.pareto-print.ru